BESTSELLER

Steven Conte (1966) nació y creció en Guyra, Nueva Gales del Sur, Australia. Ha vivido en Sidney y Camberra, y actualmente reside en Melbourne. *A siete pasos de la primavera*, finalista del premio Commonwealth Writers' y galardonada con el Prime Minister's Literary Award, es su primera novela.

STEVEN CONTE

A siete pasos de la primavera

Traducción de
Francisco Javier Calzada

DEBOLS!LLO

Título original: *The Zookeeper's War*

Primera edición: enero, 2010

© 2007, Steven Conte
© 2010, Random House Mondadori, S. A.
   Travessera de Gràcia, 47-49. 08021 Barcelona
© 2010, Francisco Javier Calzada Jiménez, por la traducción

Printed in Spain – Impreso en España

ISBN: 978-84-9908-123-6
Depósito legal: B-41.595-2009

Fotocomposición: gama, s. l.

Impreso en Novoprint, S. A.
Energía, 53. Sant Andreu de la Barca (Barcelona)

P 881236

Dedicado a mi abuela, Marion Marcus, 1901-2003.
Con mi amor y mi agradecimiento
por tantos otros relatos

1

Las sirenas de ataque aéreo aullaban. Los reflectores exploraban la oscuridad y las baterías del anillo exterior de Berlín abrían fuego, provocando el aleteo y el griterío entre las aves del aviario. El apagón en el zoo era total. Habían pasado semanas desde el último ataque aéreo y Vera se sintió impactada por la rápida reacción de su cuerpo, la sacudida en el estómago y el temblor. Como de costumbre, era consciente de la vulnerabilidad de los animales. Siempre se producían bajas.

A su lado caminaba Axel, sacudiéndose la nieve de la bota de su pierna buena, la derecha. Su cojera parecía peor esa noche. Con el rabillo del ojo Vera percibió el balanceo de sus hombros, luego se giró hacia él y al ver su tórax fornido se sintió extrañamente tranquilizada, como si Axel estuviera hecho de un material más recio que meros músculos y huesos.

Dejaron atrás el lago de las aves acuáticas, las cocinas y la administración, mientras Vera ansiaba estar de vuelta cuanto antes en la villa durmiente. Un fogonazo iluminó los minaretes del recinto de los primates, y en el centro del espacio nevado divisó a Artur Winzens, el cuidador jefe, un hombre menudo de espalda muy erguida. Era demasiado mayor para el ejército, aunque Vera temía que incluso herr Winzens sería llamado pronto a filas: desde lo de Stalingrado, el régimen reclutaba a los más jóvenes y los más mayores. El aliento del cuidador lo envolvía en su bruma.

Hacia el oeste el zumbido de los bombarderos se sumaba al estruendo de la artillería, y los haces de los reflectores se agitaban como las patas de un escarabajo boca arriba. Axel saludó a herr Winzens en tono jovial, y luego hizo una pausa para observar el reflejo de una explosión que teñía de verde el acuario. En silencio, Vera dio gracias por el aplomo de su marido: un legado, supuso, de su servicio en las trincheras hacía ya media vida, una compensación por la metralla en su cadera.

Excavada en el suelo en el centro de la glorieta, una escalera bajaba hasta una puerta blindada con plancha de acero. Herr Winzens descorrió el cerrojo y Vera lo siguió al interior del refugio antiaéreo, que se extendía bajo el suelo del parque hasta los elefantes esculpidos que flanqueaban las puertas de acceso al zoológico. Los tablones en voladizo a lo largo de las paredes servían como bancos que podían acoger hasta doscientas personas; pero, aparte de algunos ataques de contingencia, eran pocos los bombardeos que tenían lugar de día, cuando había visitantes en el parque, y por la noche solo Axel y ella se refugiaban allí con herr Winzens. La gente del lugar utilizaba las dos torres-búnker del Tiergarten, en las que podían refugiarse hasta treinta mil personas.

Herr Winzens encendió una lámpara de queroseno y la colgó del techo, luego cerró la puerta y nos pasó mantas y linternas eléctricas. Vera llenó unas tazas de achicoria caliente de un termo, y aprovechó para calentar sus guantes en el revestimiento esmaltado. El zumbido de los bombarderos era más fuerte que de costumbre, y la mujer alzó la mirada hacia el techo de hormigón.

Axel cortó unas tiras estrechas de papel de periódico, que cada uno mojó en un balde y se introdujo después en los oídos justo en el momento en que las baterías emplazadas en lo alto de las torres-búnker abrían fuego, haciendo que se sacudiera la tierra. Vera se enderezó en el banco, con la espalda recta como una lanza, y después se inclinó para que Axel la abrazara suavemente.

La metralla de la artillería caía ruidosamente en el paseo, y sobre sus cabezas rugían los bombarderos. Las primeras explosiones levantaron un muro de estrépito, mucho más estruendoso de cuanto Vera hubiese oído nunca. Se agarró al tablón que se extendía bajo sus muslos mientras las explosiones se iban acercando como un *Bombenteppich*: la alfombra de destrucción que ella solo había imaginado como metafóra. Esta vez era tremenda. Axel soltó a Vera y se llevó un dedo a la garganta, en un gesto que la sorprendió hasta que se dio cuenta de que le señalaba el corcho que llevaba atado alrededor del cuello. Ella buscó el suyo bajo su blusa y lo mordió en el preciso instante en que estallaba una bomba de quinientos kilos, estremeciendo su asiento y lacerando el aire, seguida de una serie de bombas que detonaron una tras otra haciendo temblar las paredes. Vera se tapó los oídos con las manos, pero el estruendo aumentó a medida que las explosiones y el ruido de los motores se fundían, haciendo imposible distinguir las oleadas de escuadrones que se sucedían. Las baterías antiaéreas de las torres rugían ante el ataque. Vera se apretó con más fuerza los oídos y notó el martilleo de su sangre.

Por encima de su cabeza oyó un sonido sibilante que comenzó muy alto y agudo y fue haciéndose más grave de forma exponencial, haciéndola pensar en las matemáticas, en la brutalidad de las cifras. Cuando se incorporaba como un resorte, la fuerza de la explosión la levantó en volandas, la lanzó de espaldas contra el hormigón y luego la arrojó al vacío. Se preguntó vagamente si estaba a punto de morir cuando un golpe sacudió su pecho, y luego fue deslizándose hasta quedar inmóvil. Oyó un tintineo de cristales extrañamente doméstico. Vera yacía de bruces en la oscuridad, respirando polvo. Uno de los hombres se retorcía junto a sus piernas. Llamó a Axel por su nombre pero no pudo oír su propia voz, y entonces una linterna, la de herr Winzens, iluminó el polvo arremolinado. Al volverse vio la cara de Axel, una máscara polvorienta cuya boca trataba de pronunciar su nombre. Ella intentó responder, pero la voz se ahogó en su garganta. La atmósfera apestaba a cordita, humo y queroseno. El haz de la linterna de herr Winzens pasó ante los ojos de Vera y entonces se incorporó sobre sus rodillas. Axel le preguntó a gritos si estaba herida. Solo maltrecha, consiguió responder. Él levantó el pulgar. Herr Winzens sangraba por un corte abierto en la barbilla, pero aseguraba hallarse indemne.

La puerta blindada había quedado desencajada y resaltaba enmarcada por el fulgor del exterior, y a través del resquicio abierto penetraba el estruendo de más bombas y fuego antiaéreo. Axel se puso en pie y empujó la puerta con el hombro para ajustarla en su marco, dejando que Vera solo pudiera imaginar lo que estaba ocurriendo en la superficie.

Después fue a sentarse a su lado y le pasó el brazo por los hombros. Otros ataques aéreos anteriores habían durado un par de horas, pero jamás con semejante ferocidad. Si otra bomba no acababa con ellos, cabía la posibilidad de que murieran asfixiados.

Durante varios minutos más siguieron cayendo bombas. Luego, de pronto, cesaron las explosiones y solo se oyeron las baterías antiaéreas y las ametralladoras de los cazas nocturnos de la Luftwaffe, hasta que también su ruido se desvaneció. Vera sentía náuseas por el humo y el sudor empapaba su espalda. Se abrió paso hasta la puerta blindada, agarró el cerrojo y notó el calor a través de sus guantes. Herr Winzens la observaba aterrado: no estaba claro qué se iban a encontrar, pero Axel la ayudó a desencajar la puerta de sus goznes, dejando entrar el calor y una luz de color sangre. La mayoría de los escalones había desaparecido. Grandes llamaradas se elevaban hacia el cielo.

Vera siguió a su marido hasta el borde de un cráter que centelleaba con una débil fosforescencia azulada. Los restos de la bomba incendiaria salpicaban la nieve. El aviario se había convertido en una gran pira y la glorieta de la música era un árbol flamígero; el invernadero del piso superior de la administración estaba ardiendo. El acuario era el único lugar que no estaba en llamas, aunque un resplandor rojizo perfilaba su dentellada en la cubierta. El aire era denso, un ardiente siroco. Ninguna criatura, cualquiera que fuese su tamaño, podría haber sobrevivido sobre aquel terreno.

En los apartamentos situados al sur explotó una bomba de acción retardada, cuya sacudida viajó a través de la tierra hasta el suelo que pisaba Vera. Axel le preguntó a herr Winzens si debía ir a Defensa Civil en busca de ayuda, y pareció aliviado cuando el viejo le ordenó que se dirigiera a la puerta de entrada, que, como Vera observó, había resultado dañada. Más allá, la Kurfürstenstrasse era un mar de llamas, cuyas ráfagas arrancaban trozos de pizarra de los tejados. Las ascuas se elevaban en espirales de calor. Vera sintió como si la tierra empezara a temblar, miró hacia abajo y comprobó que eran sus rodillas las que vacilaban.

Axel señaló hacia el fuego en el invernadero y dijo que aún estaban a tiempo de rescatar los libros de pedigríes de su despacho. Aquello tenía sentido, aunque mientras tanto morirían más animales, y ella podría haber ido por su cuenta a apagar las llamas si alguien la ayudaba manejando el camión cisterna. En lugar de eso, se cogió del brazo de Axel y entraron juntos en el edificio.

El vestíbulo estaba a oscuras, el aire lleno de cenizas, y una fuerte corriente ventosa ascendía por las escaleras hacia el invernadero. Vera siguió a Axel hasta el despacho, inclinándose bajo el vendaval que se colaba por las ventanas destrozadas. En las paredes, fotografías enmarcadas se agitaban ruidosamente por el viento, la mayoría de ellas del padre de Axel: herr Frey junto a una jirafa recién nacida; estrechando la mano del káiser; observando a unos hombres negros mientras subían animales salvajes a la cubierta de un carguero.

Axel abrió su escritorio y comenzó a sacar los libros de pedigríes, mientras Vera descolgaba las fotos de las paredes y se las iba colocando en el hueco de su brazo doblado, dejando solo el obligatorio retrato del dictador. Axel abrió el armero y cogió el Mauser.

Vera estaba ansiosa por salir de allí y obligó a Axel a darse prisa mientras cruzaban el vestíbulo. Fuera, el viento abrasador iba cobrando fuerza, convirtiendo la nieve del paseo en una masa fangosa. Se estremeció... el pasado verano, durante el bombardeo de Hamburgo, muchos habían muerto por abrasión del tejido pulmonar. El horizonte refulgía, como si estuvieran rodeados de crepúsculos. No tenía ni idea de por dónde empezar para intentar salvar a los animales.

Emergiendo de la glorieta ardiendo, entre una nube de centellas, Vera vio una densa luz en movimiento: una bola de fuego que se iba acercando, saltando y zigzagueando, hasta que finalmente reconoció una cebra envuelta en llamas. El animal mostraba unos ojos desmesurados por el espanto y, lo que parecía peor, una especie de asombro herido. Axel trató de bloquear el camino de la hembra, pero esta lo esquivó fácilmente, su grupa convertida en una capa de fuego. Galopó a través de los escombros de la puerta de entrada, chocó contra una farola y se tambaleó hacia un lado, pero de alguna manera logró mantenerse derecha y, antes de que Axel pudiera alcanzara, huyó entre el chacoloteo de sus cascos en la oscuridad.

—Es el fin del zoo —dijo Vera.

Aquel pensamiento había estado acechándola todo el día, y ahora lo expresaba con palabras. Axel no respondió. A la luz de la lámpara en el diminuto piso de Flavia, su rostro se veía cansado.

—Quizá la cosa no sea tan grave —comentó Flavia—. Puede que mañana veáis las cosas de otra manera.

Su optimismo sonaba sincero y conmovió a Vera: normalmente, era Flavia la que necesitaba consuelo. Chocaba verla allí ataviada como una jovencita descocada de los años veinte, todavía luciendo el vestido de la fiesta de la noche anterior, pese a haberse pasado todo el día caminando entre el humo y los cascotes.

Vera sacudió la cabeza y enumeró las pérdidas: la pagoda del elefante, las instalaciones de los camellos y antílopes, el aviario y el acuario... El recinto de los primates estaba medio destruido, las cercas que delimitaban los bosques habían ardido. Habían muerto miles de animales en todo el zoo. Axel no decía nada, y su silencio confirmaba los temores de Vera.

Aún no podía avenirse a hablar de su villa. Cuatro años atrás se había dicho a sí misma que podría resistir la guerra si su hogar era respetado, pero al contemplar esa mañana las ruinas de la villa la había alcanzado de lleno la tremenda absurdidad de aquel pacto tácito. Todo contrato debería ser cumplido. Pero ahora tendría menos pertenencias que cuando dejó Australia una década antes.

—Bueno, estáis vivos, y eso es lo principal —dijo Flavia, imprimiendo al tópico una tremenda convicción.

Se levantó y, disculpándose por no poder servirles una comida como es debido, les ofreció una bandeja de canapés del hotel Bristol. Los canapés, aseguraba, eran un obsequio del embajador de Rumanía, aunque lo más probable era que se los hubiese guardado subrepticiamente en el bolso. Con los soviéticos avanzando hacia Bucarest, la legación rumana sabía que sus días estaban contados, y según Flavia pensaban disfrutar a conciencia del tiempo que les quedara. La fiesta se había trasladado al subterráneo cuando se inició el bombardeo, y se prolongó allí hasta la madrugada.

Flavia trajo agua de un cubo que había llenado en la calle. Su estrecho vestido la hacía parecer medio desnutrida, aunque en realidad gorroneaba más comida en una semana de la que comía un recio trabajador en dos. No había electricidad y los canapés estaban fríos, pero Vera los devoró igualmente. Axel comió en silencio, encorvado bajo una manta.

Cuando hubieron dado cuenta de la comida, Vera, en quien el hábito de la cortesía podía más que el agotamiento, se ofreció a quitar la mesa, pero Flavia, con un gesto amable, la obligó a permanecer en la silla.

Resultaba agradable sentirse cuidada. Después de pasarse un día entero apagando fuegos y atendiendo animales con quemaduras, la mayoría de los cuales pese a todo había muerto, la actitud compasiva de Flavia hizo que a Vera se le humedecieran los ojos de agradecimiento. Había sido Flavia quien la había encontrado en el zoo totalmente abrumada por la fatiga, y quien había persuadido a Axel para que finalmente fueran a su casa. Ella los había conducido a través de una ciudad que Vera apenas había podido reconocer, y que ya no era un lugar de hormigón y piedra, sino de humo y luces parpadeantes. La atmósfera resultaba casi irrespirable. Por lo que a Vera respectaba, podrían haberse encontrado en Marte, así que fue toda una sorpresa llegar a la Meinekestrasse, detrás de la vieja sinagoga, y ver que el número dieciséis estaba prácticamente intacto.

Flavia lavó los platos en el cubo y después sirvió sendos vasitos de schnapps. La previsión era de cielos cubiertos, dijo.

—Con suerte, los británicos no vendrán esta noche.

Resultaba una observación considerada viniendo de Flavia. Normalmente acogía de buen grado los bombardeos e intentaba provocar a Axel con sus comentarios al respecto, argumentando que los ataques aéreos acortarían la guerra, ya que la gente, forzada repetidamente a ocultarse bajo tierra, se comportaría como gusanos cuando llegara el momento de luchar. Axel se limitaba a reír y la acusaba de masoquismo. Decía que los bombardeos fortalecían la resolución del pueblo, y Vera sospechaba que estaba en lo cierto.

Flavia terminó su schnapps y empezó a preparar una cama en el sofá.

—Es para mí —explicó—. Vosotros dos dormiréis en mi habitación. —Vera intentó oponerse, pero Flavia se mostró enérgica—. En cualquier caso —dijo—, os lo debo.

En dos ocasiones anteriores su casa había sido bombardeada: en 1941, cuando aquello fue una novedad que suscitó la compasión de los foráneos, y en el gran bombardeo del agosto anterior, cuando solo sus amigos se preocuparon por ella. Y en ambas ocasiones se había refugiado en la villa, mientras la Oficina de Damnificados por Ataques Aéreos se encargaba de buscarle un piso, cada vez más pequeño que el anterior. Vera había confiado en no tener que pedir nunca que le devolviera el favor.

Flavia los hizo pasar al dormitorio y les buscó dos pijamas de hombre. Vera se sentía sucia y con el olor a humo pegado en la piel, pero aun así se acurrucó agradecida bajo el edredón de Flavia, sintiendo a su lado el peso de Axel, y se durmió.

Horas después se despertó sin saber dónde se hallaba, pero entonces olió el humo y se acordó de los animales. Todavía no se hacía a la idea de que tantos hubieran muerto. No podía. Aún no.

La habitación de Flavia carecía de ventanas y la única luz era la que se filtraba por debajo de la puerta. Vera pudo distinguir en el techo dos grietas que entrechocaban y se ramificaban. A su lado, Axel roncaba suavemente, mientras que en la habitación contigua Flavia se había levantado ya, señal de que la mañana estaba avanzada. Vera permaneció inmóvil, reacia a desencadenar otra jornada de acontecimientos: habría formalidades burocráticas que resolver, necesidades que satisfacer. En el pasado siempre había desdeñado los tópicos sobre la futilidad de trazarse un rumbo en la vida, puesto que en su caso había actuado más por propia elección que por inercia; pero la guerra había restringido sus elecciones y últimamente se había sentido como la pasajera de un tren que, según los rumores, se había adentrado en la red subterránea después de que, durante un bombardeo, la metralla hubiera matado al maquinista.

Axel se removió y dejó de roncar. Necesitaría que ella lo despertara. Vera percibía su olor, una mezcla de humo y sudor rancio. Tenía los cabellos espesos y, de forma injusta, pese a su más avanzada edad, peinaba menos canas que ella. La expresión de su rostro era serena. Mientras que a ella la guerra la había machacado, haciéndola vulnerable a toses y resfriados, Axel había conservado todo su vigor. A pesar de los quebraderos de cabeza que les daba el zoo, él seguía siendo optimista. Axel era la constante en su vida. Por aterrador que pudiera ser el futuro, el hombre que dormía a su lado lo haría soportable.

Esa tarde entró en un gimnasio escolar requisado por la Oficina de Damnificados por Ataques Aéreos. Largas colas de gente recorrían la sala hasta donde los funcionarios, sentados en pupitres, entrevistaban a las personas una por una. Maldiciéndose por haber llegado tan tarde, se puso en la cola que le pareció más corta.

La sala carecía de calefacción y Vera se ciñó bien el abrigo. Del techo colgaban sogas y anillas gimnásticas que le recordaron al recinto de los gibones, una parte de la zona de los primates que había sobrevivido al bombardeo. Junto a las puertas del gimnasio se hallaba apostado un policía de aspecto aburrido... para prevenir, supuso Vera, que aquella multitud de ancianos y amas de casa pudiera amotinarse. Pero los ánimos, aunque hoscos, estaban más bien apagados. Parecían estar representadas allí todas las clases sociales: como le gustaba decir a Flavia, las bombas eran un gran mecanismo de igualación social, sobre todo porque ninguna compañía aseguradora cubría las pérdidas sufridas por actos de guerra. Vera recordaba que, en su infancia, la casa de un abogado de la vecindad había ardido hasta los cimientos. Lo peor de todo, dijo al día siguiente la mujer del abogado sollozando entre los brazos de la madre de Vera, no era el incendio de la casa, sino la pérdida de fotografías y recuerdos valiosos. A Vera aquellas palabras le habían parecido muy nobles, aunque ahora renunciaría sin dudarlo a todas las fotografías que había conseguido salvar si con tal sacrificio pudiera recuperar de algún modo la villa.

Durante varios minutos, la cola apenas se movió. De pronto se abrieron las puertas y entró en la sala un hombre mayor y corpulento, vestido con un traje a medida. Era calvo y lucía un bigote blanco de morsa que amarilleaba en las guías. En conjunto, ofrecía un aspecto entre gángster y forzudo de circo.

El hombre echó un vistazo a la sala y emitió un gruñido, pasó tranquilamente por delante de quienes hacían cola y se plantó ante uno de los pupitres con los brazos cruzados y los pies bien separados. Hubo cierto revuelo enojado en las colas, pero, para alivio de Vera, un oficial ordenó al intruso que se pusiera al final. El hombre bramó unas protestas y agitó en el aire sus documentos de identidad, para luego darse la vuelta refunfuñando como si se dispusiera a marcharse, aunque al final cambió de dirección y se colocó detrás de Vera.

—¿Es que no saben que estamos en guerra?

Vera se volvió ligeramente a modo de respuesta. Hoy necesitaba tranquilidad.

—Algunos de nosotros tenemos cosas más importantes que hacer —dijo el hombre—. Deberían darnos prioridad.

Vera replicó con una breve y gélida sonrisa. Últimamente se había tropezado con más excéntricos de los que le correspondían, incluidos los prepotentes y los directamente locos: personas atraídas, suponía ella, por la expresión cordial que mostraba para compensar los recelos que inspiraba su acento.

El individuo trajeado hablaba en un prusiano vociferante.

—No les basta con haberse quedado sin casa: también tienen que sabotear el esfuerzo bélico de su país.

Vera murmuró vagamente, pero el otro prosiguió. Mientras unos combatían en la guerra, dijo, otros ponían obstáculos. Bastaría con que el pueblo se uniera para que la nación consiguiese la victoria final. El hombre la observaba con aire expectante, y Vera intuyó que tenía que asentir o mostrarse derrotista. Así que dijo un *ja* mirando de soslayo, tratando de eludir la conversación. Por fortuna, la cola comenzaba a moverse.

—El enemigo tendrá su merecido, *gnädige Frau*, no debe preocuparse. Ni siquiera sabrán lo que se les viene encima cuando el Führer lance sobre ellos las armas prodigiosas.

Las *Wunderwaffen*... Vera dudaba de su existencia, pero no iba a decírselo: aquel viejo loco era un nazi hasta la médula. No era tan alto como Axel, pero sí más corpulento, mejor alimentado. Debía de ser unos veinte años mayor que él. Tenía unas manazas grandes como platos. A Vera se le pasó por la cabeza que tal vez anduviera a la caza de subversivos, pero aunque no fuese un informador a sueldo, sin duda era del tipo de los que te denunciarían a la mínima oportunidad. Lo dejó que despotricara. Hasta entonces se las había arreglado para llevar una vida en la que rara vez tenía que mezclarse con los nazis, limitándose a tratar con los amigos de Axel —científicos que, como él, no estaban interesados en la política—, o bien con el cerrado mundillo teatral de Flavia, cuyos miembros alimentaban en privado su desprecio por el régimen. Confinada en el zoo, había evitado a los fanáticos, o, lo que es lo mismo, a la mayoría patriótica.

El forzudo trajeado dejó de hablar, percibiendo tal vez el desagrado de Vera, quien se inclinó hacia la mujer que tenía delante para comentarle la lentitud con que se movían las colas, y hablando en voz baja para evitar que el otro la escuchara. Era una mujer de mediana edad, de cabello castaño, nervuda, y con unos ojos ansiosos muy hundidos en sus cuencas. Olvidando la razón por la que estaban allí, Vera le preguntó dónde vivía, lo cual dibujó una expresión de angustia en el rostro de la mujer. Le respondió que su piso de Neukölln había sido destruido. Trabajaba como modista en una fábrica cercana y tenía a su cargo a su anciana madre. Sus frases eran vacilantes y breves, como si las bruscas pausas fuesen madrigueras entre las que corretear. Vera le explicó que hasta hacía dos días vivía en el zoo, lo cual despertó la curiosidad de la modista. Había visitado el zoo de niña y jamás había podido olvidar las jirafas. Vera se abstuvo de contarle que todas las jirafas habían muerto en el bombardeo.

Se hizo un silencio en la conversación, y la modista comenzó a mirar a su alrededor con aire incómodo, hasta que al cabo de un minuto, ruborizada y con voz entrecortada, le preguntó a Vera si le importaría guardarle su puesto en la fila. Se hallaban ya muy cerca, y las colas eran ahora mucho más largas. Vera asintió y la modista se alejó al momento.

El hombre del traje gruñó.

—¡Será estúpida...!

El avance de la cola parecía haberlo puesto de mejor humor. Ahora se retorcía las puntas de su bigote con ambas manos.

—¿Está casada?

A Vera casi se le escapa la risa: no era ningún informador. Y por lo menos le doblaba la edad. Reconoció que tenía marido.

—¿Está combatiendo?

—Trabajando.

—¿Como especialista?

Vera asintió.

—Yo también estoy exento, aunque combatiría si me dejaran. —Hinchó el pecho: su parecido con un forzudo circense era sin duda deliberado—. En cualquier caso, aporto mi granito. Soy fabricante. Proveedor de la Wehrmacht.

El regreso de la modista, avanzando entre disculpas hasta el lugar que ocupaba antes, le evitó a Vera proseguir la conversación. El forzudo preguntó a la mujer adónde pensaba que iba, y la modista se tensó, asustada. Murmuró algo acerca de su puesto.

—Mala suerte —dijo el forzudo—. Si se marcha, tiene que empezar de nuevo.

La modista pareció aterrada.

Vera suspiró, se volvió hacia el forzudo y por primera vez le dirigió una frase completa.

—Esta señora estaba aquí antes, y yo voy a dejarla pasar.

Se lo quedó mirando fijamente, mientras el hombre se percataba del acento extranjero de su alemán. Luego se volvió y se cruzó de brazos, sintiendo la piel de su nuca contraerse ante el silencio que se había hecho a su espalda.

Por fortuna se acercaban ya al principio de la fila. La siguiente era la modista. De repente el forzudo abandonó su lugar, avanzó hacia el policía y comenzó a hablar con él en voz baja pero excitada. Señalaba a Vera. El policía la miró y se dirigió hacia ella. Toda la sala los observaba cuando el policía se detuvo y le preguntó a Vera su nombre y su nacionalidad.

Vera le dijo su nombre y añadió *Deutsche*, sosteniendo la mirada del forzudo. El policía le pidió su documentación, y ella buscó en su bolso y sacó dos sobres: el primero con los documentos que toleraba o se veía obligada a llevar —cartilla de racionamiento, permiso de residencia y certificado de nacionalización—, y el segundo con aquellos que tenían un valor real para ella: su certificado de matrimonio y una tarjeta de empleo en la que constaba su profesión de conservadora del zoológico. El policía los examinó uno por uno, se los devolvió a Vera y le dijo al forzudo que estaba todo en regla. Este farfulló algo acerca del deber. El policía se encogió de hombros y regresó a su puesto.

Vera se sentía furiosa. Estaba acostumbrada a suscitar cierta atención extra por parte de los funcionarios, pero jamás a instancias de otro civil. Era todo cuanto podía hacer de vez en cuando para recordarse la bondad de los individuos y no maldecir a todo el pueblo alemán, su lengua y sus obras, y sobre todo las extrañas pasiones *mittel*-europeas que los habían conducido al desastre. Contempló aquellas filas de personas vestidas de gris... sufrir junto a ellas ya le parecía terriblemente injusto.

A la modista le llegó el turno de presentarse ante uno de los pupitres, y empezó a contar su historia.

En ocasiones Vera añoraba la actitud indolente de sus compatriotas, dispuestos siempre a combatir en guerras a instancias de Gran Bretaña, pero que por lo demás se sentían más felices en las carreras o en la playa. Los grandes espacios y las cálidas temperaturas fomentaban la apatía. Imaginaba el calor de su enero y se abandonaba a la sensiblera morriña que a menudo la afligía en esos días. Su añoranza de Australia le parecía algo físico... ¿quién podría asegurar que su carne no conservaba cierto recuerdo molecular de los eucaliptos? Porque apenas tenía poco más para recordarla. El único objeto que aún conservaba de su tierra era un penique de 1938 que mostraba al rey en una cara y a un canguro en la otra, un regalo de su hermano, que lo había convertido en un colgante.

La modista concluyó su reclamación ante el pupitre, se dio la vuelta y esbozó una discreta sonrisa. Vera le dijo adiós con la mano, luego avanzó unos pasos y comenzó a responder a las preguntas del funcionario: dirección, ocupación, número de dependientes a su cargo... No sabría decir cuántos animales quedaban con vida.

El funcionario se mostró bastante amable, pero no le hizo promesa alguna sobre alojamiento, y se limitó a entregarle unos cupones para ropa y alimentos. Vera le dio las gracias y se dio la vuelta para marcharse, dirigiendo al forzudo una mirada llena de desprecio antes de salir caminando hacia la puerta.

Una vez en la calle, se anudó un pañuelo en la cabeza y se puso unas gafas de sol para protegerse de la carbonilla que revoloteaba en el aire. El carbón y el lignito almacenados para el invierno ardían sin parar en los sótanos, congestionando la viciada atmósfera. Aunque la luz diurna ya se desvanecía, la temperatura era cálida, un siniestro veranillo de San Martín.

En Mitte, el centro histórico de Berlín, las bombas habían dejado su huella de destrucción en el perfil urbano, derribando postes telegráficos, tendidos eléctricos y cables de tranvías sobre camiones y vagones calcinados. Las tiendas estaban destruidas o protegidas con tablas, y sobre las calles se esparcían vidrios rotos, cascotes de yeso y metralla. En los cruces de las principales calles se habían montado cocinas de campaña, y en los callejones próximos a la Alexanderplatz había ya chicas ofreciendo sus servicios. En el exterior de un edificio de apartamentos bombardeado, Vera leyó esta inscripción en tiza: «TODOS LOS DE ESTE REFUGIO SE HAN SALVADO». Y al doblar la esquina: «¿DÓNDE ESTÁS, CARIÑO? DEJA UN MENSAJE PARA TU SIGI». En una casa sin paredes en Unter den Linden, un hombre tocaba música de Bach en un piano de cola, y por debajo de él, en el lago formado por una toma de agua reventada, una estola de piel colgaba de un perchero. En las calles, la mitad de la gente vestía uniforme: policías, vigilantes de ataque aéreo, trabajadoras del servicio postal. Los soldados se movían en pelotones, y los únicos vehículos que circulaban eran coches oficiales y camiones de la Wehrmacht, como si el ejército acabara de conquistar Berlín y hubiera desplegado en el frente un contingente de oficinistas y dependientes en una flota de coches privados.

Pese a toda la pomposidad prebélica de Berlín, la capital del Reich, Vera no podía evitar sentir aflicción por aquel otro Berlín, una turbulenta ciudad cuyo emblema era un oso negro toscamente dibujado. Era la ciudad a la que había llegado en 1934, tras apearse del tren en la Bahnhof Zoo. Berlín le había parecido presa de la agitación más febril que pudiera imaginarse, un torbellino de tráfico humano y mecánico. Axel había hecho que enviaran su equipaje por adelantado y luego había insistido en enseñarle la ciudad a pie, a lo que ella había accedido feliz pese al cansancio del viaje. Su primera impresión había sido inconexa, y tenía poco que ver con la ciudad que conocería más adelante. Axel estaba eufórico y no paraba de gesticular y sacudir el aire con las manos como hacían los pescadores que habían visto en Nápoles. Una ciudad de cuatro millones de habitantes, exclamaba entusiasmado, rodeada de parques y bosques, ríos y lagos. Con canales y el mayor puerto interior de Europa. Con más puentes que Venecia. Vera reía y sonreía, sintiendo por sí misma la inmensidad de Berlín en las multitudes bulliciosas, en los coches, los camiones y los autobuses de dos pisos, en los tranvías que chirriaban y despedían chispas por encima de sus cabezas, en los trenes que atronaban por las vías del ferrocarril elevado, y en un zepelín que surcaba el cielo; y más tarde, una vez que hubo comprendido el trazado de la metrópoli, en lo que le pareció ser el timón en el centro de su nuevo hogar: las treinta hectáreas de zonas verdes del jardín zoológico.

En el Linden, frente a un apartamento destruido por las bombas, algunos prisioneros de guerra, italianos de Badoglio, insuflaban aire en las ruinas mediante una gruesa manguera de lona, mientras miembros de las Juventudes Hitlerianas y chicas de la Bund Deutscher Mädel se afanaban entre los cascotes. En la acera yacía una hilera de cuerpos, una escena que ya había presenciado después de anteriores ataques aéreos, aunque no tan a menudo como para poder apartar la vista. La víctima que tenía más cerca era una anciana, con las faldas obscenamente levantadas hasta la cintura.

El Tiergarten estaba arrasado como un campo de batalla en Flandes, con muchos de sus robles y hayas quebrados y desgajados. Las mallas de camuflaje que protegían la Charlottenburger Chausee habían caído sobre la acera o habían desaparecido sin más.

Una vez en el parque, Vera giró en dirección al zoo y el ruido de los camiones empezó a desvanecerse. Al llegar al estanque de las carpas, pasó junto a una estatua de mármol de una amazona a caballo, tensando un arco con una flecha que apuntaba hacia el este... hacia Moscú.

La masa boscosa se hizo menos densa y a través de un hueco entre el ramaje Vera atisbó la torre-búnker construida junto a los muros del zoológico. En lo alto refulgían los cañones antiaéreos. Hileras de ventanas cerradas, altas y estrechas como ranuras, daban al edificio la apariencia de torreón de castillo. Junto a este había una construcción más pequeña pero igualmente imponente: el cuartel general de las defensas antiaéreas de Berlín. Además de sus propias baterías de cañones, dos dispositivos para detectar la aviación enemiga giraban como platos sobre las almenas.

En el Landwehr Canal cruzó a pie la pasarela que conducía a la puerta septentrional del zoo. A su espalda, los platos giratorios recogían los últimos destellos del sol.

Axel observaba cómo un retén de bomberos apagaba el fuego del restaurante y el auditorio del zoo. Solo quedaban en pie las paredes. El humo proyectaba sombras como de color mostaza a sus pies, y Axel siguió sus remolinos con la mirada. Él y Vera habían temido un ataque aéreo realmente masivo, y ahora la realidad había confirmado sus peores temores. Según sus estimaciones, habían muerto en el bombardeo dos tercios de los quince mil animales que quedaban en el zoológico. Un único ataque había sido capaz de destruir lo que había costado un siglo edificar.

Axel salió del vestíbulo e inició una última visita de inspección. En los recintos de hábitat boscoso, troncos y ramas yacían esparcidos por el suelo. Todos los refugios de los venados habían sido destruidos, incluido el de los renos, aunque algunos de estos habían logrado escapar y se apiñaban junto a una cerca exterior. Más al norte, el estanque del león marino estaba milagrosamente intacto, pero una bomba había destruido el contiguo hospital del zoo y abierto una brecha en el muro septentrional que dejaba ver el Landwehr Canal y, más allá, el Tiergarten. A la derecha del hospital, la casa del cuidador jefe había quedado arrasada, añadiendo a herr Winzens a la lista de berlineses sin hogar. Mientras Axel contemplaba las ruinas de la vivienda, vio pasar un perro de caza africano con un ibis apresado entre sus mandíbulas.

Solo en una ocasión anterior había cerrado el zoo sus puertas, a raíz de la última guerra, pero el lugar no había sufrido daños estructurales y los visitantes habían regresado. Como ayudante de su padre en los años veinte, Axel había reunido animales de todos los continentes, incluida la Antártida, y cuando la junta lo nombró director heredó una institución que no solo había logrado superar la Gran Guerra y la Depresión, sino que aventajaba a la Belle Époque en la amplitud de su colección y en el número de visitantes. La principal dificultad, de hecho, había sido la falta de espacio para exhibir a los animales en recintos de planta abierta y, aunque él y Vera habían añadido rocas para los simios y una cumbre alpina, los logros del pasado solo habían permitido una expansión limitada. El zoo había seguido siendo el dominio del padre de Axel. Vera hubiera querido derribar algunos de los refugios de los animales, que, como a Flavia le gustaba denunciar, eran horrendos caprichos arquitectónicos, vestigios de una grandilocuencia imperial que siempre había sido en buena parte imaginaria; pero a los visitantes les encantaban aquellos habitáculos, y los miembros de la junta directiva del zoo eran partidarios de la tradición. Hasta el propio Axel se había sentido aliviado por la decisión de la junta. Había crecido entre palacetes, templos y pabellones, y los veía con ojos infantiles carentes de espíritu crítico.

Axel se dirigió hacia el recinto de los carnívoros, que aún se mantenía en pie, aunque seriamente dañado por las llamas. Oskar y Zoe, Sheba y sus cachorros... ningún león había sobrevivido. Las bombas habían destrozado el ala norte, aunque no había ardido: las jaulas más próximas contenían los cuerpos sin vida de un puma y dos jaguares. La siguiente jaula era la de Gogol, un tigre siberiano que se había criado en el zoo desde que era un cachorro. Ahora su cadáver yacía bajo los escombros.

El problema de haber nacido en una edad de oro era tener que vivir su decadencia. La guerra había marcado el inicio del declive, aunque al principio las únicas señales fueron un leve racionamiento y la pérdida de algunos cuidadores jóvenes para incorporarse a la Wehrmacht, porque en lo relativo al número de visitantes se apreció incluso un ligero aumento. Sin embargo, cuando se iniciaron los bombardeos los niños berlineses habían sido evacuados de la capital, obligando al zoo a depender de las visitas de los soldados con sus novias, o de los trabajadores de las fábricas de armamento situadas en los alrededores de Berlín. Más tarde, cuando el razonamiento se hizo más estricto, la salud de los animales comenzó a resentirse. Con buena comida incluso los animales africanos podían aclimatarse bien a Europa, pero sin ella el frío había empezado a pasar factura.

Ahora las bombas habían venido a rematar la faena. Si no había nada para mostrar a los visitantes, no habría ingresos, solo gastos. La junta venía declarando pérdidas desde hacía tiempo, y su única esperanza residía ahora en las subvenciones del gobierno.

Axel caminaba por las márgenes sembradas de cráteres del estanque de Neptuno, en cuyo centro la imagen de bronce del dios seguía aún cabalgando sobre sus delfines. El viento era cálido y el humo se deslizaba en sucesivas capas hasta confundirse con la cubierta de nubes.

Subió los escalones de entrada al acuario, observó que las puertas delanteras habían sido voladas por alguna explosión interior, y encontró en el vestíbulo un cocodrilo de agua dulce que sangraba por las orejas y los orificios nasales. Había perdido una pata trasera y tenía laceraciones en un costado. También le faltaban las placas dorsales, convertidas ahora en estrechas heridas. Axel sabía que debería hacer algo, pero no podría soportar dar muerte a otro animal. Enviaría a un cuidador para que se encargara de él. Pasó por encima del cocodrilo y entró en la sala del acuario.

Dentro, la devastación era total. Algún gran artefacto, una mina aérea tal vez, había penetrado en la sala a través del techo acristalado y detonado en el atrio central, haciendo añicos la parte superior del torrente de los cocodrilos y arrastrando tierra, rocas y palmeras hasta el interior de los tanques. Miles de peces yacían muertos sobre el suelo, incluidos rayas venenosas y tiburones, así como cocodrilos. Axel chapoteó entre aquel desastre. Reinaba ya un olor pestilente, que no haría más que empeorar. Se detuvo para darle la vuelta a una tortuga, pero el caparazón estaba resquebrajado y el animal muerto.

El acuario había sido su zona favorita del zoo, un refugio donde le encantaba observar a los peces: bancos de arenques como cortinas, percas de ojos solemnes, puercoespines de mar como globos de barrera espinosos. Donde había estado el tanque de las especies tropicales, el suelo se hallaba alfombrado de peces muertos: blenios moteados, percas listadas, peces damisela y mokis pintados. Más allá, en un tanque bordeado de cristal dentado, se agitaba un pulpo. En su carnoso manto se notaban las pulsaciones de las branquias valvulares. Sus ojos, anillados y penetrantes como los de un macho cabrío, se clavaron en los de Axel cuando este se inclinó sobre el animal. Tomó nota mental para disponer que fuera rescatado.

En el tanque de agua dulce, un siluro gigante yacía sacudiéndose en apenas medio metro de agua. Axel pasó los brazos bajo el cuerpo del pez, lo levantó y se dirigió hacia la puerta cargado con él, sintiendo la punzada de sus barbas a través del abrigo. Una vez fuera, notó cómo el humo aguijoneaba la mucosa de su nariz. Consciente de su insensatez, avanzó como pudo a través del barrizal hasta el estanque de Neptuno. Lo más probable es que el cuerpo del siluro estuviera recubierto de esquirlas de vidrio. La acción de Axel era un mero impulso sentimental. Se detuvo junto al estanque y lo depositó en el agua, donde el animal permaneció tendido de lado como si estuviera ya muerto. Luego se estremeció y se hundió en la oscuridad del fondo.

El abrigo de Axel apestaba, y en una de sus mangas brillaba una escama. Oyó la voz de herr Winzens que lo llamaba, y al volverse vio al cuidador jefe en lo alto de la margen acompañado por un individuo vestido con traje negro y cuello de pajarita. En el paseo había otros hombres con mono de faena, algunos con cuadernos de notas.

Axel subió la margen y estrechó la mano del visitante, un hombre alto y delgado, que hizo una mueca y se secó la palma en los pantalones antes de presentarse como Oberinspektor del Ministerio de Agricultura del Reich. Las amplias entradas sobre las sienes acentuaban su estrecho rostro. Axel le echó unos treinta y tantos años, sin duda muchos menos que él: siempre se sentía extraño ante hombres más jóvenes desempeñando cargos de autoridad. Axel ya había perdido la cuenta de las veces que había acudido al ministerio para solicitar que algunos de los animales fueran evacuados a zoos regionales, pero de nada habían servido tantas horas de antesala. La respuesta había sido siempre que la evacuación olía a derrotismo y enviaría a la población un mensaje erróneo.

El Oberinspektor carraspeó y anunció que se iba a hacer una auditoría del zoo.

—¿Qué tipo de auditoría? —preguntó Axel.

—Sobre los excedentes de alimentos.

—No tenemos excedentes. Las bombas han respetado nuestras cocinas, pero en las despensas solo hay alimentos para una semana.

El Oberinspektor echó un vistazo a su alrededor.

—Han sufrido ustedes una buena escabechina aquí —observó en tono de preocupación.

—Así es.

—Y han perdido un buen número de animales.

Axel comprendió la intención del hombre.

—Han venido a contar los cadáveres.

—Yo no lo expresaría así, herr direktor. Pretendemos evitar derroches. Lo que nos interesa es contar los animales vivos. En cuanto hayamos establecido su número, ajustaremos las raciones.

—Las reducirán, quiere decir.

—Lo más probable es que así sea.

El tono del Oberinspektor era razonable y, pese a su rechazo, Axel podía entender la lógica del hombre. Su propia reacción era más de decepción que de enfado, puesto que ya había pensado en destinar los animales muertos para alimentar a los carnívoros vivos. Si el Oberinspektor era un carroñero, también él lo era, y como cualquier otro buitre tendría que esperar su turno.

—También he observado algunas brechas en los muros —dijo el Oberinspektor—. Dispondré que las reparen para evitar intrusos.

—Aparte de ustedes, me imagino.

Axel era consciente de que su protesta no era más que una pataleta infantil, tal vez incluso peligrosa. El Oberinspektor escrutó su rostro, y después, en el mismo tono calmado, le explicó que sus hombres necesitarían a algunos de los cuidadores como guías. Eso retrasaría los trabajos de rescate y recuperación del zoo, pero Axel estaba deseoso de que la auditoría concluyera cuanto antes y le pidió a herr Winzens que tomara las disposiciones oportunas. El acuario tendría que esperar.

—Y necesitaré un plano —añadió el Oberinspektor.

—Nuestros planos han sido destruidos.

—¿Podría usted dibujarme uno?

Axel consideró la petición y asintió. No había ningún otro lugar que conociera tan bien.

Condujo al Oberinspektor a lo largo del paseo en dirección a las cocinas, un edificio bajo y alargado que se veía extrañamente desnudo tras la destrucción del bloque de las oficinas. En su interior, las instalaciones presentaban un aspecto frío y lúgubre: ecos, azulejos y acero inoxidable. Encendió una vela, vertió dos tazas de té de un termo y acercó dos taburetes a una encimera. El té estaba tibio y sabía a hierba, y el Oberinspektor dejó a un lado su taza. Axel arrancó una página de un cuaderno escolar.

Trazar el plano resultó una tarea más difícil de lo que Axel había imaginado. El problema era la escala, y su primer intento fue a parar a un cubo de basura. Se apresuró a realizar su segunda tentativa, sintiéndose incómodo como un escolar bajo la mirada de un profesor. Una vez concluido el plano parecía torcido, tan distinto de la versión que hubiera trazado un topógrafo como lo sería un antiguo mapa de exploración en comparación con una moderna carta marina, pero contenía todos los recintos y Axel estaba deseando quedarse solo.

El Oberinspektor le dio las gracias y salió del edificio de las cocinas sin necesidad de ayuda. Axel arrancó entonces otra página del cuaderno y volvió a dibujar el perímetro en forma de limón del zoo, pero, en vez de incluir los recintos como había hecho antes, dibujó ahora las calles al sur y al oeste, el Canal y el Tiergarten al norte. Luego se detuvo. En el centro de aquel nuevo mapa había un espacio en blanco. Dejó el lápiz sobre la mesa y se quedó contemplando aquel vacío.

Había caído ya el crepúsculo cuando Vera llegó. Pareció sorprendida de encontrarlo allí, y frunció el ceño. Tenía el pelo revuelto y la luz de la vela le daba una desconcertante expresión agitanada. El hollín marcaba en los bordes de sus ojos unas pequeñas arrugas que él nunca había notado.

—Acabo de ver a unos hombres sacando ciervos muertos en carretillas —le dijo—. ¿Qué está ocurriendo ahí fuera?

En aquel «ahí fuera» había un deje de reproche. Axel le contó lo del Oberinspektor.

Vera se mostró enojada.

—No tenemos tiempo para eso.

—Lo sé, pero es la mejor manera de librarnos de ellos cuanto antes.

Le preguntó cómo le había ido en la Oficina de Damnificados por Ataques Aéreos, y se sintió aliviado cuando ella empezó a contarle aquella historia de las colas. Él seguía pensando en aquel mapa vacío y en todas las formas en que podría llenarlo. Vera le describió su trayecto desde el Mitte hasta el zoo.

—En el Linden un surrealista podría haber pintado directamente del natural.

En otro momento le explicaría lo que pensaba: Vera ya tenía demasiados asuntos con los que lidiar. Hacía mucho tiempo que el matrimonio le había enseñado a Axel lo importante que era saber cuándo convenía hablar y cuándo guardar silencio.

2

Axel llegó a la conclusión de que descuartizar un elefante era como demoler una casa: la misma búsqueda de puntos débiles para derribar la estructura y, si conseguías olvidar el aspecto sanguinario y triste de la tarea, la misma satisfacción por el trabajo bien hecho. La tarea le hubiese correspondido por derecho a herr Winzens, pero durante años el hombre había sido el cornaca de los elefantes, y se había encargado de llevar de paseo a los niños montados en el palanquín del viejo Siam, el jefe de la manada, y hubiera sido terriblemente cruel obligarle a empaquetar los restos del elefante para hacer pastillas de jabón.

Más allá de la puerta oeste, entraban y salían trenes abarrotados de la Bahnhof Zoo: podría decirse cualquier cosa en contra de las autoridades, pero no podía negarse que obraban milagros en cuestión de transporte y servicios públicos.

Tras numerosas pruebas e intentos fallidos, los hombres del ministerio habían conseguido racionalizar el proceso. Primero se seccionaban las patas y la cabeza, que eran cargadas en un camión mediante poleas. El paso siguiente era el más problemático y el que resultaba más doloroso: rajar la piel sin llegar a la membrana del vientre, que luego debería ser abierta por alguien muy rápido de piernas.

Una vez vaciado el contenido del vientre, el pellejo se convertía en una especie de tienda de campaña bajo la que podías meterte en cuclillas. Habían dejado a Siam para el final y, en parte por curiosidad, en parte para protegerse del frío, Axel tomó una cuchilla y comenzó a trocear en secciones la carne y el pellejo del animal. El trabajo resultaba absorbente y, cuando por fin se detuvo y vio a Vera, no tenía ni idea de cuánto tiempo llevaba ella observándolo. Axel le pasó la cuchilla a otro hombre, se quitó los guantes y se acercó a Vera.

—No tienes que pasar por todo esto, *liebling*.

Ella miraba fijamente la carcasa.

—No, pero debo hacerlo.

Axel no entendía el motivo.

—Para recordarlo —le explicó Vera.

Y para atormentarse con el recuerdo, sospechaba él, pero sabía por experiencia que sería inútil intentar persuadirla para que se fuera. Los hombres empezaban ahora a serrar las articulaciones más débiles y a quebrar huesos aún con restos de carne. A Axel le habría gustado ocuparse de eso también, pero dudó, intuyendo que Vera lo querría a su lado mientras presentaba sus respetos al pobre Siam.

—¿No es hora de que vuelvas al ministerio? —preguntó.

Al ministerio otra vez. No estaba seguro de poder aguantar la futilidad de una nueva visita.

—Tendrán otras prioridades —aventuró.

—¿Y qué hay de tu Oberinspektor? Has colaborado con él. Yo diría que está en deuda contigo.

—Dudo mucho que él lo vea así.

—Axel, te lo pido por los animales.

Era muy discutible que una evacuación pudiese servir ya de alguna ayuda, dados los riesgos del transporte y las severas condiciones de racionamiento imperantes en toda Alemania. Una lenta muerte en algún corral de provincias no sería mucho mejor que la suerte a la que se enfrentaban aquí. Aunque Axel no podía decírselo a su mujer, lo cierto era que probablemente el resto de los animales estuviera condenado a perecer. Para salvar algo del desastre, Axel había guardado en el refugio los libros de pedigríes y las fotografías de su padre.

Los hombres del ministerio cargaron la carcasa de Siam en la trasera del camión. Axel apartó la vista y le prometió a Vera que iría al ministerio, si era eso lo que deseaba. Ella esbozó una sonrisa... de satisfacción, pensó Axel, y quizá también como disculpa por su obstinación. Vera le dio un beso y quedaron en que se verían al anochecer.

Los trabajadores recogieron sus cuchillas y sierras y subieron al camión, y aunque Axel era consciente de que la presencia de aquellos hombres en el zoo había obedecido a sus propios intereses, sintió ahora una extraña sensación de abandono. Se quedó mirando las ruinas. La pagoda de los elefantes había sido alcanzada de pleno, y por el suelo se esparcían trozos de granito y tejas coloridas. Otros dos animales de la manada seguían bajo los escombros, y tendrían que dejarlos allí y esperar a que se pudrieran. El camión arrancó, se abrió camino entre los cráteres y desapareció por la puerta oeste.

El Oberinspektor se levantó de su asiento, estrechó la mano de Axel y sonrió, algo que sus colegas nunca habían hecho. Los tiempos habían cambiado. Las derrotas del Reich provocaban entre los funcionarios dos reacciones muy diferentes: una redoblada insensibilidad o una circunspección creciente. El Oberinspektor parecía haberse decantado por esta última. Sobre el revestimiento de cuero de su escritorio tenía dos bandejas con las etiquetas de «ENTRADA» y «SALIDA», ambas llenas de documentos. Había una carpeta abierta sobre la superficie secante, donde podía verse la carta más reciente enviada por Axel. Detrás de él colgaba el retrato del Führer.

El Oberinspektor hizo señas a Axel para que se sentara e incluso acercó más su propia silla, más como un amigo en un café que como un funcionario público.

—Le ruego que me disculpe, herr direktor, pero debo decirle de entrada que su solicitud ha sido rechazada.

Aquello no era ninguna sorpresa. A Axel le hubiera gustado marcharse de allí cuanto antes, pero necesitaba poder decirle a Vera que había hecho todo lo posible. En un tono cortés, le recordó al Oberinspektor que en un principio el ministerio aceptó evacuar a los grandes felinos si se recrudecían los bombardeos.

—Los grandes felinos han muerto. Lo que ahora estoy pidiendo es evacuar al resto de los animales.

El Oberinspektor hojeó los papeles de la carpeta, examinó una página y luego levantó la cabeza.

—Lo que preocupaba era la seguridad pública. Se pensó que los bombardeos podrían dejar sueltos animales peligrosos.

Su alargado rostro no pareció alterarse.

—Mi punto de vista es que, si anteriormente se accedió a realizar una evacuación, no hay razón alguna para oponerse ahora. El zoo está cerrado. Ya no se puede alegar la cuestión del derrotismo.

—Puede que así sea, herr direktor. Pero, para serle sincero, hay otros obstáculos... por ejemplo, la escasez de vehículos para el transporte. —El Oberinspektor jugueteó con los extremos de una pluma, y de pronto la dejó sobre la mesa—. Además, lamento tener que informarle de que el zoo sufrirá una nueva reducción de personal. Los hombres que queden de entre dieciséis y cincuenta años serán llamados a filas.

Aquello fue un terrible golpe: Axel había contado con llevarse una decepción, pero no un castigo. Ya había asistido a demasiados funerales de antiguos cuidadores muertos en el frente.

—Sin ese personal los animales morirán —dijo—. Si eso es lo que pretenden, dígamelo y enviaremos a todos los animales a un matadero. Sufrirán menos, y el ministerio ahorrará dinero en pienso.

Se dio cuenta de que, desprovista de su sarcasmo, aquella idea resultaba desagradablemente plausible.

El Oberinspektor contestó en un tono de exagerada condescendencia.

—Está usted disgustado, herr direktor. Lo comprendo. La situación por la que atraviesa el zoo es lamentable, pero debe usted entender que el esfuerzo bélico tiene preferencia.

Axel se puso en pie.

—Muy bien, pues. Gracias por dedicarme su tiempo.

El Oberinspektor le indicó que volviera a sentarse.

—Hay algo que sí podemos hacer por usted. Después de leer su carta, me pasé por el Frente de Trabajo del Reich y me complace decirle que han aceptado asignarle doce *Ostarbeiter*, todos varones, la mayoría procedentes de Polonia y del protectorado de Bohemia.

Axel se puso muy rígido.

—Lo lamento, pero no puedo aceptar.

—Oh... ¿Y eso por qué?

—Necesitamos a nuestra actual plantilla, no a trabajadores extranjeros.

—Las necesidades de la Wehrmacht son prioritarias, herr direktor. —Y en un tono mecánico, añadió—: Su personal le será devuelto al acabar la guerra. Hasta entonces puede emplear a los *Ostarbeiter*. Ya verá que le saldrán incluso más baratos.

—No se trata de una cuestión de costes.

El Oberinspektor lo escrutó atentamente.

—Ya... ¿Y le importaría explicarme de qué se trata?

Desde la pared, el Führer observaba la estancia con una vaga expresión de desagrado.

Axel a duras penas podía explicárselo a sí mismo. A Vera no iba a gustarle nada, de eso estaba seguro, pero difícilmente podía alegar que aquello le crearía problemas con su esposa.

—Es un problema de formación. Y a ello se suma la barrera idiomática. Un personal inexperto sería más bien una carga para nosotros.

El Oberinspektor levantó la palma de la mano.

—Perdone, herr direktor. No lo entiende. No se trata de ningún ofrecimiento, sino de un hecho consumado. Los cínicos sostienen que una carta enviada a un ministerio del gobierno está destinada al olvido, *Vergessenheit*, que se desvanece como el humo. —Simuló con las manos una bocanada imaginaria de aire, y luego volvió a posarlas sobre el secante de la mesa—. Pero nada más lejos de la realidad. Las cartas van llegando a las bandejas de «ENTRADA». Finalmente atascan los tubos neumáticos, y tienen que ser respondidas. —El Oberinspektor agitó en el aire su dedo índice—. Pues bien, herr direktor, usted no ha enviado una, sino muchas cartas.

—No hay problema. Las retiro todas.

El Oberinspektor sacudió la cabeza.

—En este momento, el Frente de Trabajo del Reich ya está retirando a los *Ostarbeiter* de otros proyectos. —Cerró la carpeta—. Vuelva usted al zoo y aguarde la llegada de sus nuevos trabajadores. Intente ser más agradecido. Una mano de obra extranjera vale más que no disponer de ninguna.

Se puso en pie y, tras hacer el saludo, cogió la carpeta y la depositó en la bandeja de «SALIDA».

Axel se levantó e inclinó la cabeza, decidido a no pronunciar ni una palabra más. Cruzó el despacho y agarró el pomo de la puerta.

—Herr direktor.

Axel se detuvo y se volvió solo a medias. El Oberinspektor se hallaba de pie con estudiada naturalidad, con las manos ocupadas en un nuevo montón de papeles.

—No debe usted reprocharse nada... No es culpa suya. Nadie, *niemand*, que sobreviva a esta guerra escapará con su honor completamente intacto.

—Es injusto —dijo Vera—, no es posible llamarlo de otro modo.

Axel dudaba de que la cuestión fuera tan simple, pero, como siempre que Vera se lanzaba a discutir, él se veía forzado a responder. Lo primero que le vino a la mente fue una de las máximas preferidas de su madre, aunque llevara ya muerta más de veinte años.

—Vera, lo que uno no puede cambiar tiene que soportarlo.

Ella dejó la plancha de hierro sobre el fogón.

—No estamos hablando del tiempo. Esto es esclavitud.

—¡Pero les pagan!

Era un mero subterfugio, pero tampoco era inexacto.

—¡Sandeces! —replicó Vera—. Es una miseria, una nadería. Y les obligan a devolver el dinero para pagar su propio *Konzentrationslager*.

—Barracones. Los tienen en barracones.

Vera se mofó de la puntualización.

—Todo esto se volverá en nuestra contra cuando la guerra haya terminado... sean quienes sean los que manden.

Flavia tenía que volver a casa pronto, y Axel esperaba que llegara cuanto antes.

—Los *Ostarbeiter* estarán mejor en el zoo que en una fábrica. Sean quienes sean los que manden cuando haya acabado la guerra, verán que hemos procurado tratar bien a esos hombres.

—Pero... ¿cómo? ¿Con qué comida? ¿Con el dinero de quién? —Una nota de emoción temblaba en la voz de la mujer—. Aunque, en fin, esto va más allá de todo eso. Lo que propones degradará nuestras almas.

Y ahora se ponía metafísica: era imposible discutir con ella cuando adoptaba aquella actitud. Pero, extrañamente, recuperó la ironía.

—Tú eres mejor que todo eso —dijo—, eso es lo frustrante. Buen corazón, cabeza cuadrada. Un marxista te colocaría con los campesinos incultos.

Así que no había perdido su sentido del humor. Axel habló en tono suave.

—Ahora que se irán los demás cuidadores, no tenemos otra elección.

—Ni siquiera el zoo se merece esto.

—Puede ser. Pero alguien tiene que cuidar de los animales.

—Lo sé... lo sé.

De pronto dio la impresión de que la vencía la desesperación. Axel cambió de tema.

—He estado pensando en lo que haremos con el zoo cuando salgamos de esta. Después de la guerra —puntualizó.

—¿Después?

—Necesitamos un plan. Por suerte, se me han ocurrido algunas ideas. —Vera parecía turbada, pero él insistió—. Durante años has deseado construir más *Freigehege*, más recintos libres, y la falta de espacio nos lo había impedido. ¿Recuerdas cómo calificaste en una ocasión los habitáculos de los animales? Mausoleos. «¿A qué idiota se le habrá ocurrido construir casas para animales?», dijiste. Muchas de esas casas ya no existen. Y en cierto modo los británicos nos han hecho un favor, porque cuando la guerra haya acabado podremos empezar de nuevo, sin muros, sin jaulas. —Vera frunció el ceño y acercó la plancha a una de las camisas de Axel. Incluso a los oídos de este, sus palabras denotaban un excesivo optimismo—. Menos espacios, pero más extensos. Una alimentación adecuada, y no el penoso rancho que les dábamos antes...

—¿Y los animales que tenemos ahora?

—Hay un límite a lo que podemos hacer por ellos. No tenemos suficiente comida. No podemos detener los bombardeos. Algunas especies podrían tener prioridad: los babuinos hamadryas u otras que pueden ser criadas más adelante... pero, por lo que respecta a los ejemplares, es poco lo que está a nuestro alcance.

Vera siguió trabajando en silencio hasta que Axel no aguantó más.

—¿Y bien?

Ella depositó la plancha.

—Es todo tan calculado... «Ya hemos acabado con estos, así que hagamos planes para el próximo lote.»

—Sabes que no es así, Vera.

—Pero lo parece.

—Lo que digo es que tal vez debamos sacrificar a algunos para salvar a otros.

—¿Por «sacrificar» quieres decir dejar que se mueran de hambre?

—Si es necesario, sí.

—Yo no quiero tener eso sobre mi conciencia —respondió ella—, ni tampoco pienso explotar a trabajadores esclavos.

Axel respiró profundamente. No parecían tener muchas más opciones. Con sus palabras había intentado infundir ánimos, pero en vez de eso habían vuelto al tema de los *Ostarbeiter*. Lo intentó una última vez.

—Vera, llevas años diciendo que debemos cambiar el diseño del parque. Los bombardeos, los *Ostarbeiter*... son cosas que yo no hubiera elegido, pero ¿no puedes verlas como una oportunidad?

A través de la puerta llegó el ruido de los pasos de Flavia subiendo la escalera, y Vera se apresuró a responder.

—No diseñamos los *Freigehege* para embellecer el zoo. Lo hicimos todo por los animales. El zoo es para ellos, no para nosotros. Si no fuera así, no seríamos mejores que carceleros.

Se abrió la puerta y entró Flavia, y sin vacilar Vera le preguntó cómo le había ido el día, sin dejar de planchar mientras hablaba. Flavia se lanzó a contar una obscena anécdota acerca de un actor del teatro Rose, y aunque Axel estalló en carcajadas en los momentos oportunos, no dejaba de darle vueltas a la extraña reacción de Vera a sus planes. ¿Cómo podía defender la causa de los animales y al mismo tiempo rechazar a los *Ostarbeiter*, que ofrecían la única posibilidad de mantenerlos alimentados? ¿Y qué tenía que ver todo eso con sus planes de remodelación del zoo, algo que ella siempre había querido desde hacía años? Cuanto más recordaba lo que se habían dicho el uno al otro, más le parecía una pantomima para dar rienda suelta a las emociones.

Cenaron algo, y luego Axel se sentó para tratar de leer el periódico, pero las garras del ministro de Propaganda eran tan evidentes en cada página que las palabras dejaban de tener sentido. Flavia profería maldiciones contra la aguja y el hilo con los que estaba cosiendo, y Vera se afanaba en rellenar un impreso gubernamental.

Cómo odiaba Axel discutir... Vera podía mostrarse implacable cuando se enfurecía. Sus razonamientos tendenciosos le traían a la mente una de las peores equivocaciones que había cometido como cuidador en el zoo: cuando había metido juntos íbices y gamuzas, tan solo para descubrir que, cuando se alzaban desafiantes sobre sus patas traseras, las gamuzas quedaban fatalmente expuestas a merced de los cuernos de los íbices, cuyo instinto beligerante los llevaba a cargar.

Por fortuna, las discusiones con Vera eran escasas, y en realidad no podía quejarse de su temperamento sincero y vehemente, ya que desde el principio había sabido que era así.

Se habían conocido en Sidney en abril de 1934, en un acto celebrado en la Sala del Ejército de Salvación en Woolloomooloo. Axel había viajado al país para conseguir nuevos ejemplares y, en agradecimiento a la ayuda recibida del cónsul de Alemania, había accedido a pronunciar una conferencia en la Sociedad de Amistad Germano-Australiana, constituida para recomponer las relaciones entre ambas naciones después de la guerra. Su conferencia fue una reivindicación del darwinismo, y su finalidad era corregir la impresión creada por una película como *Tarzán* de que las especies como los leones y las pitones acostumbraban a luchar entre sí hasta morir. En la selva, argumentó, la agresividad nunca es gratuita: leones y pitones no suponen ninguna amenaza para los intereses vitales de la otra especie, y por lo tanto no necesitan luchar entre sí. Dejando aparte la caza, la mayoría de las agresiones se daban entre miembros de una misma especie, generalmente para competir por el territorio o las parejas.

Tras su disertación, todas las preguntas versaron sobre especies devoradoras de hombres, terrestres o acuáticas, así como sobre arañas y serpientes venenosas, y ya había renunciado a escuchar alguna cuestión sensata cuando una mujer sentada al fondo de la sala levantó la mano. Su alemán era titubeante, pero preciso. Él había mencionado en su charla que la agresividad en el seno de una especie se debía a disputas territoriarles o por las parejas, dijo la mujer, unos instintos que presumiblemente beneficiaban a la especie de algún modo. Axel asintió. Pero, en el caso de los seres humanos, prosiguió la mujer, ¿qué posible beneficio podría haberse obtenido de las matanzas provocadas en el frente occidental?

El auditorio pareció agitarse incómodo, y Axel notó que el cónsul se mostraba visiblemente irritado: sin duda era una situación violenta para un representante alemán en el país de un antiguo enemigo.

Axel sostuvo la mirada de la joven. Durante un breve tiempo se había enfrentado a soldados australianos en los campos de batalla de Bélgica. Afirmó que la pasada guerra podía ser interpretada, ciertamente, como una lucha por el territorio, pero que ella tenía razón cuando daba a entender que la pérdida de vidas humanas parecía desproporcionada con respecto a la extensión de las tierras que, en definitiva, habían cambiado de manos.

—¿Y la lucha por las parejas? —insistió la mujer—. Sin duda los hombres que optaron por *no* combatir, aquellos que tuvieron libertad de elegir, sobrevivieron en mayor número para seguir procreando. ¿Significa eso que la ametralladora ha dejado obsoleto al darwinismo?

El cónsul se puso en pie, pero Axel le hizo una seña para que se sentara. Observó atentamente a la joven.

—No estoy seguro de que podamos decir algo así —replicó—. Aun contando con lo azarosa que resulte la muerte en las trincheras, puede que la selección natural hiciera así su brutal tarea. Podría discutirse si, a su vuelta del frente, los soldados disfrutaron de una posición social más elevada y como resultado pudieron conseguir esposas más deseables. —Hubo algunas risitas ahogadas entre los asistentes—. Pero creo que me estoy desviando hacia la sociología... un vicio muy común entre los que nos dedicamos al estudio de los animales. Para expresarlo en términos estrictamente darwinianos, y que me perdonen todos los presentes que sufrieran la pérdida de familiares, los hombres que murieron en la Gran Guerra eran prescindibles. Entre los mamíferos, lo que prima es la supervivencia de las hembras.

Mientras hablaba, Axel observaba el rostro de la joven: asentimientos de comprensión, un fruncimiento de ceño. Parecía lógico que volviera a desafiarlo.

—¿Y la agresividad femenina? ¿A qué obedece?

En las primeras filas se volvieron algunos, intentando ver la cara de quien hacía tantas preguntas.

—Yo diría que a lo mismo: territorio y parejas. Y por supuesto, entre los carnívoros, a la caza. Aunque, por regla general, la agresividad es menos acusada en la hembra. Con mucha frecuencia, en el reino animal, el destino de la hembra es convertirse en un trofeo a la agresividad de los machos.

Guardó silencio, consciente de que el auditorio parecía incómodo y acaso un tanto hostil: no por sus opiniones acerca de la agresividad, sospechaba, sino más bien por su sugerencia de que los heroicos muertos eran prescindibles. El cónsul se levantó e invitó a todos a expresarle su agradecimiento, mientras Axel buscaba de nuevo entre el público el rostro de la joven. Tenía el cabello moreno y lacio, un rostro bien dibujado, ojos oscuros y preguntas perspicaces.

Cuando hubieron cesado los aplausos y los asistentes comenzaron a abandonar la sala, el cónsul se acercó a la tarima y estrechó la mano de Axel. Vera se demoraba en el fondo de la sala, ocupada en guardar unos libros en su bolso. Axel podía ver que era hermosa, aunque tal vez demasiado joven. Abrevió la conversación con el cónsul y comenzó a recorrer el pasillo. No tenía por costumbre abordar a desconocidas, pero una de las ventajas de visitar un país extranjero era que no tenías que afrontar las consecuencias de eventuales errores. La invitó a tomar el té, y ella, sonriendo, aceptó.

Vera se detuvo ante la verja para dejar que el *Ostarbeiter* checo descansara. El hombre había hecho un gran esfuerzo para cargar tan solo con la mitad del alimento. Tenía el rostro demacrado, con los pómulos claramente marcados, así como una nariz afilada y de orificios estrechos, que había tenido que sonarse varias veces con un trapo. En el cuero cabelludo de su rapada cabeza se distinguían algunas heridas, y toda ella parecía asentarse inestablemente en el tallo de su cuello, mientras que su camisa daba la impresión de estar colgada en el respaldo de una silla. Los huesos de sus tobillos sobresalían del espacio que quedaba al descubierto entre los zuecos y los bajos deshilachados de sus pantalones. En un par de ocasiones había tropezado y resbalado sobre la nieve.

Vera se apoyó contra el parapeto, y para disimular su preocupación por el estado del hombre miró hacia el foso, donde los babuinos hamadryas hurgaban entre las rocas en busca de algún resto de comida olvidada: castañas y bellotas arrojadas por los niños que luego fueron evacuados a las zonas rurales de Prusia. Los animales correteaban de arriba abajo y rastrillaban el terreno hasta llenarse los carrillos de frutos secos... cuando no quedara nada entre las rocas, ya tendrían tiempo de comer.

Vera miraba de soslayo al checo. El hombre respiraba con dificultad. Durante el trayecto desde las cocinas había pensado en ofrecerle algo de comer, pero luego había visto a los babuinos y decidió no arriesgarse a ofenderlo. Ya comería algo cuando no hubiera nadie mirando, aunque no había mucho que escatimar.

En las rocas, la tribu comenzó a comer. Otto, el macho dominante, haraganeaba en la cima, recibiendo gustoso las atenciones de un par de hembras, una de las cuales le espulgaba el pelaje gris de los costados, y la otra las largas crines. El macho se echaba hacia atrás y se rascaba el trasero, formando arrugas en su piel de color escarlata. Agitaba la cola. Se estiró y bostezó, mostrando sus arqueados colmillos. Era tan grande como un doberman, con un tamaño que duplicaba al de las hembras, las cuales se dedicaban a espulgarse unas a otras y a alejar a los pequeños homúnculos peludos y oscuros de ojos vivarachos. En los niveles inferiores se sentaban varios machos jóvenes con aspecto enfurruñado y el largo pelaje echado hacia atrás, separados no solo del grupo sino también entre ellos, así como algunos machos viejos de mirada perpleja y ojos legañosos.

Escrutó la cara del checo en busca de alguna muestra de interés por los animales, pero se le veía cansado y apático. Llevaba una indumentaria urbana que en algún momento pasado podría haber resultado elegante, como si lo hubiesen arrancado de un café de Praga. Tenía unas manos delicadas, llenas de cortes y costras. Sabía por Axel que el hombre entendía el alemán, aunque hasta entonces no hubiera dicho nada, tal como ordenaba la ley. De haberse hallado en las cocinas rodeados de otra gente, Vera no se habría atrevido a preguntarle su nombre. Ahora que los *Ostarbeiter* estaban allí, se daba cuenta de que aceptar su presencia era la última de una serie de concesiones: desde tolerar la propaganda hasta consentir comprar en tiendas que se negaban a vender a judíos. La necesidad minaba cualquier principio moral que pudiese haber tenido, dejando solo confusión. Aun cuando Axel tuviera razón al decir que el zoo era como un refugio para los *Ostarbeiter*, algunos como el checo estaba tan desnutridos que tendrían suerte si sobrevivían a aquel invierno, pese al buen trato que se les pudiera dispensar.

Una de las hembras que espulgaban a Otto se puso a cuatro patas y se alejó exhibiendo su hinchado trasero, haciendo que una oleada de agitación recorriera al resto de la tribu. La hembra descendió hasta el nivel inferior y se aposentó sobre el mullido pelaje de sus ancas.

El labio superior del checo se alzó en una mueca de desagrado. Al notar que Vera lo observaba, borró toda expresión de su rostro.

—¿Le disgustan nuestros babuinos?

El checo vaciló antes de responder.

—Los babuinos me traen sin cuidado.

Su voz sonó demasiado profunda para un pecho tan escuálido. Si tenía algún acento, Vera no pudo detectarlo.

Le resultaba extraño ver el zoo a través de los ojos de alguien para el que no significaba nada. La indiferencia del checo hacia unos pocos babuinos no solo era comprensible sino justificada, pero aun así Vera experimentó cierto resentimiento. La exhibición reunía numerosos detalles que ella y Axel se habían esforzado en perfeccionar: niveles escalonados de rocas reproducidas de forma naturalista, ramas por las que trepar, grutas y salientes, y una elevación que obligaba a los visitantes a alzar la vista para contemplar a los animales. Si hubiera sido supersticiosa, habría visto un buen augurio en el hecho de que aquel recinto se hubiese librado de las bombas.

De pronto estalló un enorme griterío cuando Otto se incorporó de un salto y salió corriendo hacia un macho que se había puesto a olisquear a una hembra en celo. La hembra salió disparada entre chillidos, haciendo que los pequeños se colgaran del vientre de sus madres como jinetes montados boca abajo. El macho más joven se dispuso a luchar para mantener su posición, y por el rabillo del ojo Vera observó que el checo se ponía tenso. Otto cargó contra el otro babuino con toda su mole, y los dos animales rodaron por el suelo. El resto de la tribu empezó a proferir chillidos de pánico. Como un boxeador, Otto retrocedía y contraatacaba, y segundos después se lanzó a perseguir a su oponente.

La persecución fue breve. En el extremo más alejado del recinto, el macho joven se paró y levantó al aire sus nalgas. Otto se acercó hacia él arrogantemente, y después, con aire aburrido, lo imitó levantando también su trasero.

Vera se alejó del parapeto, advirtiendo con cierto enojo que aquella exhibición rutinaria la había perturbado. Le preguntó al checo su nombre.

—Krypic —dijo.

Su expresión era hosca. A Vera le preocupaba que su pregunta hubiera resultado perentoria, y por el tono de su respuesta intuyó que, si hubiese sido un soldado, habría añadido su rango y número. Un gesto amistoso podía llegar a herir como una bofetada.

—Herr Krypic, yo soy Vera Frey. —Cogió dos de los cubos vacíos—. Y ahora me temo que es hora de volver al trabajo.

El checo asintió, se inclinó y agarró sus cubos. Era algo bajo para tratarse de un hombre, no mucho más alto que ella. Sería de su misma edad o algo mayor, al menos esa fue su impresión hasta que se fijó en la tersura de la piel alrededor de sus ojos y comprendió que eran las privaciones las que le hacían parecer mayor de lo que era. Caminaba arrastrando los pies. Sobre el bolsillo de la pechera de su camisa llevaba un pedazo de tela rectangular, en el que aparecía toscamente bordada la palabra «OST»: un punto en la brújula, una clasificación, la dirección de un viento.

3

Por la puerta abierta del cuarto de baño llegaba un tintineo de frascos de cosméticos.

—¿Es cierto que hay cocodrilos en las alcantarillas? —preguntó Flavia.

Vera respondió que no, y Flavia hizo un mohín de decepción.

—También he oído que un tigre irrumpió en el café Josty y murió tras zamparse un pastel. ¿Tampoco es cierto? ¡Qué lástima! Aunque supongo que nadie podrá desmentir esa historia. Lo que importa esta noche es causar sensación.

Su voz gutural reverberaba contra los azulejos.

—Tú causas sensación todas las noches.

Flavia asomó la cabeza por la puerta entreabierta.

—Eso depende mucho de con quién esté, querida. —Le guiñó un ojo y volvió a desaparecer de su vista—. Lo que pasa es que esta noche quiero causar más sensación de la habitual.

Vera aguardó la explicación que sabía que seguiría.

—Hay un hombre.

—Estás de broma —dijo Vera.

—Adelante... ríete. Pero esta vez es diferente. Nos conocimos en el refugio la noche del bombardeo. Me sentí sacudida hasta lo más hondo de mi ser.

Flavia le contó a continuación todo lo que sabía de Friedrich Motz-Wilden. Hijo de una familia aristócrata *Junker* con tierras en Prusia Oriental. Educado en las mejores escuelas. Piloto de caza a los veintiún años, con numerosos derribos en su haber. Derribado sobre el mar del Norte y rescatado de sus aguas gravemente herido. Rehabilitación parcial. Transferido del servicio activo al Ministerio de Asuntos Exteriores como oficial de enlace de la Luftwaffe. Encuentro casual con la maravillosa Flavia Stahl en un refugio antiaéreo en el sótano del hotel Bristol. Invitación dirigida a la misma para asistir a un cóctel en el Ministerio de Asuntos Exteriores.

—Sé de muy buena tinta que habrá comida —añadió Flavia.

Vera tenía claro que no debía tomarse muy en serio aquella atracción. El piloto en cuestión no podía tener más de veintitrés años, y Flavia era en cualquier caso una amante mercenaria, que pasaba de un hombre a otro en función de las ventajas que pudieran ofrecerle. Si no fuera por sus convicciones políticas —jamás se acostaba con nazis—, habría podido pasar por una redomada cortesana, aunque resultaba difícil condenar su falta de escrúpulos, ya que jamás hubiese podido sobrevivir con un sueldo de maquilladora de artistas. Gracias a un amante bien situado en el Frente de Trabajo del Reich, había conseguido evitar la cadena de montaje.

Salió del cuarto de baño ataviada con sus mejores galas: pendientes de plata, guantes largos hasta el codo, un vestido negro de satén y su habitual y exquisito maquillaje, rapiñado del teatro Rose. Nostálgica de los años veinte, una década que la había pillado demasiado joven para poder disfrutar de ella, llevaba la nuca al descubierto con un corte escalado a lo paje.

—Pareces una nutria —le dijo Vera.

Flavia se detuvo y giró sobre sus talones.

—Esa es una terrible acusación.

—Reluciente y pulcra. Es un cumplido.

Flavia abrió la boca con fingida repugnancia.

—Un monito aullador —dijo Vera—. El parecido es asombroso. ¿Existe alguna posibilidad de que monten en el Rose las fábulas de Esopo?

Flavia ladeó la cabeza, agarró un paquete de cigarrillos y cruzó la habitación: mobiliario nórdico, grabados de París y una maleta llena de discos de jazz prohibidos, que Flavia afirmaba haber compartido en ocasiones con su Blockleiter, el supervisor político del bloque, un antiguo socialdemócrata. Se puso un abrigo y salieron juntas al balcón del cuarto piso. Un sol pálido y ya bajo iluminaba la manzana de enfrente cuando las dos se sentaron a una mesita redonda. La mayoría de las ventanas de la calle estaban cubiertas con tablones o selladas con papel de oscurecimiento. Al norte, en el cruce con la Kurfürstendamm, unas vallas protegían una amplia zona de una media manzana, donde una bomba había impactado sobre un edificio de apartamentos. La sombra caía sobre el tráfico desviado de la Ku'damm, mientras que por encima de los autobuses de dos pisos el sol iluminaba un par de águilas de piedra sobre unas columnas.

Flavia prendió un cigarrillo, sus manos ahuecadas como signos de paréntesis a ambos lados de sus gruesos labios. Agitó lánguidamente la cerilla sin lograr apagarla, y la depositó con parsimonia en un cenicero, donde se enroscó como una lombriz muerta sobre un suelo de cemento. Inhaló el humo y se dejó caer sobre el respaldo de su silla.

—¡Qué placer, fumarse un cigarrillo tranquilamente! ¿Sabes?, ayer en el metro una guarra trató de impedírmelo: «La mujer alemana no fuma». Era una *Hausfrau*, un ama de casa, a juzgar por su aspecto. Le habría dado un par de sopapos.

Vera observó los balcones más próximos. No había nadie en ellos.

—Una delatora, probablemente. Menos mal que no lo hiciste.

—Menos mal para ella.

Soltó una bocanada de humo, haciendo que, como de costumbre, Vera se sintiese un tanto culpable por su aquiescencia a la propaganda estatal. A veces también le entraban ganas de encender un cigarrillo como un gesto de desafío contra el régimen, pero su padre —liberal en otros aspectos— siempre había sido contrario al tabaco, y aunque Vera había faltado a su memoria, cinco años después de su muerte, fumando en la universidad, no logró encontrarle el gusto y lo dejó muy pronto. Resulta muy difícil rechazar los consejos de un padre amado.

Flavia dio un golpecito a su cigarrillo para arrojar la ceniza.

—Pronto acabaremos con ellos —susurró—. Ya verás como sí. —Señaló las águilas suspendidas por encima de la Ku'damm—. Dentro de muy poco estarán todos colgando de las puntas de sus alas.

Vera miró hacia atrás, en un acto reflejo.

—¿Las *Hausfrauen* también?

—También ellas. Tal vez necesitemos horcas más resistentes, pero no escaparán.

Irradiaba un feroz triunfalismo, y Vera le respondió con una media sonrisa desganada. Aunque era una antinazi de los pies a la cabeza, las palabras de Flavia podían sonar tan virulentas como las de las autoridades.

Vera se sintió invadida por la añoranza de su tierra natal, como venía sucediéndole toda la semana. Pronto sería verano en Australia, pero aparte de eso no podía estar segura de nada. El año anterior, durante unos meses, había estado preocupada por la amenaza japonesa, pero, por lo que pudo colegir a través de Radio London, el avance de los nipones había sido frenado y ahora, al igual que la Wehrmacht en Rusia, se batían en retirada. No tenía forma de saber cómo les iba a su familia y a sus viejos amigos. Antes las cartas le permitían mantener el contacto con su hogar, pero en el silencio impuesto desde 1939, Sidney se había ido alejando cada vez más.

Flavia apagó su cigarrillo en el cenicero.

—¿Qué te sucede, Vera Frey?

—Necesito volver a casa —respondió.

—¿Por casa te refieres a tu país?

Vera asintió, y Flavia la cogió de la mano.

—Es normal que sientas añoranza después de haber perdido la villa.

Vera intentó sonreír. Si solo fuera añoranza... pero tenía muchas más cosas en mente. Los animales se habían convertido en una aflicción diaria, y hasta el momento ni siquiera había reunido valor para contarle a Flavia lo de los *Ostarbeiter*.

—Hazme caso —prosiguió Flavia—, estás trastornada por lo de la villa. Pero pronto os asignarán un piso, y después de la guerra podréis reconstruirla. Solo se trata de un contratiempo pasajero.

—Pues avísame si se produce una catástrofe mayor.

Flavia sonrió, consultó su reloj y anunció que era hora de partir hacia el Ministerio de Asuntos Exteriores. Vera le deseó suerte, acercando el rostro para que la besara en las mejillas, y Flavia abandonó el balcón. Minutos después salía a la calle, se despedía agitando la mano y tomaba por Meinekestrasse, caminando rápidamente sobre sus altos tacones como si con cada paso intentara alcanzar un objetivo situado a sus pies.

Vera se abotonó la bata, de nuevo pensativa. Estaría sola hasta que Axel regresara del zoo. Aunque ya había caído el crepúsculo no se veían luces encendidas, y la ciudad se sumía en una oscuridad tan completa como la que debía de cubrir aquel lugar cuando no había más que bosques y pantanos. De repente, su presencia en aquella ciudad a oscuras de la llanura septentrional europea le resultó totalmente extraña. Si aquello era un sueño, se dijo, ¿sería un alivio despertar de él? ¿Renunciaría con gusto a Berlín, al zoo, e incluso a Axel, por el gorjeo de los periquitos en el porche de la casa de su madre?

Se estremeció. Eran pensamientos sin sentido, y no había nada como el frío para devolverte a la realidad. Se levantó y entró para esperar a Axel. Un pomo de bronce, papel de oscurecimiento, un piso penumbroso y frío. Los hechos de su vida eran inalterables.

A los veintiocho años Vera trabajaba como profesora de alemán, enseñando a las hijas de las mejores familias de Sidney. A su madre le preocupaba que no llegara a casarse, ya que la Gran Guerra había provocado una escasez de posibles maridos, pero ella no pensaba en el matrimonio, ni siquiera en hombres: había tenido amantes y también habría podido tener maridos, aunque su madre no lo supiera. Lo que Vera ansiaba era viajar, a Europa a ser posible. Su hermano había combatido en Francia y, junto con sangrientas anécdotas de las trincheras, había regresado con historias más vívidas de su paso por Egipto, así como de sus estancias de permiso en Londres y Escocia. Al igual que ella, Selby no se había casado, aunque por distintos motivos: tenía tendencia a los ataques de llanto, y en ocasiones a la violencia, cuando bebía en los bares. No era capaz de conservar un empleo. Hubieron de pasar años antes de que Vera comprendiera que Selby no había salido completamente indemne de las trincheras, pero la guerra de su hermano conservó cierto aire novelesco para ella, y seguía anhelando poder hacer aquellos viajes.

Axel Frey le había gustado desde el instante en que lo vio plantado detrás de un atril: un hombre de sólida constitución, que se expresaba con pasión y talento. No se sorprendió cuando tomó la iniciativa de presentarse. La llevó a tomar el té y luego fueron a visitar el zoo de Taronga. Era doce años mayor que ella, ocurrente y afectuoso en su trato. Había combatido en las trincheras, si bien en el otro bando, había viajado mucho y llevaba aquel tipo de vida de horizontes abiertos que Vera deseaba para sí. Pronto vio en él a un posible liberador. A los tres días de haberse conocido, ya eran amantes.

Axel mostró cierta reserva cuando le pidió que la llevara con él a Europa, y le dejó muy claro que no podría ocuparse de ella. Pero Vera le respondió que era muy capaz de cuidar de sí misma. Quería conocer mundo, no encontrar una nueva forma de dependencia: la suya sería una simple y agradable relación de conveniencia. Así pues, Axel reservó dos camarotes en el *Einhorn*, un carguero que se disponía a zarpar para Hamburgo.

Para su madre, escaparse con un hombre era una deshonra, y el hecho de que se marchara a Europa, casada o no, significaba que jamás volvería a ver a su hija. Las objeciones de Selby fueron de índole política: los nacionalsocialistas habían suspendido las elecciones en Alemania. Hitler no hacía más que hablar de reconstruir el ejército, y si eso sucedía Gran Bretaña y Francia volverían a invadirla. Vera lo tranquilizó diciéndole que no se quedaría mucho tiempo en Alemania.

La despedida antes de zarpar resultó bastante difícil: aunque Selby se mostraba animado, su madre no dejaba de llorar. Vera la besó y la abrazó suavemente, y luego se alejó para subir por la pasarela. Siguió una hora ciertamente incómoda, durante la cual ella permaneció en la barandilla mientras sus amigos y familiares esperaban en el muelle. A Axel le pareció mejor instalarse en su camarote. Cuando el *Einhorn* desatracó, Vera se despidió de sus seres queridos agitando vivamente los brazos, en parte con cierto alivio. Una vez dejaron atrás Fort Denison, Axel volvió a cubierta. Reinaba en la bahía una tranquilidad inusual. Cuando los promontorios de Sydney Heads quedaron a popa, negros presentimientos comenzaron a apoderarse de Vera, pero entonces sopló una ligera brisa y el momento de incertidumbre pasó. Una escolta de gaviotas siguió al *Einhorn* hasta alta mar.

El viaje fue de lo más placentero. Axel era un gran conversador, y en pocos días el alemán de Vera mejoró muchísimo. Pasaban horas haciendo el amor en el camarote de Axel, y después permancecían tumbados en la cama hablando mientras zancudos opiliones tendían sus cables arácnidos por encima de sus cabezas.

Axel iba varias veces al día a comprobar el estado de los animales que había recogido: dingos, ualabíes, koalas y possums... dieciocho ejemplares en total. Los animales viajaban dentro de jaulas en la cubierta posterior del *Einhorn*, puesto que, como Axel le había explicado, las temperaturas extremas de calor y de frío resultaban menos perjudiciales para las criaturas salvajes que la falta de aire fresco. Unas lonas impermeables los protegían del sol y la lluvia. Vera, que también iba a ver a los animales de vez en cuando, se mostraba preocupada por las condiciones de estrechez en que viajaban, aunque Axel le prometió que tendrían mayor espacio en Berlín y vivirían allí más años que en la propia selva.

Casi todo el conocimiento de Vera acerca del mundo animal procedía de las mascotas de la familia —un cocker spaniel, dos gatos, unos cuantos hurones que su hermano había adiestrado y una saga de periquitos—, y sintió que en su interior crecía un afecto similar por aquellos animales enjaulados, así que sugirió que les pusieran nombres. Axel accedió y le pidió que propusiera nombres aborígenes, obligándola a reconocer que las únicas palabras nativas que conocía eran topónimos. Axel le dijo que los berlineses no notarían la diferencia, y así, con la ayuda de un atlas, consiguieron dar nombre a los dieciocho.

Cuando el barco llegó al ecuador y los tres koalas —Wollongong, Goodooga y Guyra— murieron uno tras otro en rápida sucesión, ella se sintió avergonzada de cómo se había divertido poniéndoles nombre. Axel le explicó que el transporte de los koalas resultaba muy dificultoso. Las idiosincrasias de algunas especies, le dijo, eran un misterio, y por eso necesitaban ser estudiadas en los zoológicos.

El barco llegó a Aden, en la península Arábiga, y Axel le mostró la antigua fortaleza que dominaba el puerto. Desde las afueras de la ciudad viajaron a lomos de asnos hasta el borde del cráter de un volcán apagado. Aquella era la vida con la que Vera había soñado, y debía agradecérselo a Axel. Su charla y su contagiosa risa resultaban adictivas.

A los dos días de haber zarpado de Aden, el barco se vio infestado de pulgas y, como precaución contra una eventual epidemia, el capitán ordenó fumigar la nave. Vera fue al camarote a buscar unos libros y material para escribir, en previsión de una larga estancia en cubierta, cuando Axel llegó con un saco de arpillera medio lleno. Sonreía y era evidente que planeaba darle una sorpresa, lo cual la llevó a mirarlo expectante. Con un pase de magia, abrió el saco y extrajo de dentro un tarro vacío. Desenroscó la tapa, se subió a una silla y, con el tarro en un mano y la tapa en la otra, atrapó la araña que tenía más próxima y sonrió. Luego le pasó el tarro.

—Atrapa tú otra —le dijo—. Después les haremos unos agujeros para respirar.

En aquel preciso instante, poco después del almuerzo, en pleno mar Rojo y a unos veinte grados de latitud norte, Vera se enamoró de Axel Frey.

Con la plantilla original del zoo reducida a ella misma, Axel y herr Winzens, Vera se hizo cargo de uno de los tres equipos de trabajo y con ellos se puso manos a la obra para proteger edificios con sacos de arena, sellar ventanas y almacenar alimentos para el invierno. Su equipo lo formaban tres polacos y el checo Krypic y, pese a sus recelos iniciales, se sentía agradecida por poder contar con su ayuda. La mayoría de ellos apareció bien pronto con ropas de abrigo, que debían de haber conseguido en el mercado negro, probablemente a cambio de comida robada en el zoo. Pero Vera estaba más preocupada por quienes no llevaban abrigos. Uno de los que no se habían provisto era el andrajoso Krypic, ya fuera por culpa de su mala suerte o por apatía. Vera no tenía manera de saberlo, y para darle una oportunidad de recuperarse lo trasladó a las cocinas.

Al día siguiente, Vera llevó algunos ingredientes de sus propias raciones para alimentar a un gibón de mejillas blancas que había enfermado de gripe. Valiosas proteínas: un poco de leche y un simple huevo. Vera sentía un especial aprecio por los gibones, al igual que por el resto de los primates.

En las cocinas, el checo estaba ocupado en fregar las bandejas, entre gran estrépito y salpicaduras. Dos tensos tendones paralelos se marcaban en la nuca del hombre, y Vera se fijó en que sus dedos estaban agarrotados por el frío: las cocinas no eran sin duda el refugio que ella había imaginado. Al saludarlo, el hombre se sobresaltó, y le dirigió una hosca mirada mientras ella se disculpaba.

Vera buscó unas varillas para batir y un bol en el que mezclar los ingredientes, y volvió a la encimera. El agua seguía salpicando en el fregadero donde se afanaba Krypic. Su cuello parecía muy frágil, muy vulnerable al ataque. Vera dejó que sus manos palparan las curvas del huevo, y después partió la cáscara en el bol. Krypic dejó de hacer ruido. Vera se detuvo, manteniendo unida la cáscara, hasta que comprendió que la tensión de la espera era mucho peor que proseguir, y entonces vació el contenido del huevo en el bol. Después añadió la leche y cogió las varillas, y por fin el checo reanudó el fregoteo.

Batió bien la mezcla hasta que espumó, y entonces cubrió el bol con un paño. El checo acabó de enjuagar la última de las bandejas, y luego agarró el barreño con el agua sucia por las asas y lo levantó a peso de la encimera, haciendo que se le tensaran aún más los tendones de la base del cuello. Se dirigió tambaleante hacia el desagüe, y el agua empezó a oscilar hasta desbordarse y salpicarle la camisa. Vera se apresuró a ponerse a su lado y agarró una de las asas, permitiéndole así aferrar la otra con las dos manos, y entre ambos vaciaron el agua por el sumidero. Un arco de agua sucia se deslizó por el suelo.

—Gracias —le dijo el checo, y se enderezó.

La camisa mojada se le pegaba al vientre, y ya estaba temblando.

—Tendremos que buscarles... a todos ustedes, algunas ropas de abrigo —le dijo.

Sabía que esa noche tendría que caminar por la nieve junto a los otros *Ostarbeiter* hasta sus barracones en Moabit.

El checo inclinó su rostro hacia ella.

—Ese acento... ¿no es alemana?

Apenas había acabado de decirlo cuando dio un respingo, asustado ante su propia temeridad. Vera se apresuró a responder:

—No, no. Australiana.

Krypic asintió. Frunció el ceño y luego, de repente, pareció resignarse. Añadió en inglés:

—Entonces su lengua materna es el inglés.

Vera se quedó un tanto sorprendida, aunque no era inusual encontrarse con angloparlantes en Berlín, y respondió en su propia lengua:

—Sí, el inglés. ¿Lo habla usted?

—Escrito, puede... —Cambió al alemán—. Mi inglés hablado es bastante malo.

Guardó silencio, recordando tal vez las prohibiciones. A Vera le hubiera gustado que se sintiera cómodo, pero ella misma se notaba cohibida, no tanto por temor como por cierto embarazo. El rostro del hombre parecía cincelado y anguloso, como el de una escultura vanguardista.

—Podemos hablar en otro momento. Para entonces ya me habré ocupado de conseguirles algunas ropas.

Vera advirtió su escepticismo. Titubeó, recogió el bol y salió del edificio.

Axel observaba mientras herr Winzens medía el suelo de la sala de calderas. Reinaba dentro un ambiente caluroso y cerrado. Una débil luz brillaba sobre los cabellos canosos del cuidador, de un gris acerado. Finalmente se volvió y sacudió la cabeza.

—Aquí nunca cabrá un generador. *Unmöglich, nein*, no puede hacerse.

El viejo se cruzó de brazos, con aire sombrío aunque satisfecho. Tenía razón, eso era evidente, pero Axel no se rendía con facilidad.

—Tampoco hay espacio en la sala de al lado —dijo herr Winzens.

Y, como para verificarlo, echó una ojeada al interior del anexo.

La clave era la paciencia. El hombre era un excelente jefe de personal, pero pesimista por naturaleza. Años atrás se había opuesto a los planes de Vera sobre los recintos, haciendo que esta rezongara durante semanas acerca de que habría que despedirlo, pero para entonces herr Winzens era ya toda una institución en el zoológico. Axel lo recordaba desde que era un niño, cuando caminaba detrás de él acompañando al padre de Axel en sus visitas de inspección matinal. Le fascinaba ver trabajar a los hombres, pero también le encantaba escabullirse a sus rincones favoritos del parque, que le gustaba considerar como sus dominios privados. En cierta ocasión, herr Winzens lo había descubierto detrás de la pagoda, modelando figuras de animales con heces de elefante... un juego que, como Axel descubrió de repente, no debía de estar muy bien visto. Mientras caminaban de regreso hacia donde estaba su padre, Axel había imaginado que el cuidador lo delataría con el tipo de burla despreocupada que solían emplear los mayores, pero herr Winzens no dijo ni pío... ya fuera por olvido o por compasión. Axel nunca lo supo, pero incluso ahora seguía sintiendo un eco de gratitud.

El viejo estaba observando la pared de un lado a otro.

—Por su aspecto, no parece un muro de carga. —Golpeó el ladrillo—. Abra un agujero aquí, y tendrá espacio suficiente para su generador. Después, para no asfixiarse, saque al exterior una salida de humos.

A herr Winzens había que atraerlo con el señuelo de un problema. Cuando se habló de construir la roca de los simios y él se manifestó contrario a ella, Axel había fingido que no sabía cómo hacerla. Después, cuando llegó la grúa, herr Winzens dejó de rezongar, se plantó a pie de obra y se pasó todo el día gritando órdenes al operario que la manejaba.

—Muy bien, entonces encargaré que hagan un agujero en la pared.

Sacó un lápiz que llevaba detrás de la oreja y comenzó a hacer una serie de marcas en la pared, como si hubiera sabido en todo momento que aquella era la solución. Se puso a hablar de ángulos, herramientas y materiales, y Axel le siguió la corriente, consciente de que comentar el asunto era ahora tan vital como lo había sido la paciencia al principio.

El cuidador seguía hablando cuando Vera entró en el anexo. Deambuló de un lado para otro, hasta detenerse en el umbral.

—Está haciendo frío —observó—. Esos *Ostarbeiter* necesitan uniformes.

Axel suspiró. En ocasiones, Vera no mostraba mucho tacto. Pero tenía razón: él mismo debería haberlo pensado. Herr Winzens se encajó el lápiz detrás de la oreja y se puso tenso.

—Están sin usar en el almacén —añadió Vera.

Axel intentó replicar, pero herr Winzens se le anticipó.

—Necesitaremos esos uniformes para cuando los muchachos vuelvan a casa. Después de la guerra.

Vera hizo un gesto de impaciencia.

—¿Están las vidas de todos nosotros en suspenso hasta que termine la guerra?

Axel hizo ademán de dirigirse a la puerta de la sala de calderas, pero ni herr Winzens ni Vera le prestaron atención. La mayoría de los cuidadores no volverían nunca, aunque él no pensaba hacer semejante observación.

Herr Winzens preguntó:

—Si entregamos esos uniformes, ¿cómo los reemplazaremos?

—Haremos que nos los devuelvan —propuso Vera.

—Creo que tendríamos mucha suerte si lo hicieran. ¿Y en qué condiciones?

—Esos trabajadores necesitan ropa de abrigo.

Herr Winzens puso los ojos en blanco, lo que dio a Axel la oportunidad de intervenir.

—Si esos hombres enferman, no nos serán de ninguna utilidad, Artur. Podemos proporcionarles chaquetas y guardar los pantalones en el almacén.

El cuidador se mostró contrariado, pero no sorprendido. Sacudió la cabeza.

—Si van a quedarse con una parte, pueden quedarse con el lote completo.

Refunfuñó en respuesta al agradecimiento de Vera, y volvió a sus mediciones. Vera enarcó una furtiva ceja y salió, mientras que Axel permaneció en el anexo, esperando vagamente arreglar un poco la situación. Los últimos años habían sido duros para herr Winzens, y la pérdida de su casa había resultado un severo golpe, obligándolo a buscar refugio en Kreuzberg con una sobrina a la que aborrecía. Axel le preguntó por la ventilación que requeriría el generador, pero su pregunta sonó forzada y, en lugar de arriesgarse a empeorar la situación, prefirió marcharse y dejar que el viejo siguiera con su trabajo.

Fuera, el aire era cortante y frío. Caminó entre los maltrechos recintos, contento de hallarse al aire libre y poder deambular durante un rato. Por encima de las ramas desnudas de los árboles, una nube baja surcaba el cielo.

Se detuvo frente al refugio de los avestruces como habría hecho un visitante cualquiera, contemplando su rareza en mitad del campo nevado. Aunque chamuscado, no había sufrido daños estructurales. Un mural en la fachada cubierta de jeroglíficos representaba a unos hombres con varas conduciendo un rebaño de avestruces, flanqueados a ambos lados por una hilera de hieráticas mujeres llevando cestos de huevos tan grandes como piedras de río. Si el templo hubiera sido destruido, ¿cómo sería un recinto abierto para avestruces?

Axel rodeó el edificio y llegó hasta el corral exterior, donde se veía a los avestruces vivos corretear y descansar.

Enojar a otros, se recordó a sí mismo, era una consecuencia inevitable de ejercer la autoridad. Hacía todo lo posible por ser justo, e incluso en ocasiones intentaba engañarse a sí mismo pensando que podía ser amigo de sus empleados, pero la supervisión del zoológico era un asunto fundamentalmente práctico y, cuando había que pasar de la teoría a la acción, parecía que siempre saliera alguien dañado. El mando le había resultado más fácil a su padre, quien ignoraba las opiniones de los demás y jamás dudó de la suya, e incluso cuando sus trabajadores se habían quejado nunca dejaron de mostrarle respeto. La confianza que tenía en sí mismo hacía que ellos se sintieran seguros, al igual que los animales.

Por encima de su cabeza, una franja de luz atravesó la nube y refulgió sobre el blanco de la nieve y las plumas de los avestruces. Axel entornó los ojos y apartó la vista. Tenía que organizar lo de los uniformes. Allí no era ninguna opción esconderse enterrando la cabeza: el terreno era tan duro como el hierro.

Esa noche Vera contempló cómo se marchaban los *Ostarbeiter* del zoo, luciendo el uniforme verde oscuro de los cuidadores. Pasó el brazo por la cintura de Axel y lo atrajo hacia ella. Sólo faltaban tres días hasta Navidad, y luego todo un año de buena voluntad entre los hombres.

Siguieron a los trabajadores hasta la calle y Axel cerró la verja: una débil estructura de tablas unidas entre sí con alambre de púas. Vera enlazó su brazo con el de su marido y los dos salieron hacia Meinekestrasse. En ausencia de las farolas, la Vía Láctea era un reguero luminoso en el cielo.

Nunca había dudado de la buena intención de Axel; lo que a veces la inquietaba era su falta de visión política. A bordo del *Einhorn*, ella le había interrogado a propósito del nacionalsocialismo, y él lo había minimizado calificándolo de aberración pasajera. Después había satirizado a los jerarcas del Partido tildándolos de inadaptados y ridiculizando la obsesión de los nazis por los uniformes, y, malinterpretando su seguridad al respecto como perspicacia política, Vera había dejado de hacerle preguntas.

A los tres meses de que llegaran a Berlín, los médicos diagnosticaron al padre de Axel un cáncer de estómago. Desde la muerte de su esposa en los años veinte, el hombre había vivido solo en la villa del zoo, recibiendo la visita diaria de una mujer que le hacía de asistenta y cocinera. En su mesa, las conversaciones giraban solo en torno a dos temas: su transformación del Jardín Zoológico de Berlín en el mayor del mundo y el excelente trabajo que Hitler estaba realizando en pro de la nación alemana. El nacionalsocialismo había hecho recobrar al pueblo su sentido... como si el Partido fuera una dosis nacional de sales que sacaran al país de su letargo. Hitler sabía cómo deshacerse de los agitadores, y Alemania necesitaba alguien fuerte. A principios del año nuevo, herr Frey había muerto y, por primera y única vez en su vida, Vera había visto llorar a Axel.

Al llegar al piso de Meinekestrasse lo encontraron vacío, aunque Flavia no tardaría en volver: las sesiones de cine y de teatro habían avanzado sus horarios para evitar las interrupciones de los británicos.

Vera llevó a Axel al baño y encendió una vela. Ahora que habían vuelto a conectar las conducciones de agua, los baños estaban permitidos dos veces por semana. Abrió el grifo del agua caliente y el aire se llenó de vapor. Se desvistió y aflojó el cinturón de Axel. Éste sonrió encantado.

—¿A qué debo mi buena suerte?

—¿Y aún lo preguntas? —respondió ella, metiendo el pie en la bañera.

Axel sonrió y señaló los grifos.

—Me pondré en el lado de los caballeros.

Vera negó con la cabeza: ya había sido bastante caballeroso. Cerró los grifos y se deslizó en el agua, deleitándose en el calor. Axel se desnudó y entró en la bañera, pero inmediatamente salió como un resorte, gritando a causa de la elevada temperatura. Luego, cautelosamente, volvió a intentarlo hasta sentarse por fin dentro de la bañera, haciendo que el nivel del agua subiera hasta el borde. Vera acomodó sus pies bajo las costillas de él. Después lo miró a través del vapor.

—Gracias por lo de hoy —le dijo.

—No, hiciste lo que había que hacer. Esperemos que herr Winzens llegue a perdonarnos.

Vera enlazó sus piernas con las de él, frotándole suavemente las pantorrillas. Axel recorrió con la mano el relieve de las rodillas de su mujer, mientras ella se reclinaba junto a los grifos y dejaba su mente en blanco durante un rato. Después comenzó a acariciarle los muslos, hacia fuera, hacia dentro, hacia fuera de nuevo. La piel tenía memoria. Vera podía dar fe de ello.

Finalmente, con un suspiro, ella se incorporó sobre las rodillas, dejando espacio para que Axel se echara más hacia atrás y haciendo que el agua salpicara el suelo. Él se rió. Vera lo besó, le acarició el vello canoso del torso y el juego sexual fue creciendo de intensidad.

A Vera le encantaba la sensación de fundirse, de olvidar quién era quién: hombre, mujer, uno, ambos. Del pecho de ambos surgía una especie de ronco murmullo. Sus rodillas chocaban en el interior esmaltado de la bañera, pero todo dolor se trocaba en placer, en un torrente de estrellas. Vera cerró los ojos y vació su mente, pero entonces el cuerpo de Axel se destensó. Se disculpó y emitió un gruñido. El calor, dijo. Volvió a pedirle que le perdonara.

Ella apenas podía respirar por el deseo... como en estado de shock, supuso, y casi se echa a reír por la hipérbole de su comparación. Respiró profundamente para que no le vacilara la voz y le dijo a Axel que no tenía importancia. Los hombres eran frágiles como flores, y de la forma en que ella reaccionara ahora podía depender el resto de la noche. Se deslizó con cuidado hacia atrás en la bañera y pellizcó suavemente a Axel en la pantorrilla. Intentó acomodarse de nuevo en la bañera de hierro colado, pero seguía inquieta, excitada aún. Estaba deseando alargar las manos y tocarse, pero lo que en otro momento a él le habría gustado, ahora parecía fuera de lugar.

Permanecieron quietos durante un minuto, y luego Axel se sentó, haciendo que cayera más agua al suelo. La agarró por las muñecas y la hizo ponerse de rodillas, y Vera sintió los brazos de él alrededor de su cintura y la tibieza de sus labios sobre su cadera. Ella se aferró a los lados de la bañera, mientras la boca de él proseguía. El agua lamía sus muslos. Se estremeció, en parte sumergida y en parte expuesta al aire, mientras unos sonidos familiares ascendían a su garganta. Todo fue rápido, muy rápido. Su cuerpo se tensó y se contrajo, y luego, sujetando a Axel por los brazos, jadeó y se dejó caer sobre él.

Axel se hundió y emergió de nuevo, fingiendo boquear en busca de aire. Ella le dio un beso, fortalecida por una nueva sensación de alivio, y él agitó los brazos en un gesto de burlona indefensión.

Aún seguía riendo cuando oyó la llave de Flavia en la cerradura de la entrada y, aunque la puerta del baño estaba cerrada, Vera se recostó y se encogió en la bañera. Flavia entró en el salón.

—Vera... ¿estás ahí dentro?

—Estamos los dos.

—*Ooo là là!* Me temo que tendréis que parar. Traigo noticias.

—¿No pueden esperar?

—No, no pueden. ¿Estáis listos? Voy a entrar. —Abrió la puerta de golpe y entró, y al ver el agua en el suelo se llevó las manos a la cabeza—. ¡Dios santo, un vendaval!

Vera cruzó los brazos.

—Podrías habérnoslo dicho a través de la puerta —dijo.

Axel parecía relajado.

—Es demasiado importante —replicó Flavia. Hizo una pausa para imprimir mayor efecto a sus palabras—: ¡Me caso!

Vera titubeó.

—¿Con tu as de la aviación? —preguntó.

—No seas ridícula. Me cae demasiado bien. No, con un amigo suyo, también piloto.

—¿Cómo se llama?

—Franz. O Fritz. Algo por el estilo. ¿Es que no vais a felicitarme ninguno de los dos?

—¿Estaría fuera de lugar preguntar por qué vas a casarte con un desconocido? —preguntó Axel.

—Por los cupones de racionamiento. Dan cupones extra por las bodas, y los necesitaré para la fiesta de Año Nuevo. Por cierto, estáis invitados, aunque con una condición: necesito testigos para la boda.

El último día de 1943, Vera llegó con Axel a la oficina del registro civil de Charlottenburg. Flavia caminaba nerviosa por la sala de espera. Les explicó que el amigo del novio, Friedrich Motz-Wilden, no se presentaría, ya que andaba muy ocupado consiguiendo bebidas para la fiesta. ¿Le importaría mucho a Axel ejercer de padrino?

El novio llegó con retraso, lo que enfureció al encargado del registro, un bávaro bajo y calvo aquejado por un resfriado. El novio era joven, demasiado joven para casarse: Vera dudaba de que hubiese cumplido los veinte años. Cabello rubio muy corto por los lados, con un poblado flequillo que le caía sobre la frente. Ojos azules en un rostro más bien cuadrado que resultaba casi hermoso. De complexión menuda y ágil. Mientras pronunciaba sus votos sonreía como si estuviera borracho, pero eran las diez de la mañana, así que eso parecía improbable. Prendida en la pechera de su uniforme llevaba una cruz de caballero con hojas de roble, concedida por actos de extraordinario valor en combate.

Una vez concluida la ceremonia, Vera firmó como testigo en los certificados de matrimonio y de pureza racial. En contra de la costumbre, Flavia optó por conservar su apellido. Aunque parecía bastante aburrida durante la lectura de los votos, ahora siguió con gran atención la firma del certificado de matrimonio e instó ante el escritorio del registrador a que éste estampara la fecha. El hombre se sorbió la nariz, negándose a que lo apremiaran, y rebuscó un pañuelo en su bolsillo. Con la mano libre, selló los documentos y presentó los originales al novio.

Ya fuera en la calle, el grupo nupcial se disolvió y tomaron diferentes caminos: Flavia fue a reclamar sus cupones de racionamiento, el novio a organizar la fiesta, y Vera y Axel se dirigieron al zoo.

En las cocinas, herr Winzens los recibió con malas noticias: durante la noche, las dos docenas de ejemplares que formaban la colonia de pingüinos azules habían muerto todos sin motivo aparente, aunque sin duda la malnutrición había tenido mucho que ver en ello. Los pingüinos eran las únicas aves que Vera no tenía ningún reparo en cuidar, y la muerte de sus «hombrecillos» le resultó desoladora.

Hacia las ocho de la noche, Vera estaba agotada. En el apartamento de Flavia se vistió con desgana para la fiesta, y después tomó el metro con Axel en dirección al barrio de Dahlem, donde el novio vivía con sus padres. Flavia se había adelantado para preparar el festín de racionamiento.

Desde la estación, Dahlem presentaba un aspecto casi de normalidad, con sus casas resguardadas tras las vallas de sus jardines, pero la luna que ya se elevaba mostraba que las bombas también habían caído allí, destruyendo una de cada cuatro o cinco viviendas. Troncos de árboles destrozados sobre las aceras daban cuenta de la ferocidad de los bombardeos. Era improbable un ataque aéreo en una noche de luna llena, como Flavia debió de pensar cuando planeó aquella fiesta: en aquellos días, todos estaban tan familiarizados con el calendario lunar como cualquier campesino.

La casa estaba rodeada por una alta tapia de ladrillo y una hilera de abetos cubiertos de nieve. Vera siguió a Axel a través de la verja y por un sendero de gravilla. Más adelante, entre otro grupo de árboles, brillaba la punta encendida de un cigarrillo, y después la luz de la luna reveló la figura de un hombre enfundado en un capote y tocado con una gorra de oficial del ejército. Desde las sombras, el desconocido les dio las buenas noches y les pidió ver sus invitaciones. Vera se acercó a él y se las mostró. Con la misma mano con la que sostenía el cigarrillo, el hombre tomó las invitaciones y las examinó a la luz de la luna. Su capote pertenecía al uniforme de la Luftwaffe.

—Síganme.

Se dio media vuelta y los condujo por el sendero hasta que los árboles dejaron a la vista una casa de dos pisos, típica de una familia de la burguesía acomodada. En sus ventanas no se veía luz alguna, selladas con un oscurecimiento impenetrable. Del interior llegaba música de cámara procedente de un gramófono, cuyos acordes sonaban espectrales a través de las paredes. El oficial de la Luftwaffe abrió la puerta principal e invitó a Vera y Axel a entrar en el vestíbulo. Después llamó al novio, que apareció segundos después junto a la escalera central. A la luz de la lámpara parecía incluso más joven que en el registro. Les dio la bienvenida y cogió sus abrigos y sombreros, aunque el sombrero de Axel se le cayó al suelo de parquet. Después hizo un gesto en dirección al oficial.

—Espero que nuestro fantasma no les haya asustado. Siempre ponemos uno en las fiestas, como fuerza de choque. Es lo bueno de contar con un jardín, de veras.

—Motz-Wilden —dijo el oficial. Apagó el cigarrillo en un cenicero y tendió a Axel su mano izquierda—. Como puede ver, fui un poco descuidado al perder la otra.

La manga derecha estaba prendida con alfileres al codo. Una mandíbula firme, labios gruesos. Se volvió y Vera pudo ver las huellas de la carne quemada en el lado izquierdo de la cabeza y el cuello.

El novio le prometió a Motz-Wilden encontrarle un sustituto para hacer la guardia, y luego los condujo a un salón caldeado por el fuego de una chimenea. Al momento les trajo dos vasitos de aguardiente de un aparador, donde también estaba el gramófono que Vera había oído sonar desde el jardín. Por lo demás, no había más muebles en la estancia. Una alfombra persa en el suelo. Una araña suspendida del techo.

Era pronto aún y solo habían llegado unos pocos invitados. Vera dejó a Axel conversando con el novio y fue en busca de Flavia, siguiendo por un pasillo el rastro del olor a masa quemada hasta llegar a una cocina de suelo enlosado y con una gran mesa de madera. De las paredes colgaban hileras de utensilios de cobre. Flavia se afanaba en compañía de otras dos mujeres, que lucían también largos y resplandecientes vestidos. Sus esmaltadas uñas parecían haberse dejado crecer ex profeso para preparar entremeses.

Al verla, Flavia soltó un gritito de alivio. El strudel se había quemado, dijo, y estaban teniendo problemas con la bratwurst. Le presentó a las dos mujeres, llamadas Trudie y Heike.

—Vera, querida, necesitamos tu ayuda.

Para cuando estuvieron listos los tentempiés, la fiesta se hallaba ya en marcha. Vera contó por lo menos veinte invitados, en su mayoría más jóvenes que ella: una gran reunión para los tiempos que corrían, y ruidosa en extremo. Casi todos los hombres iban uniformados, bastantes con el uniforme azul de la Luftwaffe. Algunos estaban heridos y caminaban con muletas. Uno tenía los pies vendados y visiblemente más cortos, señal inequívoca de pérdida por congelación. Otro estaba ciego. Los amigos del mundillo teatral de Flavia charlaban con los hombres heridos como si no les faltara nada, y echando un simple vistazo por la estancia casi podías verlos a todos como jóvenes normales divirtiéndose.

Vera pasó por entre los asistentes cargada con una fuente de entremeses, y después fue a reunirse con un grupo compuesto por Axel, el novio y Friedrich Motz-Wilden. Este se había quitado la gorra, dejando al descubierto una cabeza de negro cabello por encima de la lava de sus quemaduras. Su oreja izquierda estaba lívida, pero entera. Y, a juzgar por el pliegue de su manga, había perdido, además de la mano, gran parte del antebrazo.

El novio vio que Vera observaba a Motz-Wilden, y le guiñó un ojo.

—Friedrich es el hombre más afortunado sobre la tierra.

—¿Ah? —dijo ella, consciente de haber vacilado.

—Lo derribaron en el mar y ha vivido para contarlo. Pero lo más remarcable es que Freddie es feliz. No le preocupa nada. Ni la inminente pérdida de las tierras de la familia a manos de los rusos. Ni la pérdida de un miembro, ni el aspecto de su rostro.

—Nunca fui un hombre bien parecido —dijo Motz-Wilden.

Aquello era evidentemente falso. La cicatriz había añadido un llamativo toque criminal a lo que debía de haber sido un rostro muy atractivo. Sus ojos eran de un intenso color azul. Era la cara de un pistolero o un mercenario, aunque hablaba con un refinado acento prusiano.

—Freddie es diplomático —explicó el novio.

—Precisamente estaba contando mi viaje a Estocolmo —explicó Motz-Wilden—. Tuve que correr algunos riesgos para conseguir este aguardiente sueco que centellea ahora en nuestros vasos.

—Así que a eso es a lo que se dedica ahora nuestro cuerpo diplomático —comentó Axel.

—Unos vagos... —dijo Motz-Wilden.

—¡Estás siendo muy duro contigo! —protestó el novio. Alzó el vaso y en tono marcial dijo—: ¡El Reich, puedo asegurarle, le agradece enormemente sus esfuerzos!

Fue una imitación bastante pobre, pero suficiente para poder despertar el interés de algún informador. Sin embargo, no pareció molestar a nadie, menos aún a Axel. El novio bebió otro trago de aguardiente.

Vera le preguntó a Motz-Wilden qué le había parecido Suecia.

—Resulta difícil de decir —respondió—. El término que encuentro más apropiado es «neutra». En parte podría deberse a su atmósfera invernal, aunque hay más color en Estocolmo que en Berlín... en los toldos, en los escaparates —y, señalando a su uniforme—, en la ropa. Pero no, no me refiero a que no haya colorido en las calles, sino al tono del lugar. Como drogado, aletargado. Neutro.

—¿Mientras que Alemania...? —lo instó a seguir el novio.

Vera se tensó, alarmada.

—Alemania es roja —declaró Motz-Wilden, y, notando la expresión divertida del novio, añadió—: Digan lo que digan las ideologías. Nosotros estamos llenos de vida, de un rojo vivo.

Se hizo el silencio en el grupo. Callaron todos menos el novio, decidido a animar el juego.

—¿Y cuál es el color de Rusia? —preguntó.

—La Unión Soviética es marrón. Marrón como un saco de patatas. El color del futuro.

Vera se excusó y salió de la habitación. Ya en la cocina, agarró a Flavia por el brazo y la arrastró hacia el pasillo.

—Tienes que hacer algo con tus amigos de la Luftwaffe.

—¿Por qué? ¿Qué pasa con ellos?

—Están hablando de traición.

—Siempre están hablando de traición. Por eso me caen bien.

—Me refiero a una grave sedición.

—Vera, aquí no hay delatores.

Vera le dirigió una mirada de franco escepticismo.

—Muy bien —dijo Flavia—, si vas a sentirte mejor, me encargaré de tranquilizarlos un poco.

Fue a buscar a Trudie y a Heike, y las condujo por el pasillo prometiéndoles presentarles a unos buenos partidos, comenzando por su marido. Ya en el salón, cogió al novio por el brazo y se arrimó contra su hombro. Con sus zapatos de tacón alto, era bastante más alta que él.

—¿Verdad que hacemos una pareja encantadora?

—Irresistible —admitió Trudie—, *unwiderstehlich*.

—¡Con esas mejillas arreboladas! —exclamó Heike—. ¡Dan ganas de pellizcarlas!

El novio sonrió radiante, dando toda la imagen de ser un hombre que acaba de casarse con el amor de su vida. Axel propuso un brindis por la feliz pareja.

—¿Adónde iréis de luna de miel? —preguntó Trudie.

—A Londres —respondió el novio—, o quizá a Dover. Junto al muelle hay un hotelito muy pintoresco que quiero destruir.

—La luna de miel es esta noche —dijo Flavia—. Mañana vuelvo al trabajo. Otra vez Schiller. ¡Lo que daría por trabajar en una obra contemporánea!

Aquella afirmación era tan insensata como lo habían sido algunas de las hechas por el novio. Flavia solía lamentarse con frecuencia del final de las vanguardias y de haber llegado a la edad adulta durante la dictadura, con lo que se había perdido las noches doradas de la ciudad en el Berlín de los años veinte.

—¿Existe alguna posibilidad de que te den algún papel? —preguntó Axel.

—Muy amable de tu parte por seguir preguntando, pero ya puedes dejarlo. Con el maquillaje tengo suficiente. Conocer tu auténtica vocación... ¿no es esa la clave de la felicidad?

—¿Ni siquiera portando una lanza?

—Debes de estar de broma. Si no puedo ser una estrella, prefiero no actuar.

—La verdad —farfulló el novio— es que voy a pasar la luna de miel con papá y mamá. Aquí, en casa. No pueden negarme nada. Es la manera de vengarme de mi infancia. Como esta noche, por ejemplo: «Voy a dar una fiesta», les dije. Mamá intentó que la invitara, pero le paré los pies. Los envié a los dos a casa de mi tío, y se pusieron como locos con la idea. No les he dicho que iba a casarme.

—¡Pero eso es muy cruel! —exclamó Heike.

—No es cruel, sino piadoso. Tienen que hacer sacrificios por mí... y, cuanto más duros, mejor.

—El mayor crimen del nacionalsocialismo —sentenció Motz-Wilden—: engendrar una generación de monstruos.

El novio hizo un gesto burlón.

—Al menos, sabemos en qué clase de monstruos nos hemos convertido. ¿No es verdad, Freddie? —Lanzó un puñetazo en broma al pecho de Motz-Wilden, pero falló—. Un hombre sin entrañas.

Flavia lo rodeó con sus brazos.

—No, *Liebling*, eres un hombre maravilloso. ¿Por qué si no iba a casarme contigo?

El novio sacudió la cabeza.

—Para ti solo es una farsa —dijo—. Soy una bestia. Esta vez, cuando volví a casa, papá y mamá tenían un regalo. La afiliación al Partido. Un certificado. ¿Sabéis dónde lo colgué? En el gancho del váter. Se pusieron furiosos. Un hijo tan ingrato... —Se mostró abatido—. Pero, aun así, no me lo tuvieron en cuenta.

—Bailemos —propuso Flavia—. Voy a cambiar la música.

Vera tomó a Axel del brazo y lo llevó aparte.

—¿Te das cuenta de que deberíamos marcharnos?

—¿Ya? Aún no es medianoche.

—Si alguien avisa a la Gestapo, la fiesta no llegará a la medianoche.

—Vera, nuestro anfitrión es un piloto condecorado. Y no se puede cuestionar el patriotismo de Motz-Wilden.

—A fuerza de interrogar, todo es cuestionable.

—Bueno... ¿quieres otra copa?

Vera trataba de mostrarse seria.

—Si hay algún informador aquí —dijo Axel—, su cuaderno ya estará lleno de notas. Así que podemos olvidarnos y disfrutar.

Le dio un suave codazo y se dirigió hacia el aparador, y, muy a su pesar, Vera observó cómo rellenaba sus vasos. Después de haber esquivado balas y metralla en Flandes, Axel parecía incapaz de calibrar otros riesgos que no estuvieran hechos de metal. Y ella no podía hacer otra cosa que seguir su consejo y pasarlo bien.

El gramófono crepitó y el salón se llenó con las inconfundibles notas de Billie Holliday, uno de los discos proscritos de Flavia. Desde el otro lado de la estancia, Flavia captó su mirada y le guiñó un ojo, y Vera no pudo evitar sonreír. Axel regresó y le ofreció otra copita de aguardiente, entrechocaron los vasos y Vera bebió un largo sorbo.

Dos soldados enrollaron la alfombra y Flavia sacó a bailar al novio a la pista. Pronto les siguieron más parejas. Otros invitados charlaban y reían, alzando sus voces para competir con la música del gramófono. Hasta los lisiados parecían felices de estar allí, alineados a lo largo de las paredes como muchachos en un baile de pueblo. Vera apuró el contenido de su copa, y a punto estaba de coger la mano de Axel cuando apareció a su lado Motz-Wilden y la tomó por el codo. Sus tacones produjeron un leve sonido al chocar.

—¿Me permite?

La pregunta iba dirigida tanto a ella como a Axel, quien sonrió y los invitó a salir a la pista.

Motz-Wilden la guió por entre las demás parejas, el muñón de su brazo presionando contra la espalda de Vera.

—No vale la pena preocuparse por él —dijo cuando vio que Vera miraba a su espalda—. No parece que vaya a crecer.

La colocó en posición de two-step, y empezaron a bailar. La luz de la araña resaltó su cicatriz.

Terminó el disco y Flavia puso uno de Duke Ellington: saxo, trompeta, platillos y batería, con un bajo como una resaca de fondo. Motz-Wilden comenzó a hacerla girar en círculos, y Vera sintió que su visión se tornaba borrosa más allá de su hombro y que desaparecía de ella el cansancio acumulado del día. Bajo la gastada tela de su uniforme, los hombros de Motz-Wilden se relajaban. La seguridad en sí mismo le daba el aire de un hombre más maduro.

La música empezó a sonar más lenta, con un melancólico clarinete, y Motz-Wilden se acercó un poco más, casi rozando el cuello y los cabellos de Vera. Las mejillas de los dos estaban muy juntas, aunque sin llegar a tocarse.

—Hacía mucho tiempo que no bailaba con una mujer tan hermosa.

Vera echó la cabeza hacia atrás en una silenciosa carcajada.

—¿Qué es lo que le parece tan divertido?

—Que es usted muy gracioso.

—Hablo en serio —replicó él sonriendo.

—Mire a su alrededor. Hay mujeres más jóvenes aquí.

—Tal vez —respondió, sin apartar la mirada de ella.

—Todas son más atractivas que yo.

—No tengo necesidad de mirarlas para saber que eso no es cierto.

Vera notó que se sonrojaba, reprochándose en silencio su reacción.

—Dígame —preguntó Motz-Wilden, levantándole la mano izquierda y dando suaves golpecitos en su alianza de boda—. ¿Se puede quitar?

—¡Cielos! ¿Es siempre tan directo?

—¿Y usted tan esquiva?

—¿Le parezco esquiva? —preguntó Vera.

—Responde con otra pregunta.

—La respuesta es no, este anillo no se puede quitar.

—¿Tal vez otra noche?

—Tampoco, ninguna noche.

Él se la quedó mirando unos instantes y después se encogió de hombros. Siguieron bailando, ligeramente menos juntos que antes.

—Dígame —quiso saber Vera—, ¿le funciona una táctica como esta? ¿Le responden que sí las mujeres?

—A veces. Casi siempre. Se sorprendería usted.

Vera consideró el asunto.

—No, en serio. La guerra... eso lo cambia todo. Y usted es un hombre apuesto —añadió, omitiendo en el último instante el «aún».

Esta vez fue él quien rechazó burlonamente el comentario.

—La cicatriz le favorece —insistió Vera— y, en cuanto a lo demás... las mujeres no parecen necesitar a un hombre de una sola pieza.

Vaciló, temerosa de haber ido tal vez demasiado lejos, pero Motz-Wilden no pareció inmutarse.

—Así que se quedaría conmigo a pesar de todo.

—Yo no he dicho eso.

—Aún queda mucho de mí... ¿es eso lo que está diciendo?

Estaba claro que difícilmente podría herir a aquel hombre: esa noche parecía estar en su elemento.

—Nada tan perverso. Tan solo que mi matrimonio es lo primero.

—¡Una lástima!

Flavia puso otro disco, que liberó una catarata de violines y castañuelas, acordeones y cítaras: música del Este, salvaje y desenfrenada, zíngara o klezmer, que transportó a Vera a sus primeros años en Berlín, aunque no podía recordar dónde había oído una música como aquella, ni en qué momento había dejado de oírla.

Flavia volvió a la pista, con los brazos extendidos y haciendo chasquear los dedos. Se acercó a Motz-Wilden y, como si el movimiento fuera ensayado, Vera entregó al hombre a los brazos de su amiga, clavando una última mirada en Motz-Wilden mientras Flavia se lo llevaba de su lado.

Axel esperaba junto al gramófono.

—Tendrás que ir con cuidado —le dijo Vera—. Tengo un admirador.

—¿Motz-Wilden?

Asintió.

—Ha intentado seducirme.

—¡Qué descaro! ¿Lo ha conseguido?

—Por supuesto. Todo está arreglado.

Axel simuló estar horrorizado, y después inclinó el vaso hacia su esposa.

—No puedo reprocharle su buen gusto.

—Impecable —admitió Vera. Miró nuevamente a Motz-Wilden, y entonces divisó al novio—. ¿Crees que estará en condiciones de consumar el matrimonio?

Era un comentario algo obsceno, pero echó la culpa al alcohol. Axel parecía divertido.

—La pregunta sería: ¿es eso lo que quiere? En mi opinión, solo tiene ojos para Freddie.

Vera se fijó con mayor detenimiento en el novio.

—¿Estás seguro?

—Todo lo seguro que se puede estar. Observa constantemente a Freddie y no habla más que de Freddie... aparte de papá y de mamá, por supuesto. Da la impresión de ser un hombre enamorado.

La mirada de Vera se dirigía de Axel al novio, y de nuevo a Axel. Aunque con frecuencia su marido parecía no prestar atención a lo que sucedía a su alrededor, en ocasiones la sorprendía. Y le gustaba la idea de estar casada con un hombre capaz de sorprenderla.

Bailaron un rato, y después se fijó un poco más en los invitados. Unos pocos habían bebido demasiado con el estómago casi vacío, pero Flavia parecía no tener ninguna prisa por regresar a la cocina.

—¡Soy la novia! —protestó cuando Vera le recordó que debía ofrecer a sus invitados algo más de comer—. No pueden pedirme que lo haga todo.

—Eres una farsante, y no dejaré que te escondas detrás de un velo. Lo haremos juntas. Si no, la mitad de tus invitados caerán desfallecidos.

Una vez en la cocina, asaron la ración de salchichas que les había correspondido por su boda, las cortaron luego en lonchas y las pusieron en panecillos regadas con mostaza. Flavia salió para anunciar a todos un *smorgasbord*. Todos se apiñaron en torno a la mesa, y se quedaron por allí comiendo y charlando.

Cuando faltaban cinco minutos para la medianoche, el novio se encaramó a la mesa y extendió los brazos sobre la marea de conversaciones y risas.

—¡Amigos! ¡Honorables invitados! —El ruido amainó—. No estoy muy acostumbrado... —en el sector de la Luftwaffe estallaron algunas carcajadas—, no estoy muy acostumbrado a esto de hablar en público, pero quiero daros la bienvenida a mi boda, que, casualmente, ha coincidido con la víspera de Año Nuevo. —Paseó la vista entre los congregados—. A algunos de vosotros os conozco. De otros he olvidado el nombre. A unos pocos —dijo mirando a Motz-Wilden—, apenas os reconozco.

Esta vez las risas fueron titubeantes. Motz-Wilden sonrió y se encogió de hombros.

—Aun así —prosiguió el novio—, lo que importa es que estéis aquí. Si es que lo estáis, claro. Físicamente, quiero decir... porque en espíritu estamos todos.

Se tambaleaba levemente. Su rostro infantil estaba muy sonrojado.

—Nos hallamos en los albores, y quiero que lo tengáis muy presente, en los albores de mil novecientos cuarenta y cuatro. Un número muy enigmático, ¿no os parece? Con todos esos cuatros como esvásticas recortadas.

Se oyeron algunas voces recordando que faltaba muy poco para la medianoche; el novio consultó su reloj y aceleró el final de su discurso:

—Acabaré diciendo que os deseo a todos un feliz Año Nuevo. Ah, y en cuanto a esta espléndida cena, agradecédsela a la deliciosa Flavia. Ella es mi esposa. Una chica encantadora, y sé que seremos muy felices.

Miró de nuevo su reloj y empezó a controlar el paso de los segundos, y al llegar a diez comenzó en voz alta la cuenta atrás. La multitud se unió a su canto, y al llegar a cero estalló un gran estruendo en las gargantas de todos, y se lanzaron serpentinas que tejieron una gran red al enrollarse en los cuellos de los presentes. Vera besó larga y profundamente a Axel, hasta que hubo pasado el momento de tener que besar a nadie más.

Por encima del alboroto general aulló una radio, y una pieza de big-band, absolutamente americana, atronó en la estancia... sin duda procedente de la BBC. Vera se dio la vuelta para ver quién se arriesgaba así a una pena de muerte, y junto a la radio que estaba en un rincón vio a Friedrich Motz-Wilden. Ajustó bien el dial y, ante la atenta mirada de toda la sala, se apartó de la radio y se subió a la mesa junto al novio. Los dos hombres intercambiaron una señal y, tras cruzarse de brazos y ponerse en cuclillas, empezaron a proyectar sus piernas hacia delante, una cada vez y al unísono, siguiendo el swing de Londres. Vera se volvió a mirar a los demás asistentes a la fiesta: la BBC era una cosa, y ahora se le sumaba una danza cosaca. Que ella supiera, incluso los antinazis se mostraban muy reticentes respecto a los soviéticos —sin duda aquellos *Junkeren* más que la mayoría—, y aunque unos pocos parecieron incómodos al principio, pronto empezaron a dar palmadas siguiendo el ritmo junto a los demás. Con cada puntapié, los dos hombres se desplazaban en el sentido de las agujas del reloj, golpeando ruidosamente la madera con los tacones, hasta que Motz-Wilden vociferó una orden y los dos cayeron de lado apoyándose sobre un brazo, sin parar de lanzar sus piernas al aire. Las botas de Motz-Wilden se movían como pistones. Incluso apoyándose sobre el brazo bueno, empezó a entrechocar sus antebrazos, golpeando la mesa en el movimiento hacia abajo y volviendo luego a impulsarse hacia arriba. Aquello era demasiado para el novio, que cayó cuan largo era y se quedó tumbado de espaldas riendo. Motz-Wilden siguió danzando, contorsionándose en su vuelo. Su sonrisa era inalterable, aunque le temblaban las aletas de la nariz, hasta que se puso nuevamente en cuclillas y volvió a patear la madera con sus botas mientras los demás lo jaleaban con gritos y silbidos. Al final empezó a jadear y, con un rápido movimiento, se incorporó de un salto y saludó con una reverencia. La multitud atronó en una gran ovación. Él se enjugó la frente.

Flavia aplaudía como loca, sus muslos apoyados contra el borde de la mesa, mientras que detrás de ella Trudie y Heike brincaban como truchas plateadas colgando de un sedal. Motz-Wilden se inclinó hacia delante, agarró a Flavia por las muñecas y la alzó hasta la mesa, donde los dos se lanzaron a bailar lo que podía haber sido un swing. El novio se apartó de ellos y se bajó de la mesa. Vera se acercó a él y le estrechó la mano.

—¡Bravo! Supongo que ya habíais hecho esto antes.

—Un poco —admitió—. En el club de oficiales, un día de poco movimiento.

—¿Y no es peligroso? ¿Políticamente?

El joven se echó a reír.

—¿Y qué van a hacer? ¿Matarnos? ¿Quién pilotaría los aviones? En cualquier caso, vamos a morir todos.

Exhalaba vaharadas de aguardiente. Trudie y Heike se subieron a la mesa con los otros, y la multitud se arremolinó a su alrededor. Trudie bailaba un charlestón, Heike un shimmy. Los rostros de Motz-Wilden y Flavia se fundieron en un beso, el aristócrata reclamando sus derechos señoriales. El novio vio aquello y la sonrisa desapareció de su cara.

Axel pateaba pesadamente el suelo enlosado como un griego, pero Vera estaba deseando subirse a la mesa. Apoyó una rodilla contra la madera, abriéndose paso entre la masa de pantorrillas y buscando algún lugar en el que apoyarse, y de pronto todo el salón pareció caer a sus pies. Estaba arriba. Estaba bailando. Todos sus miembros vibraban. El borde de la mesa estaba bajo sus pies. A su alrededor se movían frenéti-camente cuerpos jóvenes, maduros, mutilados, enteros. Dan-zaban como posesos al borde de un cráter, sin freno, sin con-trol, sin temor, y Vera supo entonces con fiera certeza que no había ningún otro lugar —ni Suecia, ni siquiera Australia— en el que deseara estar en ese momento tanto como allí.

4

En la primera semana de enero llegó una carta del Departamento de Vivienda del Reich, en la que se les informaba de que había un piso disponible en Kreuzberg, al sur de Mitte, y al día siguiente Axel fue a echarle un vistazo, mientras Vera se quedaba recogiendo las pocas pertenencias que habían conseguido salvar de la villa. Axel regresó por la tarde y lo único que pudo decir es que el piso era pequeño.

—¿Más pequeño que este? —preguntó, extendiendo el brazo en torno al piso de Flavia.

Él asintió, y Vera no quiso presionarle con más detalles.

Una gélida mañana de invierno se dirigieron en el último camión del zoo al 412 de la Reichenbergerstrasse, en Kreuzberg, no muy lejos de donde herr Winzens se había mudado con su sobrina. La calle había sido severamente castigada por los bombardeos: las fachadas de los edificios estaban ennegrecidas y pilas de cascotes se amontonaban en las aceras.

—Al menos las calles son amplias —dijo Vera, el único consuelo que pudo encontrar ante el paisaje que se veía a través del parabrisas.

—Para despejar la línea de fuego —dijo Axel. En el siglo pasado, prosiguió, los campesinos habían emigrado en masa para trabajar en las nuevas fábricas textiles y de ingeniería pesada—. Al Estado le aterraba un posible levantamiento, y por eso las diseñaron así.

Salió de la calle principal y condujo el camión a través de un arco de entrada que discurría bajo un edificio de apartamentos. El callejón daba a un patio, rodeado por construcciones de cinco pisos de altura, sumido en una luz crepuscular como el torreón de un castillo. Cascotes de mampostería se acumulaban en las esquinas. Por encima de las cabezas había vigas de madera. Tres de los muros tenían ventanas, mientras que el cuarto mostraba una superficie ciega de ladrillo. En el pavimento adoquinado se arremolinaban copos de nieve.

En el último patio encontraron a Flavia cogida del brazo de Friedrich Motz-Wilden: desde la noche de la fiesta, Flavia había aparecido muy poco por su casa. El flamante marido de Flavia estaba junto a ellos, algo apartado, fumando un cigarrillo con semblante hosco.

Axel retiró la lona del camión, dejando a la vista sus últimas pertenencias: una maleta llena de ropa, un sillón, un aparador y un mueble bar al que le faltaban los vidrios de las puertas. Había también sillas y una mesa, cortesía de Motz-Wilden, y según Axel el piso estaba provisto de una cama de matrimonio de hierro forjado.

Vera miró a su alrededor y se estremeció. El número 412 se asemejaba a una prisión. Las bombas incendiarias habían añadido marcas de fuego sobre las capas de hollín, y faltaban algunas partes en la zona superior de los muros.

En el umbral se detuvieron para acostumbrar sus ojos a la penumbra. El vestíbulo olía a fritura grasienta y col hervida. Flavia apareció a su lado.

—Piensa en esto como una aventura —le dijo—. Una historia que contar en la terraza de tu *château* cuando estés retirada.

La escalera era de hormigón y en el recodo de los rellanos entre planta y planta había un baño que compartían cuatro grupos de inquilinos. De detrás de las puertas de los pisos llegaban ruidos de voces y pisadas.

En la tercera planta, casi a oscuras, Axel se detuvo en el rellano e introdujo una llave en la puerta del apartamento número seis.

Tal como había advertido, el espacio era diminuto: dos habitaciones, una ventana y una mugrienta estufa de carbón. No había agua corriente, ni tan siquiera una pila, y por supuesto carecía de electricidad. Los vidrios de las ventanas estaban rotos. Y los desconchados del yeso dejaban ver las vigas de madera en el techo. La cama abandonada ocupaba casi todo el espacio del dormitorio. Y el colchón se veía hundido y lleno de manchas.

Volvieron al patio y comenzaron a descargar el camión. Motz-Wilden no podía ayudar con los muebles, pero Vera observó que también se desentendía de los enseres más pequeños. En el descansillo, retuvo a Flavia con un largo beso.

La mudanza se completó en un tiempo deprimentemente breve. Flavia tomó a Vera de la mano.

—Parece horrible, lo sé, pero tú puedes mejorarlo. Y esto no durará para siempre. —Se acercó luego a Axel y le dio un golpecito en la pechera del abrigo—. No olvides cuidar bien de ella.

—Vera sabe cuidarse sola.

—Bueno, te hago responsable.

—¡Flavia, por favor! —protestó Vera.

—Muy bien, ya me voy.

Pasó el brazo alrededor de la cintura de Motz-Wilden, le pellizcó las nalgas y lo apremió a salir del piso. Su amigo piloto los siguió. Apenas había pronunciado palabra y no había parado de fumar todo el rato. Tenía que incorporarse pronto a su escuadrón en Francia.

Axel se marchó después para ir al zoo a devolver el camión, y Vera se quedó colocando las cosas. El piso estaba helado. Toda su estructura crujía. La perspectiva de tener que vivir allí aunque fuera un mes resultaba espantosa.

Cuando acabó de deshacer el equipaje, barrió un poco y después bajó a buscar carbón para el fuego. En el patio donde había aparcado Axel había ahora otro camión, también cargado de muebles, muchos de ellos tapizados con una piel de aspecto opulento.

Encontró el camino a la carbonería, que se hallaba justo enfrente de una zona del sótano convertida en refugio antiaéreo. Al volver pasó por delante de dos hombres que subían un armario por la escalera, y luego, en el rellano del segundo piso, se encontró de frente con un hombre al que reconoció, aunque le costó unos momentos situar a aquel individuo corpulento, de cabeza calva y bigote de morsa.

—*Gnädige Frau!* Me estaba preguntando dónde nos habíamos visto antes. —El forzudo esbozó una amplia sonrisa—. Al parecer esos chupatintas de la Oficina de Damnificados saben llevar bien sus registros.

Vera seguía sobresaltada, pero comprendió enseguida que aquello tenía sentido. Era así como actuaban las autoridades: metódicamente, por números, imponiendo un orden ficticio a la catástrofe.

El forzudo dio la impresión de estar sumamente complacido de verla, y se presentó como Reinhardt Schiefer.

—Vine ayer y me encontré con su apocada amiga, a la que dejé pasar delante en la cola. Se ha mudado también aquí, con su madre. Me imagino que no tardará mucho en encontrársela.

Schiefer le explicó que la Oficina de Damnificados había vuelto a admitir en sus registros algunos pisos que anteriormente había desahuciado.

—Esto no es el hotel Adlon, pero estamos todos en el mismo barco, ¿no cree?

Parecía estar hablando en serio. Vera hizo algunos sonidos de asentimiento, superada ya toda desconfianza hacia la Oficina de Damnificados por Ataques Aéreos. El forzudo daba la impresión de encontrarse ya como en su casa. Le deseó buenos días y siguió bajando las escaleras, dejándola allí plantada con el carbón y con nuevos recelos.

Cuando se lo contó a Axel esa noche, este no comprendió su preocupación.

—¿No crees que está bien conocer a los vecinos?

—Es que ese hombre es odioso. Un auténtico nazi.

—Supongo que tendremos que aguantar a algunos de ellos.

Vera reconoció su tono tranquilizador, pero esa noche solo servía para enojarla.

—Schiefer dijo algo extraño: que nuestros pisos habían sido desalojados, declarados inhabitables.

—¿Eso dijo?

—Este lugar puede ser cochambroso, pero yo no diría que resulte inhabitable: las bombas solo han dañado los pisos superiores. ¿Por qué desalojarían un piso como este?

Axel sonrió y la rodeó entre sus brazos.

—Llevas aquí menos de un día y ya quieres saber todo lo que hay que saber.

Esa noche, en la cama, no lograba conciliar el sueño por culpa de unos arañazos que se oían en las paredes. Axel estaba muy cansado y hacia medianoche empezó a roncar. El colchón hundido por el centro la llevaba a deslizarse hacia él, y su última sensación consciente antes de quedarse dormida fue la del retumbar vibrante de la respiración de su marido.

El despertador sonó temprano y, aunque Vera no tenía previsto ir al zoo con Axel, se levantó y preparó una infusión de achicoria tostada. Salía mucho humo de la estufa. En la oscura sala hacía un frío terrible. Axel apuró su taza, se despidió de ella y se marchó, y Vera, esperando poder descansar un poco más, volvió a meterse en la cama bajo las mantas.

Se despertó cuatro horas más tarde, miró el despertador y se levantó no sin esfuerzo. Fuera, la pálida luz del sol tocaba los tejados sin alcanzar aún el patio, pero aun así resultaba agradable. Desayunó unas gachas de avena, limpió a fondo el piso y colocó papel de oscurecimiento en el marco sin cristal de la ventana. En el patio recogió tres tablas de entre los escombros, las subió al piso y las colocó debajo del colchón. Se sentía casi feliz, y con una punzada de culpabilidad se dio cuenta de que no había pensado en los animales en toda la mañana.

Tenía que encontrar a la modista, aunque la idea de enfrentarse con extraños se le hacía todavía muy cuesta arriba. No obstante, eso le hizo pensar en coser y, por primera vez en meses, cogió hilo y aguja. Tenía que zurcir unos calcetines, un regalo para Axel de Flavia, quien se los había encontrado en su colada. La costura tenía un extraño efecto terapéutico en ella, pero apenas había comenzado la labor cuando oyó que llamaban a la puerta y se levantó a abrir.

Delante de ella, en el descansillo, había un hombre y una mujer, ambos de mediana edad. El hombre era regordete, llevaba el uniforme pardo del Partido y lucía un bigote igual al del dictador en los sellos de correos. Sostenía una maceta llena de tierra hasta los bordes. La mujer era menuda y de constitución frágil, con la cabeza casi encogida sobre los hombros. Una boca fina como una ranura para monedas, marcada con pintalabios. Rizos desteñidos recogidos con una redecilla. Llevaba un abrigo negro de marta cibelina. Los dos estaban muy juntos, sin llegar a tocarse. Algo le dijo a Vera que estaban casados.

—*Heil, Hitler!* —saludó la mujer sonriendo.

Vera fingió alisarse una arruga en las medias, y se libró de responder al saludo cuando el hombre le tendió la maceta.

—Narcisos para la primavera —dijo—. He cultivado los bulbos yo mismo.

La mujer le dio la bienvenida al edificio.

—Soy Klothilde Ritter. Y este es mi marido, su Blockleiter. ¿Podemos pasar?

Vera repasó mentalmente el estado del piso, y después invitó a entrar a la pareja. Puso en el fogón un jarro con achicoria.

Frau Ritter se sentó en el sillón, volvió a levantarse y empezó a deambular por la sala. Era muy menuda y delgada, con una cara que parecía expresamente diseñada para ajustarse a su cráneo. Echó un vistazo al interior del mueble bar y luego cogió el teléfono que Axel había logrado recuperar de la villa.

—Aquí no encontrará ninguna clavija para esto. Ahora ya no está en el West End...

Su risa era chirriante. Un marcado acento *Berlinisch*, de clase trabajadora. El abrigo le quedaba grande, como si fuera robado.

Vera sirvió la achicoria y el Blockleiter alzó la taza en señal de agradecimiento. Tenía unos mofletes muy marcados, la nariz protuberante y una cicatriz que zigzagueaba desde una ceja hasta el escaso pelo. La piel se le fruncía en torno a la cicatriz.

La mujer observaba a Vera con evidente satisfacción.

—Apuesto a que no es a lo que está acostumbrada —añadió, mostrando unos dientes pequeños y afilados.

—A decir verdad, no. Pero al menos es un techo. No podemos quejarnos.

—Son tiempos difíciles. A nuestro hijo Norbert lo dieron por desaparecido en Stalingrado, aunque, con la ayuda de Dios, volverá a casa pronto.

Su optimismo era digno de compasión, y Vera murmuró unas palabras de asentimiento. Hizo una pausa durante lo que consideró un tiempo decente, y entonces preguntó por los anteriores inquilinos.

—Se mudaron —dijo frau Ritter—. Hay muchos cambios en tiempos de guerra.

El Blockleiter frunció el ceño.

—Veo que no tienen ustedes libros —dijo frau Ritter—. Mejor así. Los libros son peligrosos.

—¿Ah? —dijo Vera, tan inexpresiva como pudo—. A mí me gustan los libros.

—Una amiga mía de Tempelhof vío cómo le caía a través del techo la librería del vecino de arriba. Eso fue antes de la guerra, claro. Termitas. Podría haber ocurrido una desgracia.

—Nosotros perdimos nuestros libros en el bombardeo.

—Están mejor sin ellos.

—Oh, no sé —dijo Vera, reacia a prestar su asentimiento.

Frau Ritter se inclinó hacia delante.

—Usted es inglesa, ¿verdad?

—Soy ciudadana alemana.

—Pero usted procede de Inglaterra.

Vera pensó en afirmar que era irlandesa, como había hecho en el pasado —en alguna rama de su árbol genealógico había habido un orangista—, pero ese día su instinto la aconsejó no mentir.

—Soy de Australia.

—¿No es una colonia de Inglaterra?

Estaba bien informada, aunque algo desfasada.

—No, desde hace cuarenta años.

El Blockleiter asintió con benevolencia. Tal vez fuera algo corto de luces. Su mujer volvió a reclinarse en el asiento, abriendo los brazos.

—Pero ahora es usted alemana, y eso es lo que cuenta. Si el Reich la ha acogido, también es bien recibida en este bloque. Lo cual me recuerda... en el vestíbulo verá una lista de donativos para la Campaña Asistencial de Invierno. Los colectamos todos los domingos. —Se levantó e hizo señas a su marido, quien engulló su achicoria y la siguió hasta la puerta—. Salude de mi parte a su esposo —dijo frau Ritter—. Y si necesitan algo, lo que sea, vengan a verme: mi yerno es funcionario de distrito del Partido. Y otra cosa: no olviden registrarse en el *Rathaus*.

Vera cerró la puerta tras ellos y se acercó a la maceta, hundió las manos en la tierra y la dejó escurrirse entre los dedos. En sus palmas quedaron media docena de bulbos de narciso.

Tras registrarse ante las autoridades locales del Partido, Vera volvió a trabajar en el zoo, apretujándose cada mañana en el metro con unos pasajeros que parecían tan exhaustos como ella misma se sentía. Estaba siempre moqueando, a menudo resfriada. Le molestaban las encías y a veces le sangraban, haciéndola temer por su dentadura. Estaba deseando que acabara aquella guerra.

A mediados de enero, el Ministerio de Agricultura del Reich suprimió los suministros de paja al zoo, lo que obligó a Vera a pasar días enteros con sus trabajadores desenterrando hojarasca de entre la nieve para utilizarla como lecho para los animales. El checo Krypic se encontraba ya lo bastante bien para trabajar al aire libre, y Vera lo incorporó a su equipo. Por sus papeles se enteró de que su nombre de pila era Martin. Sin embargo, observó que los polacos no lo llamaban así, y que generalmente lo ignoraban, al igual que él a ellos. Esperaba que hubiera alguien en los barracones que lo llamara por su nombre.

El trabajo se desarrollaba en condiciones de frío y humedad. A Vera le ardían las orejas y los dedos, y era consciente de que debía de ser aún peor para los *Ostarbeiter*, ya que ninguno tenía guantes, aunque algunos se habían hecho una especie de mitones con trapos. La consolaba pensar que ahora todos llevaban uniformes de lana. Uno de los polacos la había hecho sentirse avergonzada al darle las gracias; para su alivio, Martin Krypic no había dicho nada.

Una mañana de clima ártico, el checo la informó de que el rinoceronte parecía muy inquieto, pero cuando le pidió más detalles él tan solo dijo que debería verlo por sí misma. El recinto del rinoceronte estaba a solo un par de minutos, pero le habría gustado saber los síntomas. A Kripic el uniforme seguía quedándole muy holgado, pero Vera pudo observar que caminaba con mayor brío. Tenía el pelo más largo y de un vivo color castaño, y las terribles llagas habían desaparecido de su piel. Sus pómulos angulosos estaban enrojecidos por el frío.

Antes de que la jaula apareciera ante su vista, Vera pudo percibir que algo no iba bien, un chirrido irregular y discordante de hierro. La metralla había matado a la pareja del rinoceronte en noviembre, aunque el recinto no había sufrido daños. Se apresuró y vio que el animal caminaba inquieto de arriba abajo, golpeando los barrotes con el cuerno al pasar por delante. Era una jaula anticuada, muy alejada de lo que sería ideal, y resultaba fácil distinguir en el animal síntomas de aburrimiento. Vera cruzó su mirada con la del checo, y luego volvió a mirar al rinoceronte, que tocaba el arpa de los barrotes. Su cuerno semejaba la proa de un barco, con unos ojos de sorpresa encajados en el casco de su cabeza. Un cuero gris y arrugado, unos pesados hombros, un vientre enflaquecido y unas ancas fuertes y cortas. Una cola que no dejaba de espantar las moscas.

—Un barril —dijo Vera—. Un barril lo mantendrá ocupado.

—¿Lleno o vacío?

Incluso sus bromas eran inexpresivas. Vera sonrió.

—Vacío. Necesita algo contra lo que embestir.

Krypic enarcó una ceja, y Vera sugirió que buscara en los almacenes. Lo cierto era que no tenía ni idea de qué clase de distracción serviría de ayuda al animal. El rinoceronte podría estar enfermo o simplemente hambriento. En aquellas condiciones, todo lo que cabía eran conjeturas.

Krypic asintió y se alejó, sus zuecos haciendo crujir la gravilla a través del manto de nieve.

Los británicos volvieron una noche de luna menguante, obligando a los inquilinos del bloque a buscar refugio en el sótano, muchos de ellos en camisón y cargados con edredones. El sótano era una estancia cuadrada de unos doce pasos de lado, con muros de ladrillo y suelo adoquinado. Cuando todos los residentes estuvieron dentro, el Blockleiter cerró la puerta blindada y Vera se encontró encerrada con más de veinte personas: una madre y sus hijos, una mujer con un bebé, varias parejas de mediana edad o mucho mayores, así como un grupo de mujeres jóvenes. No había hombres jóvenes. Una lámpara de aceite colocada en una mesa central proyectaba haces de sombra de las cuatro columnas de ladrillo, a cuyo alrededor se disponían una serie de camastros separados entre sí por las maletas. Junto a uno de los muros había una bañera de hierro forjado llena de agua, además de picos y palas, bombas de achique manuales y un montón de mantas dobladas. Un túnel del tamaño de una chimenea conducía al sótano contiguo. Para ralentizar la circulación del aire de combustión, el túnel estaba obstruido con ladrillos algo sueltos.

Frau Ritter dio la bienvenida a los recién llegados al bloque y dijo que ahora el refugio resultaba mucho más acogedor: había una gran solidaridad entre ellos y sin duda todos podían contar con la ayuda de los demás. Vera distinguió a la modista junto a una anciana en una silla de ruedas, presumiblemente su madre, en tanto que el forzudo, Reinhardt Schiefer, estaba sentado a la mesa barajando un mazo de naipes. Algunos le resultaban familiares a Vera de haberlos visto por la escalera, y debían de conocerse entre ellos, pero de momento no se oían los típicos comentarios graciosos que solían escucharse en los refugios antiaéreos públicos.

El Blockleiter atravesó el sótano para presentarse a Axel. Su voz era suave, en aparente contradicción con su bigote. Ambos eran veteranos, y no tardaron en descubrir que en 1917 los dos habían combatido en Passchendaele, donde el Blockleiter resultó herido.

—Los médicos me pusieron esto —dijo el hombre, señalando la cicatriz que tenía en la frente—. Es de metal. Con el frío se contrae.

Simuló un gesto de encogerse y sonrió. Puede que estuviera un poco tocado de la cabeza, o simplemente lo fingía.

Aparte del bebé, los demás niños parecían pertenecer a la misma familia. Estaban algo adormilados y su madre los acostó en los camastros, donde ya había tumbados varios adultos.

En la mesa, el forzudo empezó una partida de cartas, en la que también jugaba frau Ritter. El Blockleiter se tocó la gorra para despedirse de Axel, y luego fue a sentarse con su mujer, mirando a su alrededor como si estuviera de guardia.

Cuando empezaron a caer las bombas, Axel se echó a dormir, mientras que Vera yacía despierta en el camastro de al lado. El ataque fue intermitente pero prolongado, con períodos de calma que no hacían sino crisparla aún más. Al advertir que la modista también estaba despierta, Vera se levantó y fue a saludarla. La modista se mostró complacida y se presentó como Erna Eckhardt, y después intentó atraer la atención de su madre, que frunció el ceño y apartó la vista. Erna la excusó diciendo que le fallaba un poco la cabeza, aunque a Vera le pareció que estaba muy alerta y que era algo cascarrabias. Los brazos de mimbre de su silla de ruedas crujían de cuando en cuando.

Sin tener que insistirle mucho, Erna habló de buen grado de su trabajo en la fábrica, donde según dijo confeccionaban uniformes para los soldados, pero cuando Vera le preguntó por los demás miembros de su familia, la mujer se mostró más cautelosa, aunque admitió que tenía un hijo combatiendo en Rusia.

—¿Así que usted no es de Berlín? —preguntó Erna.

Para un auténtico berlinés, un extranjero era cualquiera que hubiese nacido fuera de los límites de la ciudad, y, cuando Vera le explicó de dónde provenía, Erna pareció desconcertada.

—¿Y qué idioma hablan ustedes? —preguntó.

La respuesta llegó en una repentina pausa entre explosiones, y los jugadores de cartas volvieron la cabeza al unísono y la miraron fijamente. Vera intentó esbozar una sonrisa, y luego nuevas explosiones le evitaron tener que seguir hablando.

Erna la miró alarmada, e incluso miró hacia atrás por encima del hombro.

—¿Y se supone que debería estar aquí? —preguntó.

Vera le explicó que tenía la nacionalidad alemana, pero Erna pareció mostrarse recelosa. Le dijo que tenía sueño. Que tenía que trabajar al día siguiente.

Vera regresó junto a Axel, sin dejar de darle vueltas a la última pregunta de la modista. No tenía ni idea de cuál era la respuesta. Miró a los que jugaban a las cartas, justo a tiempo de ver cómo frau Ritter giraba bruscamente la cabeza.

—Son unos holgazanes —afirmó herr Winzens—. Y roban comida.

Axel estaba apoyado en la barandilla del estanque del hipopótamo. Herr Winzens llevaba quejándose de los *Ostarbeiter* desde el mismo día de su llegada.

—No comprenden ni una palabra de lo que se les dice. No trabajarían ni para salvar el pellejo. Un trabajador alemán vale por diez de ellos.

El sol estaba ya bajo y la temperatura descendía rápidamente, pero los dos hipopótamos seguían aún resoplando junto al estanque. Más allá estaba su refugio, una construcción baja y cuadrada, y a lo lejos se alzaban imponentes las torres de la defensa antiaérea.

—Para serle sincero —dijo Axel—, no me sorprende que se tomen un respiro en cuanto tienen una oportunidad. ¿No lo haría usted? —El anciano cuidador se puso muy rígido—. Y si esos pobres diablos están tan hambrientos, pienso que deberíamos pasar por alto sus pequeños robos.

Herr Winzens se agarró a la barandilla. Axel podía leer los pensamientos del viejo, o una versión de ellos: desintegración moral, bárbaros a las puertas. Y tenía razón: aquel era el fin de la civilización que habían conocido hasta entonces.

Todo había cambiado. En otro tiempo, Axel había dicho que un lémur exótico era más valioso que una persona —había demasiados seres humanos como para poder prescindir de algunos—, pero se trataba de una afirmación puramente retórica, y ahora que estaba muriendo gente a la que conocía le parecía incluso de mal gusto. Las bombas acabarían con muchos de los animales que aún quedaban, y mientras tanto los *Ostarbeiter* podían intentar sacar todo el beneficio que pudieran.

Axel señaló el refugio de los hipopótamos.

—Horrendo, ¿verdad? Parece una subestación eléctrica. ¿Por qué cree que lo habrán respetado las bombas?

—No sabría decirle —respondió herr Winzens.

—¿Cree que la junta se daría cuenta si la derribáramos nosotros mismos? Podríamos culpar a los británicos.

Herr Winzens pareció escandalizarse —rara vez captaba un chiste—, aunque en esa ocasión Axel compartía con él parte de su incertidumbre.

—Si quiere mi opinión —dijo herr Winzens—, ya hemos sufrido demasiadas pérdidas. No hay necesidad de empeorar las cosas.

Uno de los hipopótamos bostezó, mostrando unos dientes del color del yeso.

—Muchos animales, en efecto. Pero ¿cabría decir lo mismo de las construcciones?

De la manera más sistemática posible, Axel empezó a describirle su visión del futuro del zoo: animales viviendo en condiciones semejantes a las de su hábitat, como poblaciones reproductoras, con rebaños enteros en espacios naturales abiertos al público. Herr Winzens seguía mirando fijamente el estanque.

—¿Qué le parece? —preguntó Axel cuando acabó su exposición.

Herr Winzens soltó la barandilla y se cruzó de brazos.

—Estoy en contra.

Por supuesto que estaba en contra. Axel casi soltó una carcajada. Parecía como si no hubiera querido obtener su aprobación, sino que estuviera buscando una prueba de que, después de todo, el mundo no había cambiado inexorablemente.

—Dígame por qué, Artur.

—Estoy en contra, eso es todo.

Inalterable... por lo visto, mucho más que las casas de los animales.

—Tendrá que utilizar mejores argumentos que ese. Deme una razón.

—Muy bien, entonces: su padre. A su padre no le habría gustado.

Axel lo miró fijamente.

—¿En qué se basa para decir tal cosa?

—Él heredó la mitad de esas edificaciones e hizo construir la otra mitad. Habría querido que el zoo continuara tal como estaba al dejarnos.

Hizo que la muerte sonara como algo grandioso, y Axel imaginó a su padre despidiéndose de la vida en todo su esplendor, entronizado tal vez como un maharajá de Siam... y no como había muerto en realidad, con el cuerpo consumido y sus facultades intactas. No habría sido muy amable de su parte recordarle a herr Winzens que el hombre al que había descrito había sido en su época un innovador, y que si su antiguo jefe hubiera tenido que afrontar circunstancias como las presentes, casi con toda seguridad hubiese aprovechado la oportunidad para comenzar de cero. Si había alguna convicción de su padre con la que Axel comulgara, era la de que las oportunidades surgen de la adversidad. Verse atrapado en el derrumbe de una civilización no era una maldición, sino un privilegio.

Agradeció al cuidador que le hubiera escuchado, y también la actitud vigilante que mantenía hacia los *Ostarbeiter*. Herr Winzens asintió gravemente, interpretó sus palabras como una despedida y se alejó arrastrando los pies. Le había hecho aquellas confidencias en un arranque impulsivo, pero Axel no se arrepentía. Lo que en realidad demostraba aquello era lo mucho que echaba de menos compartir con Vera sus planes para el zoo, consciente de que si lo intentaba de nuevo lo único que conseguiría sería preocuparla aún más. A Vera le resultaba muy duro aceptar que hubiera tantos animales que no podrían ser salvados, y no haría más que sufrir con ellos hasta que por fin dejaran de sufrir.

Uno tras otro, los hipopótamos salieron pesadamente del agua y entraron en su refugio, y Axel se encaminó hacia la entrada principal del zoo. Si hubiera podido evitarle a Vera todo aquel gran pesar, lo habría hecho: a fin de cuentas, él era la razón de que estuviera en Berlín. A lo largo de los últimos tres meses, cada vez había sido más consciente de la equivocación que había cometido Vera años atrás, cuando decidió cambiar el león y el unicornio de su pasaporte del Dominio británico por el águila y la esvástica de un pasaporte alemán. Lo que no veía tan claro era cómo podría compensarla ahora.

En ocasiones dudaba de si se hubiera casado con Vera si no hubiera sido extranjera. A sus cuarenta años había alcanzado un perfecto equilibro entre la soledad y la compañía de los amigos, y aunque no se podía decir que fuese un calavera, de vez en cuando había tenido amantes.

Una aventura de vacaciones le había parecido muy bien, y solo había accedido a que Vera fuera con él a Europa a condición de que aceptara como regalo un pasaje de regreso a Australia. Se habían entendido muy bien: ella era inteligente, y en la cama se llevaban de maravilla. Alemania estaba incluida en el itinerario de Vera, así que, tras llegar a Hamburgo, él la había invitado a Berlín.

Visitar la ciudad no les resultó fácil, ya que el padre de Axel quería que se reincorporara al zoo cuanto antes, pero de alguna manera encontraron tiempo para hacerlo. Permitió que Vera se alojara en su piso, rompiendo así una norma que había mantenido hasta entonces, y se dio cuenta de que disfrutaba teniéndola allí. En una cena la presentó a todos como su ejemplar australiano más valioso, convencido de que ella se rebelaría con firmeza para demostrar su independencia como mujer. Cuando un amigo médico ya borracho los invitó a presenciar una disección, Vera aceptó, y unos días más tarde fueron a la universidad, donde pudieron ver cadáveres en diversas fases de desmembramiento. Como veterano de la guerra en trincheras, Axel se mostró imperturbable, pero no dejó de observar atentamente a Vera, aunque solo fuera para sostenerla en caso de que se desmayara. Sin embargo, la joven no dejó de hacer preguntas. ¿Les habían extraído toda la sangre? ¿Cómo conservaban los cadáveres entre clase y clase? ¿Qué era tendón y qué era ligamento? Pasaron ante recipientes que contenían secciones de torsos conservados en formol, y después su amigo se calzó unos guantes y extrajo de uno de ellos un bloque de carne que Axel identificó como media pelvis femenina, en la que los órganos reproductores podían verse casi como en un diagrama. Para su propia vergüenza, Axel sintió el primer acceso de desvanecimiento. La vulva presentaba restos de vello. Vera preguntó si normalmente la vagina era tan estrecha, y el amigo respondió que sí, pero que se ensanchaba durante la penetración y el parto. Axel tuvo que agarrarse a la mesa hasta que su cuerpo logró serenarse. Se percató entonces de que, de los cientos de cadáveres que había visto o tocado en el campo de batalla, ninguno había sido un cuerpo de mujer. No estaba muy seguro de que le gustara la actitud de su amigo.

Esa misma semana, el Blockleiter de Axel se había quejado de la presencia de Vera en su piso, y amenazó con comprobar su visado. Aunque el régimen congregaba a montones de adolescentes en gincanas y pruebas deportivas y hacía la vista gorda ante los consiguientes embarazos, se esperaba que los profesionales contrajeran matrimonio. Axel prometió que Vera se marcharía pronto.

Al día siguiente la llevó al bosque para enseñarle a disparar un arma. La idea había salido de la propia Vera después de ver el Mauser que el padre de Axel tenía en su despacho, y aunque al principio Axel se había mostrado reticente, enseguida reconoció su jubiloso afán de experimentarlo todo. Puso una excusa a su padre, pidió prestado el coche a un amigo, metió el rifle en el maletero y condujo hacia el Grunewald. Pararon primero en el Wannsee. Era un hermoso fin de semana de septiembre y la playa artificial estaba casi desierta. Nadaron un buen rato y luego almorzaron en un restaurante con vistas sobre el lago.

Cuando terminaron de comer, y mientras esperaban el café, Vera se inclinó hacia delante y le dijo que tal vez iba siendo hora de marcharse de Berlín. Él estaba muy ocupado, añadió, y no podrían embaucar a su Blockleiter eternamente.

Axel nunca había pensado más allá del presente, pero cuando llegó la camarera y les sirvió los cafés, se dio cuenta de que no quería que Vera se marchase. Le gustaba tenerla cerca, no solo por el sexo, sino por sentir su presencia junto a él por la noche. Le encantaba su contacto, los pequeños detalles físicos de su vida en común: su mal aliento por las mañanas, el flujo de sangre mensual.

Vera lo observaba atentamente. Axel quería pedirle que se quedara, pero dudaba. Se hallaba en una situación en la que ya había estado antes, en una encrucijada en la que siempre había escogido la soledad.

Le dijo que no sabía qué decirle.

Si Vera lo hubiese conocido mejor, habría visto un cumplido en aquella respuesta: una señal de que necesitaba más tiempo para pensar. En lugar de eso, miró hacia el lago, ocultando su rostro tras la taza de café. Axel tuvo que pensar deprisa. Estaba el problema del visado, el del alojamiento, las exigencias de su padre. Vera seguía mirando con fija determinación las aguas.

Terminados los cafés, Axel pagó la cuenta y regresaron al coche. En el interior de la cabina hacía un calor sofocante, y Vera seguía callada. Arrancó el motor, giró el volante para alejarse del lago y tomó una carretera secundaria que se adentraba en el Grunewald, que en aquella época del año presentaba un follaje espléndido. Los árboles se cernían sobre la carretera, dejando pasar algunos rayos de sol que destellaban sobre el parabrisas.

A Axel jamás le había atraído el matrimonio; nunca le había visto el sentido. El matrimonio que mejor conocía era el de sus padres, en el que su padre mandaba y su madre obedecía, y el hecho de que hasta entonces hubiese declinado convertir en su esposa a ninguna de sus amantes obedecía tanto a compasión como egoísmo. La mayoría de ellas le habían perdonado, y rara vez se encontraba solo. Le gustaba su vida.

Aparcó lejos de los lugares de picnic, bajó del coche y sacó el Mauser del maletero. Vera volvía a mostrarse locuaz, decidida a recuperar el ambiente despreocupado que reinaba entre los dos por la mañana. Se adentraron entre los árboles y caminaron como medio kilómetro hasta llegar a un claro, y allí él cargó el rifle y le explicó cómo se montaba. Con una voz que revelaba una gran concentración, ella le preguntó cómo apretar el gatillo activaba la descarga de la munición, y después Axel la enseñó a plantarse firmemente, con los pies separados y con el rifle apoyado entre el esternón y el hombro. La previno acerca del retroceso, y luego le explicó cómo debía alinear la mirilla de la culata con el punto que había en el extremo del cañón. A aquella distancia no se requerirían compensaciones. Y llegó el momento de la demostración. Axel tomó el rifle y clavó una hoja de papel en un árbol, le dijo a Vera que se tapara los oídos y apuntó. El Mauser era más sofisticado que su antiguo fusil del ejército, pero aun así debió de temblar al apretar el gatillo. El disparo resonó en el claro, y al bajar el arma se dio cuenta de que la bala apenas había rozado la hoja. Así es como no se debe disparar, dijo bromeando, y le pasó el rifle a Vera. Le recordó todos los pasos, uno por uno, y después se hizo a un lado. Vera sopesó el arma en sus manos y alzó el cañón hasta ponerlo horizontal. La yuxtaposición del metal prominente a la forma humana resultaba desagradable, decidió Axel, pero aun así le conmovió: se la veía tan leve, tan vulnerable... Vera sostuvo el arma muy quieta un momento y luego disparó, acusando la sacudida del retroceso pero manteniéndose firmemente en pie. Se volvió hacia él riendo, excitada como una criatura, señalando al agujero en el centro del papel. Axel sonrió y aplaudió. Ella quiso volver a intentarlo. Volvió a ponerse en posición, sosteniendo el rifle con la misma profunda inmovilidad. Una roca en el claro. Una nueva diana.

De vuelta en el coche Axel le pidió que se quedara en Berlín, y luego le pidió que se casara con él. Se besaron y ella dijo que sí, sin parar de sonreír. Él sonrió también y ya no sintió miedo. En el camino de regreso sembraron de planes el futuro, y cuando ya estaban llegando a Berlín, Vera se echó de pronto a reír. Se preguntaba qué habría dicho el doctor Freud de semejante proposición. Lo que se le antoje, dijo Axel. En ocasiones, un rifle era solo un rifle.

—Sin duda la alimentación, el refugio y los cuidados médicos que dispensan a sus animales los protegen de la lucha por la supervivencia —dijo Schiefer, y se reclinó en su silla.

A Vera le parecía un petulante insufrible. Su contribución al esfuerzo bélico había resultado ser como propietario de una fábrica que suministraba cacerolas a los militares, y le gustaba disertar sobre niveles de producción, estrategias militares y, especialmente, sobre las *Wunderwaffen*, las armas prodigiosas que, estaba convencido, les harían ganar la guerra.

Axel se mostró imperturbable.

—Eso es exactamente lo que hacemos —asintió.

—Entonces sus animales están degenerados.

El ataque aéreo que los había llevado al sótano se oía ahora muy lejano, casi como un rumor tranquilizante. Todos los refugiados que permanecían despiertos miraron a Axel.

—Si lo que pretende decir es que son físicamente inferiores a sus primos de la selva, entonces no, me opongo a ello.

—Lo que digo es que sus animales no tienen que luchar para sobrevivir.

—Entonces es que malinterpreta la finalidad de un zoológico. Reproducimos solo algunos de sus comportamientos en la naturaleza. En parte por razones prácticas: por ejemplo, no podemos cuidar de los grandes felinos sin ganarnos su confianza... sin domesticarlos, como podría hacer un domador de circo. Lo hacemos por su propio bien.

Schiefer adoptó una expresión triunfal.

—¿Admite entonces que sus animales son débiles?

Frau Ritter asintió con firmeza, su cabeza bamboleándose como algún espécimen conservado en un frasco.

—Al contrario —rebatió Axel—, están mucho más sanos que en la naturaleza.

—Pero los débiles y los fuertes sobreviven indiscriminadamente —insistió Schiefer.

—Un zoo está ideado para entretener e instruir. Es un lugar concebido para contemplar una versión de la realidad. Si lo que busca es la autenticidad pura, debería visitar África.

—¿No sería más instructivo, especialmente para la juventud, presentar a los animales en su auténtica lucha por la supervivencia, mostrando cómo es el mundo en realidad?

Axel se echó a reír.

—Tal vez, si mis bolsillos no tuvieran fondo. Los animales exóticos son demasiado valiosos para dejarlos morir en exhibiciones sobre cómo podría o no ser el mundo.

Su tono era desenfadado, pero Vera lo conocía bien y podía percibir un fondo de dureza glacial.

Schiefer iba a plantear un nuevo argumento cuando de pronto pareció cambiar de opinión.

—No soporto a los animales. Salvo a los perros. Aunque es cierto que tu propio perro es más humano que animal, ¿no es así?

La conversación derivó hacia los perros, y luego hacia las ventajas e inconvenientes de los gatos en comparación con aquellos. Vera observó que Axel se sumaba de buen grado a la discusión, al parecer olvidada ya su irritación hacia Schiefer. En privado había empezado a aludir al colectivo de residentes como *der Stamm*, la tribu —una cariñosa referencia a los babuinos—, pero, dejando aparte su carácter reservado, se llevaba bien con todos. A Vera le gustaba en general su afabilidad, pero su trato distendido con frau Ritter y Schiefer la inquietaba un poco. Frau Ritter solía alardear del matrimonio de su hija con un funcionario del Partido, y no tenía reparo en admitir que debían a su yerno el cargo que su marido ejercía en el bloque. Hablaba del Führer con adoración. Ver lo bueno que hay en la gente presupone que debe haber algo bueno que ver.

Vera tenía la sensación de que el Blockleiter era lo que parecía: un hombre decente pero de pocas luces, aunque resultaba difícil ignorar el bigote. Los domingos se ponía el uniforme del Partido para colectar donativos destinados a las obras de beneficiencia oficiales, su hablar torpe y titubeante suavizando lo que no era más que mera extorsión. En los años veinte había sido propietario y patrón de una gabarra que navegaba por el canal entre Berlín y Hamburgo, y su mujer se quejaba ante cualquiera dispuesto a escucharla de que la conspiración tramada por los grandes empresarios y financieros judíos había sido la causa de que se arruinara en la Gran Depresión. La generosidad de su yerno probablemente explicara que el Blockleiter hubiese mantenido su figura rolliza durante la guerra, aunque también era posible que fuese lo bastante corto como para atribuirlo al sistema de racionamiento o a la buena administración de su esposa.

La *Stamm* incluía también a cuatro mujeres jóvenes que trabajaban sesenta y dos horas semanales en la factoría de tanques Siemens, en Spandau, y que en el refugio se pasaban durmiendo la mayor parte del tiempo. Había también un conductor de autobús retirado con su esposa, su hija y el bebé de esta. El marido de la hija servía en un submarino, y la pobre vivía aterrada ante la llegada de algún telegrama.

Los otros niños eran refugiados alemanes de Ucrania, donde sus padres se habían instalado en una granja tras el avance de la Wehrmacht en territorio ruso, y donde habían disfrutado de un *Lebensraum* de apenas dos años antes de verse forzados a huir ante el empuje del renacido Ejército Rojo. Recientemente el padre había sido alistado por la Wehrmacht, y su esposa se resistía a la evacuación de sus hijos, de entre tres y catorce años, al tiempo que solicitaba retornar a su Suabia natal. Era una mujer muy castigada, cuya posesión más preciada era una Cruz de Plata a la Maternidad, que le había sido entregada tras el nacimiento de su sexto hijo por Magda Goebbels, la esposa del ministro de Propaganda, madre a su vez de seis hijos. Por lo general los niños jugaban o dormían durante los bombardeos, como si la razón de su encierro se debiera tan solo al mal tiempo que reinaba en el exterior. La pequeña de tres años debía de conservar muy pocos recuerdos de una época anterior a los ataques aéreos: dentro de veinte años, el ruido de los aviones o de los camiones de bomberos podrían tanto aterrorizarla como inspirarle nostalgia.

En su búsqueda de espíritus afines, Vera se había fijado en una pareja de su misma edad: un ingeniero y una taquígrafa. Hasta entonces ninguno de los dos le había dedicado un saludo. Vivían al otro lado del rellano del apartamento número seis, y tenían un niño de siete años y una niña de nueve que habían sido evacuados a pueblos distintos.

Por último estaban Erna y su madre. Como si se ganara la confianza de un animal nervioso, Vera había acostumbrado a Erna a su presencia y, aunque tenían poco en común, había empezado a cobrarle cariño. Cada movimiento de Erna era medroso, como si tuviera miedo de romper algo, posiblemente, de romperse ella misma. Compartía el apellido de su madre, y Vera sospechaba que el hijo soldado de Erna había nacido fuera del matrimonio.

En un colchón situado en un rincón, dos de los niños más pequeños, la niña de tres años y su hermano de cinco, se peleaban por una escoba. Su madre dormía emitiendo pequeños gruñidos. En ocasiones anteriores, cuando la sacaban de su sueño, se despertaba hecha una furia.

Axel dejó la conversación, se puso en pie y fue hacia donde estaban los niños; les susurró algo al oído y ellos, sin rechistar, soltaron la escoba. Schiefer murmuró unas palabras de aprobación.

Manejando la escoba como una caña de pescar, Axel hizo un movimiento de lanzar el sedal. Condujo a los niños hasta la otra punta del sótano, les devolvió la escoba y allí se echó al suelo agitándose, con los ojos desorbitados, boqueando y haciendo revolotear sus manos a modo de aletas ventrales. Schiefer lo observaba atónito, frau Ritter con repugnancia. Los niños imitaron el lanzamiento con la caña, y Axel olisqueó un cebo imaginario. Su expresión, altanera al principio, se transformó en inquisitiva y después en voraz. Chasqueó los dientes, los niños tiraron de la escoba y él fingió dar coletazos y retorcerse, batiendo el aire con las palmas de sus manos. A continuación, los niños simularon recoger el sedal y Axel fue acercándose a ellos para luego rodar de lado en un gesto burlón de agotamiento y caer finalmente sobre el suelo adoquinado a los pies de sus pescadores. Los gritos jubilosos de los niños se perdieron en el ruido del bombardeo, pero sus gestos eran inequívocos: querían repetir el juego otra vez.

Un mes de bombardeos había causado menos daños que el gran ataque de noviembre, pero a finales de enero un impacto directo destruyó el refugio antiaéreo del zoo. Vera se puso muy nerviosa: el bombardeo del pasado noviembre podría haberlos matado en el refugio, pero Axel le dijo que no tenía sentido alguno especular, ya que si no lo siguiente que haría sería llevar encima una pata de conejo. De forma inconsciente, Vera se llevó la mano a la moneda del canguro.

Lo que resultaba irreparable era la pérdida de los libros de pedigríes y de las fotografías del padre de Axel. Aunque los libros apenas podían considerarse ya como documentos de trabajo, sino más bien como meras menciones honoríficas a los animales muertos, su destrucción sacudió a Vera como un mal presagio.

A pesar de que Axel hablaba de salvar por lo menos a algunos animales, a Vera le preocupaba ver que su marido pasaba la mayor parte del tiempo estudiando planos o haciendo que su equipo de trabajadores se dedicara a retirar escombros. Resultaba extraño, pero Axel parecía más feliz ahora que antes del bombardeo, como si el final del zoo como fuente de preocupación constante lo liberara de la labor de cuidarlo. Para Vera no había más que pérdida. Los animales eran como sus mascotas, mientras que para Axel eran un inventario de ejemplares. Los quería como un artista puede amar sus pinturas, por un afán de coleccionista.

Una mañana, al volver de comprar, entró en el zoológico por la puerta principal y encontró a Axel dirigiendo la demolición del último bloque de oficinas y empleando para ello a dos equipos de trabajadores, el suyo y el de Vera. Al marcharse, había dejado a Krypic y a los polacos distribuyendo forraje. Reprimiendo su impulso de protestar, siguió caminando por el paseo, sorteando como podía los cráteres. Axel la saludó desde el montón de ruinas y, al verla cargada con las bolsas de malla, le pidió a Martin Krypic que fuera a ayudarla.

Krypic dejó en el suelo la maza. Era el trabajador que se encontraba más cerca.

—Gracias —le dijo Vera—. Puedo arreglármelas sola.

Krypic vaciló y miró a Axel.

—*Liebling*, podrías caerte. Deja que ese hombre te ayude.

Visiblemente contrariada, Vera le tendió a Krypic una de las bolsas y se encaminaron en dirección a las cocinas. También ella había encargado a su equipo algunas tareas triviales, y su propio enojo la dejaba bastante perpleja.

—Le pido disculpas por esto. Mi marido se preocupa demasiado.

—Me viene bien descansar un poco.

—¿Les ha hecho trabajar mucho?

Por primera vez, Vera lo oyó reír.

—He pasado momentos peores.

—Aun así, ¿cree que el trabajo aquí es abusivo?

—No está tan mal, pensándolo bien. Usted y su marido son personas razonables.

Caminaron varios pasos en silencio, y entonces Vera le preguntó cómo había acabado en Berlín. Krypic puso cara compungida.

— Por culpa de Mickey Mouse.

Explicó que, después de la toma de Checoslovaquia, había evitado que lo reclutaran para trabajar en Alemania escapando al campo, donde había encontrado trabajo en una granja.

—Al cabo de dos años me harté de aquello y volví a Praga... el peor error de mi vida. Estados Unidos aún no había entrado en la guerra, y en un cine de Kaprova Ulice estaban poniendo *Fantasía*. Le parecerá ridículo, pero de niño me encantaba Mickey Mouse. Tenía tantas ganas de ver películas que compré una entrada. Un elefante estaba volando por la pantalla cuando entró la policía en busca de trabajadores no registrados.

Contó que al principio lo habían enviado a Münster.

—Teníamos que cavar en busca de bombas sin explotar, y después buscando cadáveres y roturas en los conductos de alcantarillado. No nos alimentaban bien, así que caí enfermo. Y entonces me enviaron aquí.

Habían llegado a las cocinas. Entraron y dejaron las bolsas. El checo se cruzó de brazos.

—Herr Krypic —dijo Vera con tono vacilante—, puede que esto... esto debe parecerle una excusa muy pobre, pero, por favor, quiero que entienda que lo siento mucho.

Él la miró fijamente y asintió.

—¿Puedo hacer algo más?

Vera negó con la cabeza.

—No, gracias. De momento, no.

El ajetreo de la mañana había pasado, y en la tienda ya no quedaban más clientes. El tendero examinó los cupones de racionamiento de Vera.

—Es usted nueva aquí, ¿verdad?

—Así es.

La observó atentamente.

—Y yo diría que no es usted alemana...

Vera se puso tensa. En el último mes había tenido que dar más explicaciones que en todo el año anterior.

El tendero debió de percibir su reticencia.

—No me haga caso, es simple curiosidad.

—Soy irlandesa.

El hombre pareció tentado a hacer otra pregunta, pero en lugar de eso midió el corte sobre el taco de mantequilla, vaciló, y cortó un trozo mayor.

—En boca cerrada... ración extra, ¿comprende?

Vera le tendió el dinero, intentando ocultar su sorpresa. Le había cobrado la diferencia, y no era barata, pero una cantidad extra de mantequilla era algo que no tenía precio.

—Bienvenida a Kreuzberg —dijo el hombre.

Agradablemente sorprendida, Vera se despidió y salió de la tienda. Aquel era el recibimiento más caluroso que había recibido hasta entonces en el vecindario, lo cual la hizo pensar en la hosquedad de algunos de los que se refugiaban en el sótano. Había notado que el ingeniero y su mujer se relacionaban estrictamente entre ellos, y que el conductor de autobús rara vez decía algo al resto de la *Stamm*, aunque conversaba a menudo con su esposa. Cuanto más observaba, más convencida estaba de que los residentes antiguos se mostraban deliberadamente reticentes, y que a veces evitaban incluso mirarla a los ojos. Y aunque Axel le había dicho que aquello eran imaginaciones suyas, ella tampoco podía estar del todo segura si no llegaba a conocer personalmente a ninguno de los residentes antiguos. Tenía la sensación de que el refugio del sótano era como un campo minado en el que solo ella carecía de mapa.

Aquella noche oyó que alguien llegaba al piso número cinco y, en un impulso, abrió la puerta. En el rellano, la taquígrafa estaba trajinando con sus llaves. Alzó la vista y Vera la saludó.

—Me preguntaba si les gustaría pasarse este domingo a tomar el té —dijo Vera. Y, viendo que la mujer se sonrojaba, añadió—: Si les va bien, naturalmente.

—Gracias —dijo la taquígrafa—, gracias.

Sonreía, pero seguía jugueteando con sus llaves como para calmar su nerviosismo.

—¿A las tres? —sugirió Vera.

La mujer volvió a darle las gracias: no cabía duda acerca de su sinceridad.

—Me encantaría —dijo, con una voz que expresaba cierto remordimiento.

—Muy bien, entonces —añadió Vera, sin estar segura de si habían quedado o no, y demasiado apurada ahora para intentar aclararlo.

Dos noches más tarde, de camino al refugio, la taquígrafa la detuvo en el pasillo y la cogió por el brazo.

—Frau Frey, debo decirle que no podré ir a visitarles el domingo. Mi marido y yo llevamos viviendo aquí desde hace un año —dijo, como si aquello explicara su cambio de decisión—. Pensamos que es mejor mantenernos aislados.

—Comprendo —dijo Vera, aunque no comprendía nada.

La taquígrafa desvió la mirada y, en lugar de enojo, Vera sintió un espasmo de miedo.

5

Motz-Wilden y Favia llegaron para la cena y Axel cogió sus abrigos. Motz-Wilden iba de uniforme, con un pasador de corbata de la Luftwaffe prendido en la manga de su brazo derecho. El efecto resultaba extrañamente pulcro, equilibrado, y junto con su cicatriz le recordaba a Axel a un refinado pirata. Mordió el guante de la mano que le quedaba y tiró de él para liberarla.

Vera salió de la cocina y Motz-Wilden le entregó dos paquetes.

—Café —explicó—. Y unas ostras frescas no racionadas procedentes de Lübeck. También hay un limón.

Axel estaba impresionado, y le preguntó cómo había podido conseguir tales lujos.

—Conociendo a las personas adecuadas —respondió Motz-Wilden.

Flavia dejó caer su bolso en el sillón.

—¿Habéis oído la noticia? Los soviéticos han invadido Polonia. Eso hará que el Comefelpudos le hinque el diente a algo más.

Axel sonrió: las invectivas de Flavia contra el dictador eran inagotables.

—Es verdad —insistió Flavia—. Freddie lo vio después de lo de Stalingrado, ¿no es cierto, Freddie? Se tiró al suelo presa del pánico y empezó a mordisquear el borde de una alfombra persa hasta dejarlo lleno de babas.

—Un amigo mío lo vio.

—¡Ahí lo tenéis! —exclamó Flavia.

Axel sirvió unas copas de schnapps, y Flavia apuró la suya de un trago. Después la levantó.

—*Prost!*

—¿Otra?

Ella asintió, y después su rostro volvió a ponerse serio.

—Cretino, neandertal, tarado...

Axel vació su copa.

—A tu salud, también.

Flavia sacó la lengua y la agitó en el aire como un drágon de Komodo.

—Si alguna vez pudiera acercarme a ese hombre, yo misma le dispararía. Alguien tiene que hacerlo.

Vera llevó las ostras a la mesa y todos se sentaron. Flavia se sirvió media docena en su plato, las roció con limón y empezó a extraerlas con la destreza de un auxiliar de artillero. A Axel nunca le habían hecho mucha gracia las ostras, ya que prefería lo dulce a lo salado, y consideraba la falta de pastas y repostería en los cafés de Berlín como el peor efecto del racionamiento. Se metió una ostra en la boca con el tenedor y notó su sabor a mar.

Flavia ya había acabado cuando Axel se inclinó hacia ella.

—¿Sabes?, los bigotes de tigre, finamente picados y espolvoreados sobre la comida, pueden matar a un hombre. Es una antigua artimaña hindú. Desgarran el estómago sin dejar el menor rastro. Tengo que hacerme con algunos en el zoo.

Flavia le escuchaba presa de la excitación.

—¿De veras?

Axel se echó a reír y ella le arrojó una servilleta. Las puntas de su melena corta se hundieron en los hoyuelos de sus mejillas.

Mientras que Flavia no paró de atacar al régimen durante la cena, Motz-Wilden comía en silencio, sonriendo de vez en cuando. Cuando hubieron dado cuenta del plato principal, Axel despejó la mesa y fue a sacar del horno el pudín de Vera. Confirmada la cena con muy poca antelación, Vera se las había arreglado para elaborar un postre a base de puré de nabos y esencia de plátano. Cuando Axel llevó los boles, Flavia seguía aún con el tema, aunque su tono se había vuelto pesimista.

—Cuando acabe la guerra, el resto de Europa desmembrará Alemania, y eso será más de lo que nos habremos merecido.

—No funcionó la última vez —observó Axel—. ¿Por qué querrían intentarlo de nuevo?

Fue Vera quien respondió.

—¿Como represalia por los trabajos forzados?

Había hablado muy poco en toda la noche, y Axel no se había percatado de que estaba muy susceptible.

—Vera piensa que después de la guerra nos colgarán por haber utilizado a los *Ostarbeiter*. Pero yo pienso que habrá peces más gordos que pescar.

—Siempre tan optimista —replicó su mujer.

—Axel ha hecho lo correcto —declaró Flavia—. ¿No dijiste tú misma que el ministerio había insistido?

Flavia era la última persona de la que Axel hubiera esperado apoyo y, a juzgar por la expresión del rostro de Vera, también ella quedó igual de sorprendida.

—Los tratamos lo mejor que podemos —dijo Axel—, y eso es algo que debe tenerse en cuenta. Yo me encargo de mi equipo de trabajo, y Vera del suyo. Uno de mis hombres era abogado en Varsovia, un tipo muy agradable. Otro era maestro de escuela.

—Lo que fueran antes no debería importar —dijo Vera.

—Lo que quiero decir es que no son peones, y ellos saben que yo lo sé. Charlamos a ratos.

—¿Es eso prudente? —preguntó Motz-Wilden.

—El zoo está tranquilo por ahora, y no es probable que los trabajadores me denuncien. Para decirlo con crudeza, tienen demasiado que perder.

Motz-Wilden le preguntó a Vera cómo se llevaba con su equipo de trabajadores, y ella se encogió de hombros.

—*Liebling*, eres demasiado modesta —dijo Axel—. Uno de ellos es tu mano derecha, ¿no? ¿De qué trabajaba herr Krypic en su vida civil?

—Sigue siendo un civil.

Algo la había molestado. Supuso que después de la cena averiguaría de qué se trataba.

—No sé qué profesión tenía —admitió Vera.

—Apuesto a que sería violinista o algo por el estilo. Forman un equipo muy capacitado. Si conseguimos que salgan airosos de esta, dentro de unos años nos reuniremos y todo eso, tú espera y verás.

—Lo dudo —dijo Vera.

Axel se percató de que no estaba de humor.

—No debe de ser fácil para ellos —dijo Flavia—, pero les iría peor si trabajaran en una fábrica. Y, por Dios, eso no es nada comparado con lo que les está ocurriendo a los judíos. A esos los cargan en trenes y los envían a la muerte.

Axel dudaba seriamente de que aquello fuera cierto, y sabía que en ese tema, al menos, Vera estaba de acuerdo con él. En la última guerra los aliados habían acusado al ejército alemán de todo tipo de crímenes, desde matar con sus bayonetas a niños belgas de pocos meses hasta hervir cadáveres para fabricar jabón, y sabía reconocer la propaganda en cuanto la oía. No dudaba de que en el este la guerra había sido cruel, y de que incluso se habían producido matanzas, pero los nazis no eran tan estúpidos como para sacrificar mano de obra. En tiempos de guerra era importante desconfiar de los rumores. Esas historias no hacían más que enmascarar el sufrimiento real. Las deportaciones a los guetos ya habían resultado bastante penosas.

Flavia advirtió su expresión.

—¿No me crees? Díselo tú, Freddie.

—¿Yo? ¿Qué puedo saber yo? Solo soy un humilde funcionario.

Había llegado el momento de cambiar de tema. Axel se levantó.

—¿Alguien quiere café de verdad?

Después de la cena, Axel acompañó a Flavia y a Motz-Wilden para guiarlos por la escalera a oscuras. Era ya tarde, y por eso al llegar al vestíbulo le sorprendió ver a frau Ritter en el umbral de su puerta: los ataques aéreos habían alterado los patrones de sueño de cuantos vivían en el bloque. Condujo a Flavia y a Motz-Wilden a través de los patios hasta llegar a la Reichenbergerstrasse, y a su regreso la puerta de frau Ritter ya estaba cerrada.

De vuelta en el piso, Vera estaba fregando los platos en un barreño. Axel tomó un paño de cocina.

—Se llevan muy bien esos dos —comentó.

—Él no me gusta —dijo Vera.

Axel pareció sorprendido.

—¿Por qué no?

—Es una mala influencia. Flavia está muy alborotada.

—No recuerdo que Flavia haya necesitado nunca ayuda en ese sentido.

—Esta vez es diferente. Puede meterse en problemas.

—¿Te refieres a quedarse embarazada?

Vera soltó un bufido.

—Ese es el único tipo de problema que sabe cómo evitar. Hablo de problemas políticos. Se ha hecho la tonta, pero ¿de dónde si no puede haber sacado todos esos rumores acerca de los judíos?

—Ya sabes la imaginación que tiene. No necesita que nadie la alimente con historias.

—Es demasiado joven para ella.

Axel sonrió.

—La diferencia de edad entre tú y yo es aún mayor.

—Pero no es lo mismo a la inversa. Las mujeres son más maduras. O deberían serlo. Flavia y Freddie son como un par de críos.

A Axel, Motz-Wilden le había parecido mayor de lo que en realidad era.

—¿No estarás celosa? —le preguntó. Vera lo miró perpleja. En ocasiones se podía bromear con ella hasta vencer su malhumor, haciendo que recobrara su sentido del ridículo. Axel añadió en tono serio—: Soy un hombre de mundo... soy consciente de que en un matrimonio puede haber ciertos extravíos. Motz-Wilden es un hombre apuesto, ¿por qué negarlo? ¿Y qué mujer podría resistirse a un héroe de guerra?

—Esa es la mayor estupidez que has dicho en toda la noche.

En la cama Vera estaba inquieta, y cuando Axel le preguntó qué le pasaba, se quejó de insomnio. Él la rodeó entre sus brazos.

—Espero que sea por el café.

Permanecieron callados un rato, y luego Vera susurró:

—¿No crees que hay algo raro en todo eso? ¿En lo que contaba Flavia de los judíos?

Axel se acercó más a ella.

—Recuerda que es una actriz.

—Una actriz fracasada.

—Pero, en todo caso, dada a dramatizar. —Se inclinó sobre ella y la besó en los párpados, uno tras otro—. Olvídalo. Duerme.

Axel volvió a apoyar la cabeza en la almohada, sintiendo el aleteo de las pestañas de Vera desvanecerse de sus labios.

Frau Ritter se encontraba en su puesto habitual en el vestíbulo cuando Vera bajó las escaleras camino del trabajo. Axel había salido de casa a la hora normal, sin mostrar huellas de cansancio de la noche anterior.

—¿Una cena agradable?

—Sí, gracias.

—Era un oficial bien parecido. De la Luftwaffe, ¿verdad?

—Así es —dijo Vera, haciendo ademán de marcharse.

—¡Qué lástima todas esas heridas...! ¿Sigue volando todavía?

—No.

Frau Ritter le cerró el paso.

—Entonces... ¿trabaja en oficinas?

Ladeó la estrecha cabeza, mirándola con unos ojos que parecían apretar tuercas. Vera no tenía ninguna obligación de responder, pero frau Ritter era sin duda muy capaz de hacer falsas denuncias.

—Es oficial de enlace.

—¡Oh! ¿Con quién?

—Con el Ministerio de Asuntos Exteriores —admitió Vera.

—Y la joven... ¿quién es?

Aquel interrogatorio estaba yendo demasiado lejos:

—Una amiga —respondió Vera.

—¿Otra extranjera?

—Otra alemana, como yo.

—Perdone, lo había olvidado.

Vera miró su reloj y frau Ritter se disculpó por entretenerla.

—Procuro estar al tanto de todo lo que ocurre en el edificio. A mi yerno, que trabaja en la sede local del Partido, le interesa saber qué es lo que hace la gente normal de por aquí, y cuando mi Norbert regrese de Rusia quiero que vea que yo también he cumplido con mi obligación.

Un cuarto de hora después, ya en el tren, Vera seguía tratando de decidir si había sido objeto de una amenaza o de una confidencia. En cualquiera de ambos casos, la brújula moral de frau Ritter parecía estar muy desacompasada.

Durante el almuerzo le describió su encuentro a Axel.

—Frau Ritter está pasando información. Tendremos que andarnos con mucho cuidado allí.

—Es solo una metomentodo. Ocurre en todos los bloques de apartamentos... con todo el mundo hurgando en las vidas de los demás.

—Es una víbora. No me fío de ella.

—Ahora estás hablando como Flavia. Frau Ritter es una de esas personas de las que deberíamos compadecernos. Teniendo en cuenta por lo que ha pasado en las últimas décadas, no es de extrañar que sea fiel al Partido.

—No me interesan sus motivos —dijo Vera—. Es ella la que me preocupa. Estamos en tiempos de guerra y yo soy un enemigo extranjero, diga lo que diga mi pasaporte.

—Dale una oportunidad. La mayoría de la gente suele ser bienintencionada, siempre que se les deje serlo.

Era muy propio de Axel verlo todo de color de rosa.

—Si es así, ¿por qué tenemos que escondernos bajo tierra cada noche para salvar la vida?

—Cada dos noches, y en ocasiones pasan semanas sin que tengamos que hacerlo. Aun así, mantengo que la mayoría de la gente responde bien a un trato agradable. Si frau Ritter no lo hace, ya tendrás tiempo de enemistarte con ella más adelante.

—Ella ya es una enemiga, y tú te empeñas en ignorarlo. Cada vez que me mira en el sótano, es como si se estuviera afilando los colmillos, solo que nadie más puede verlo.

—Vampirismo... Estás alucinando, Vera. Nada que un sueño reparador no pueda arreglar.

Vera suspiró. No creía que fuese a poder dormir mucho.

La mayor parte de la casa de los primates había sido destruida, y sus palmeras llevaban mucho tiempo muertas. Vera condujo a su equipo de trabajadores a través del atrio y llegaron hasta el ala sur, que se encontraba intacta, donde el grupo se dividió por lenguas: los polacos a la zona de los gibones, mientras que ella y Krypic se encargaron de alimentar a los lémures. Desde allí fueron a visitar a Traudel, la última chimpancé de una familia de nueve.

Traudel parecía encantada de tener compañía. Vera la cogió en brazos, arrullándola y acariciándola, y después hizo ademán de ofrecerle la chimpancé a Krypic para que la cogiera. El hombre se mostró reacio, y Vera sonrió.

—¿Todavía le molestan los simios?

—Nunca me han molestado.

—Sí, ahora lo recuerdo... Nuestros monos le traen sin cuidado.

—No tienen nada que ver con nosotros.

Lo había dicho en un tono muy serio. Si aquello era una negación del darwinismo, Vera se sentiría decepcionada, pues había tomado a Krypic por un hombre más culto.

—¿No ve en ellos cierto aire familiar?

Krypic pareció impacientarse.

—No dudo de que estemos emparentados. Pero lo que tiene en brazos es una criatura salvaje y no deberíamos presuponer... —Para asombro de Vera, la voz de Krypic tembló en ese momento—. No deberíamos presuponer que los conocemos.

Respiraba con fuerza, mirándola fijamente. En otras circunstancias aquel argumento la hubiera irritado, pero el apasionamiento de sus palabras reclamó su atención. La rebeldía le sentaba bien.

—Tiene razón —reconoció Vera—. No deberíamos presuponer nada. Pero podemos aspirar a conocer mejor a los animales, y con ello aprender a conocernos mejor a nosotros mismos.

—Sigue usted hablando de «nosotros». ¿Y qué hay de «ellos»? De su chimpancé —añadió, haciendo un gesto en dirección a Traudel—. ¿De qué le sirve a ella su curiosidad? Estaría mucho mejor en la selva.

—En este momento, sin duda. Está hambrienta... como yo. Pero, en las condiciones adecuadas, este tipo de animales viven muy bien en el zoo.

Le explicó cómo en un futuro esperaban poder exhibir a especies activas como los chimpancés en espacios abiertos, percatándose de que estaba elogiando unos planes que había criticado cuando Axel los había propuesto.

—Pero, por muy bien diseñados que estén, sus recintos serán siempre demasiado pequeños.

Krypic sacudía el aire con el canto de la mano, como si estuviera tallando en él otra versión de su propio rostro anguloso.

—Las apariencias engañan —replicó Vera—. En la selva, el espacio en que se mueve un chimpancé es reducido.

—¿Tan pequeño como esta jaula? ¿O incluso como este edificio?

—No —reconoció ella—. Pero la búsqueda de alimentos es lo que los lleva a abandonar ese espacio, y aquí, en épocas buenas, pueden contar con toda la comida que necesitan.

—En épocas buenas...

Tenía razón en mostrarse despectivo, pensó Vera. Las buenas intenciones contaban poco cuando caían las bombas y los animales pasaban hambre. De forma consciente o no, sin duda estaba refiriéndose a sí mismo, y tenía todo el derecho a sentirse furioso. Vera se alegraba de que hubiese tenido el valor de decirlo.

—Aquí la cosa está mal, no seré yo quien lo niegue, pero, en principio, un animal de zoo necesita sentirse encerrado, pues hasta la propia naturaleza impone territorios o patrones de movimiento. Decimos que alguien es «libre como un pájaro», pero un pardillo jamás se aventura a alejarse a más de un tiro de piedra de su nido, mientras que una golondrina se ve forzada a emigrar.

—¿La tiranía de la naturaleza?

—Puede llamarlo así.

—¿Y qué me dice de la libertad de acatarla?

Vera reprimió una sonrisa.

—Que es un mero juego de palabras. Las criaturas salvajes también son libres para ser atormentadas por los parásitos, para pasar hambre o para ser destrozadas por los depredadores.

Él la miró con expresión de no parecer muy convencido.

—¿Qué hacía antes de la guerra? —le preguntó Vera de improviso, disfrutando de haberlo pillado desprevenido.

Por un instante, vaciló.

—Era conservador de obras de arte.

Destreza... debería haberlo adivinado con solo ver aquellas finas manos.

—¿Y bien? —le preguntó—. ¿Le importaría contarme algo sobre ello?

Se encogió de hombros, asintió. Le explicó que en Praga había trabajado en la Galería Nacional, como ayudante

—Era aprendiz, en realidad... aún no me habían dejado trabajar en nada importante.

—¿Ningún Miguel Ángel?

—No, pero sí de uno o dos imitadores.

—¿Y cómo trabaja... retocando con un pincel o restregando con un cepillo?

—No se aleja mucho de la verdad. Las herramientas del restaurador son aún primitivas. Lo mío, por convicción, es restregar. El claroscuro de la mayoría de las pinturas del Renacimiento no es un efecto buscado por los artistas, sino resultado de siglos de grasa de las velas y hollín. Y también de partículas de piel humana. Tengo que eliminar una capa de piel real para que aparezca la carne en la pintura.

—¿Utilizando un cepillo de raspar?

—Más bien como un cepillo de dientes. Algunos conservadores no pueden contenerse y restriegan hasta el lienzo, eliminando la pintura junto con la suciedad. Eso es puro vandalismo.

—Tal vez sean los de mayor edad, que no pueden esperar a disponer de herramientas mejores. Usted tiene la juventud de su parte.

—Sí, si salgo de esta guerra —observó con un tono cargado de naturalidad.

Traudel empezaba a pesar mucho, y de mala gana Vera devolvió a la chimpancé a su jaula. Los polacos habían seguido ya hacia el terrario.

—Algún día —dijo Krypic—, quiero restaurar un retrato muy conocido... uno que la gente crea conocer bien, y revelar sus auténticos tonos: el lustre de sus cabellos, el brillo que humedece sus ojos... Devolverlo realmente a la luz.

Sus rostro se iluminó un momento para recuperar después su contención.

—Y ahora usted, frau Frey. ¿Qué hacía antes de la guerra?

—Era cuidadora del zoo.

—Sí, pero ¿cómo llegó a dedicarse a esto?

Responder a una pregunta era una tarea más ardua que plantearla, y Vera intuía que su curiosidad podía haber molestado al hombre, pero era una pregunta con la que estaba familiarizada y a la que dio su respuesta habitual, describiendo cómo conoció a Axel, su viaje a Europa, la llegada a Berlín y la proposición de matrimonio. La narración había sido ajustada y pulida a fuerza de repetirla, y le resultaba agradable contarla, así que al final se sintió desconcertada ante la escrutadora mirada del checo, y totalmente desprevenida ante su siguiente pregunta.

—¿Por qué se quedó en Alemania?

Vera vaciló.

—Nadie me había preguntado nunca eso.

Era una simple táctica dilatoria, y solo en parte cierta: al igual que Erna, Krypic le estaba preguntando si pertenecía o no a aquel país, aunque intuía que tal vez esperara una respuesta distinta. No era sencillo responder a aquella pregunta por segunda vez... había demasiada historia, pública y privada, condensada en un espacio tan pequeño.

Krypic seguía esperando.

—Me casé —dijo Vera.

Eso tendría que bastarle. Recogió los cubos de comida y le entregó uno a Krypic. Agazapado en algún lugar de su pregunta había un trasfondo político, pero una respuesta personal se acercaba más a la verdad. Más que ninguna otra elección en su vida, quedarse en Alemania había sido para ella una cuestión de anteponer el corazón a la cabeza.

Con la excitación de los preparativos para la boda, Vera había pensado poco en política. Después de la ceremonia y el banquete celebrado en el zoo, ella y Axel habían partido en viaje de luna de miel hacia la Selva Negra, donde Vera había visto la nieve por primera vez, practicado esquí de fondo y visitado Friburgo, adonde la hermana de Axel se había mudado después de casarse con un médico. Tenía ante sí la tarea de habituarse al lenguaje hablado y, después, al propio Berlín, una metrópoli que hacía que Sidney pareciera provinciana; pero por encima de todo estaba la fuerza levitadora del amor, que convertía en fácil cualquier acción. Axel era una persona de gran talento y generosidad. Al cruzar la frontera del alma del otro, Vera sintió que se ensanchaba la suya.

El mismo mes en que falleció el padre de Axel, la junta directiva del zoológico nombró director a su hijo, lo que supuso para Axel volver a vivir en la villa, el hogar de su infancia. Al principio Vera se mostró muy cauta a la hora de introducir cambios en la decoración, pero Axel recibió con agrado sus sugerencias, así que reemplazó las alfombras oscuras, cambió las cortinas por estores e hizo pintar de blanco las estancias empapeladas.

Era excitante despertarse por la mañana con los gritos de los tucanes y guacamayos. El rugido de un león era como el acelerón de un aeroplano, pero aun así el tiempo que precedía a la apertura resultaba muy apacible, y el rumor del tráfico más allá de los muros no hacía sino resaltar la calma. Cuando se abrían las puertas y los visitantes llenaban los senderos del zoo, Vera disfrutaba con el pensamiento de que al caer la tarde volvería a ser de nuevo suyo y de Axel.

Por la noche ayudaba en las emergencias —la primera vez una jirafa enferma, la siguiente el parto de un alce—, y allí de pie en un cuartito, con ojos entelados por el sueño y sosteniendo una manta o un biberón, se sentía mucho más útil de lo que nunca se había sentido enseñando alemán a sus alumnas. Acompañaba a Axel en sus rondas y aprendía la idiosincrasia de especies que hasta hacía muy poco ni siquiera sabía que existieran, y aunque el reducido espacio de algunos recintos le resultaba agobiante, decidió esperar a estar mejor informada antes que quejarse de su estrechez.

Disfrutaba sobre todo con las particularidades de los animales: el ostentoso ahuecamiento de las alas del avestruz, las cortinillas transparentes de los ojos del león marino... Se convirtió en una experta en olores, saboreando el almizcle de cada recinto. En conversaciones con los amigos, se descubrió hablando de «nuestros animales».

Axel la llevó a visitar el zoo Stellingen de Hamburgo, donde los Hagenbeck habían sido los pioneros de los *Freigehege*, separando las especies cuando era necesario mediante fosos o zanjas ocultos. Vera supo al instante que así era como le gustaría que vivieran sus animales. Dos años más tarde pudieron ufanarse de contar con un recinto completo —la cumbre alpina para cabras montesas y otros ungulados europeos—, así como de haber trazado planes para recintos de osos y simios. Como profesora sus logros habían sido intangibles, pero en una carta a su familia se vanagloriaba de estar haciendo ahora progresos reales. Su madre le preguntó si se refería a que iba a tener hijos, afirmando que criar a sus propios hijos sería algo maravilloso. Pero Vera sospechaba que consagrar la vida a los hijos equivalía a posponerla, y respondió con una carta en la que eludía el tema.

Su madre y Selby eran la única familia que en ocasiones echaba de menos. A principios de 1937 los invitó a Berlín, ofreciéndose a pagarles el viaje, pero su madre respondió aludiendo a la enorme distancia y a la situación internacional como razones para no viajar. Preguntaba, en cambio, si no podría Vera volver a casa para pasar las vacaciones.

Vera replicó que las amenazas contra la paz eran exageradas. Era cierto que se había hablado de guerra cuando Hitler había vuelto a ocupar Renania, pero los aliados habían dado marcha atrás y desde entonces la situación se había calmado. Su madre le envió una respuesta evasiva, y la idea del viaje no volvió a plantearse más. Axel afirmaba que, en comparación, las negociaciones sobre Renania habían resultado bastante sencillas.

Tras el *Anschluss* con Austria, el régimen volvió el punto de mira hacia Checoslovaquia. Axel afirmaba que aquella crisis pasaría como las anteriores, que el recuerdo de la última guerra estaba aún demasiado fresco, o podrido, para que Europa se dejara arrastrar a otro baño de sangre, pero el tono de las cartas de su madre mostraba una inquietud creciente. ¿No sería más seguro para Vera, le preguntaba en una de ellas, volver a casa, al menos hasta que disminuyeran las tensiones? Axel sería también bien recibido. Vera consideró la carta cuidadosamente. Su madre estaba muy lejos y no sabía mucho sobre asuntos internacionales, pero ya no resultaba tan fácil desdeñar sus argumentos. Axel le había hablado en una ocasión de volver de visita a Australia, pero no cabía pensar en eso durante la temporada de verano, cuando había más trabajo en el zoo.

Un viaje a Inglaterra resultaría más factible. En la embajada se enteró de que los alemanes con dinero seguían siendo bien acogidos como turistas en Gran Bretaña, pero aun así dudaba en plantearle la idea a Axel.

En septiembre algunos de los cuidadores fueron llamados a filas, y Vera comprendió entonces con súbita claridad la escasa distancia que había entre la idea de la guerra y su puesta en acción. Aquella noche le planteó a Axel el tema de tomarse unas vacaciones en Inglaterra, haciendo especial hincapié en lo fácil que les resultaría ahora que había pasado el período estival de máxima afluencia, y en el escaso tiempo que deberían invertir en el viaje.

Axel la escuchó desde un sillón. No habría guerra, le dijo cuando ella terminó de hablar, pero si la hubiera, ¿qué le hacía pensar que estarían más seguros en Inglaterra? ¿Se había parado a considerar que él, y quizá también ella, podrían ser internados allí? Ella reconoció que no lo había pensado, y por primera vez se preguntó cuáles serían las lealtades de Axel en el caso de estallar una guerra. Veinte años atrás había combatido por Alemania. Vera miró al suelo mientras consideraba la lógica de los argumentos de su marido, solo para darse cuenta de que ya había tomado una decisión: desconfiaba de las autoridades alemanas, y si estallaba una guerra quería estar con los suyos. El problema estaba en cómo admitir algo así ante Axel. En ese momento, él se puso en pie, se acercó a ella y la rodeó entre sus brazos. No habría guerra, repitió, pero ¿acaso no tenían derecho a tomarse unas vacaciones? Llevaba tiempo queriendo volver a visitar Inglaterra.

Fueron en tren desde Berlín a Ostende, donde tomaron el ferry hasta Dover, cruzando fronteras sin el menor problema. En el calor de finales de verano, nada parecía indicar que Europa fuera un continente al borde de la guerra, pero cuando llegaron a Londres y tomaron un taxi para dirigirse a su hotel, el chófer no paraba de hablar del tema. Chamberlain estaba en Alemania para tratar la cuestión territorial de los Sudetes y, en opinión del taxista, Hitler estaba dispuesto a negociar.

—He vivido una guerra —les dijo—, y no hay ningún trozo de tierra en el mundo que merezca derramar por él una gota de sangre.

—¿Ni siquiera de tierra inglesa? —preguntó Vera.

—Eso es diferente —reconoció el hombre.

El rostro de Axel permanecía impasible.

Pese a no haber estado nunca en Londres, Vera había imaginado su llegada como una especie de retorno al hogar, así que la sorprendió lo ajena que sintió la ciudad, la densidad de sus edificaciones, las multitudes y el tráfico más parecidos a los de Berlín que a los de Sidney, así como los poco familiares acentos de su lengua materna que no hacían sino aumentar su sensación de extrañeza. Durante la semana siguiente se dedicaron a recorrer la ciudad, pero, aparte de dos visitas al zoo de Londres, no disfrutó especialmente. Las negociaciones a gran escala se habían trasladado a Munich, y las noticias que llegaban de allí no eran buenas. Los londinenses, al igual que los berlineses, se oponían a una guerra.

Axel afirmaba estar disfrutando de su estancia, pero por muchas visitas que hicieran nada podía disfrazar la realidad de que estaban en una especie de limbo, no tanto como turistas sino como refugiados en compás de espera, y de repente les pareció absurdo haber buscado refugio en un país en el que ambos eran extranjeros.

Fue en una cabina telefónica de la estación de Saint Pancras donde Vera se enteró de que Europa no iría a la guerra. Se disponía a llamar para reservar mesa en un restaurante y jugueteaba con las monedas en una mano y el teléfono en la otra. Axel había ido a comprar el periódico. Llovía, y los cristales de la cabina estaban empañados por el vaho. Marcó el número y el teléfono había comenzado a sonar cuando se abrió la puerta a su espalda, haciendo que el paraguas cayera contra sus medias, y al volverse vio que el intruso era Axel. Mostraba una sonrisa radiante —divertida, pensó, ante la broma de apretujarse juntos en aquel pequeño espacio—, pero su camisa estaba empapada y mojaba la blusa de Vera, por lo que esta frunció el ceño e hizo un gesto para que se apartara. En vez de retroceder, Axel levantó un periódico en el que se leía a toda página el titular «¡PAZ!». Vera colgó el teléfono en el momento en que alguien respondía al otro lado de la línea. Axel la abrazó mientras le decía al oído: «¿No te lo había dicho?». Ella dejó escapar un grito de alegría. Entonces él la levantó entre sus brazos y la balanceó de un lado a otro, haciendo que sus zapatos golpearan los cristales de la cabina. «¿No te lo había dicho? —repitió—. ¿No te lo había dicho?»

A finales de marzo, Krypic llegó al trabajo con unas botas tachonadas con clavos que solo podían proceder del mercado negro, obtenidas probablemente a cambio de comida robada a los animales. Vera montó un pequeño numerito para admirar sus botas, le preguntó por el origen de su recién adquirida riqueza y le divirtió advertir su sonrojo.

Esa tarde, delante de su equipo de trabajo, Vera resbaló sobre el hielo y se cayó, haciéndose un corte en la rodilla y volcando el contenido de un cubo de desperdicios. Enseguida se puso de pie, sacudiéndose la tierra y la nieve fangosa de las medias. Le sangraba la rodilla, pero le preocupaba todavía más la carrera que se había hecho en su único par de medias de lana. Krypic dejó en el suelo sus cubos y se acuclilló delante de ella. Vera le dijo que no se molestara, pero él no le hizo caso: le sujetó la pierna y examinó la herida, volviendo la pantorrilla hacia uno y otro lado. Los polacos observaban la escena asombrados y, para ocultar su propia confusión, Vera los miró fijamente hasta que bajaron la vista.

—Habría que limpiar esa herida —dijo Krypic—. Debería ir a las cocinas.

—El lago está más cerca.

Vera intentó dar unos pasos, pero su rostro se crispó en una mueca de dolor.

Krypic se ofreció a ayudarla y, apoyándose en su brazo, Vera fue cojeando hasta la orilla del lago de los Cuatro Bosques, el mayor espacio abierto del zoo. El hielo se había retirado ya del centro del lago, pero aún orlaba los bordes.

Donde la capa de la orilla parecía más fina, Krypic arrancó un trozo de hielo. Vera se agachó pero al momento se incorporó de golpe, sorprendida por el aguijonazo de dolor en la rodilla. Se sentía un poco tonta, y hubiera preferido apañárselas sola con la herida.

—El dobladillo —le sugirió él, señalándole la falda.

Vera se subió la basta tela y Krypic le mojó la rodilla, haciendo que soltara un grito no de dolor, sino por la impresión del agua helada. Luego él le preguntó si tenía algo con lo que limpiar la herida, y Vera le ofreció un pañuelo bordado. Él lo observó como dudando.

—Adelante —lo instó Vera—. No tengo nada más. —Krypic lo aplicó a la herida con aire de intensa concentración—. ¿Cómo se siente volviendo a trabajar de restaurador?

Krypic sonrió, pero no levantó la mirada. Para llenar el silencio, Vera añadió:

—Esto no me habría pasado si hubiera llevado unas botas tan buenas como las suyas.

Pero él no abandonó su concentración y no dijo nada hasta haber acabado.

—No creo que necesite puntos. Tal vez yodo, si tiene.

Vera le dio las gracias y Krypic le soltó por fin la pierna. El fantasma de sus dedos permanecía en la corva de su rodilla.

El piso de Flavia le había parecido antes desastrado, pero ahora lo encontraba de lo más lujoso. Vera envidiaba su cuarto de baño, especialmente la bañera, aunque para Flavia lo más imprescindible era el espejo. Se había pasado la última media hora maquillándose, y mientras Vera esperaba en la salita no había parado de parlotear acerca de Friedrich Motz-

Wilden: de sus parientes de la nobleza *Junker*, su reciente misión en París, sus posibilidades de promoción, sus esperanzas políticas para después de la guerra... incluso de sus planes para ponerse un garfio ortopédico.

—Yo le he dicho que debería hacerse con un loro y un sable pirata para completar el efecto.

Vera jamás la había visto tan obsesionada por un hombre.

—¿Qué tiene de especial ese Freddie tuyo? Es apuesto, sí, pero tú has salido con hombres mejor parecidos que él. Menos perjudicados, sin duda.

Lo había dicho con un deliberado deje en su voz, pero, si Flavia lo había captado, optó por no darse por enterada.

—Sí, pero ¿no crees que eso lo hace más seductor?

—Entonces... ¿es así de simple?

—Bueno, no. No es solo eso. —Al advertir un nuevo tono de seriedad en su voz, Vera se levantó y se acercó a la puerta del cuarto de baño. Flavia percibió el movimiento en el espejo y respondió a la imagen reflejada en él—: Es muy inteligente.

—Pero también un poco reservado, ¿no? —puntualizó, pensando sin embargo que no lo había sido tanto la noche en que se conocieron, cuando él la acusó de mostrarse esquiva, aunque no sería justo sacar a relucir ahora aquel episodio.

Flavia enarcó las cejas, pero al instante recuperó de nuevo su expresión normal.

—Quizá tenga buenos motivos para ser reservado.

—¿Como cuáles?

Ella se echó a reír.

—Vera, querida, ya me conoces... callada como una tumba. Me es imposible decir nada.

En circunstancias normales, aquel era el primer movimiento de un juego que acababa con Flavia contándolo todo, pero Vera se mostraba reacia a entrar en él. Durante semanas Flavia había estado muy ocupada en el Rose o ausente de Berlín con Freddie, e incluso ahora que se encontraban las dos solas, no podía hablar de otra cosa que no fuera Motz-Wilden. Tenía previsto encontrarse con él dentro de media hora. Estaba claro que Flavia se moría de ganas de revelarle algún secreto, y Vera advertía con satisfacción que le costaba un gran esfuerzo contenerse. Pero, en su situación anímica actual, no era muy probable que Flavia respondiera a las preguntas o dudas que le hiciera otra persona.

Vera abandonó el lugar que ocupaba junto a la puerta y Flavia, captando tal vez su movimiento como una indirecta, salió del cuarto de baño y cogió su abrigo.

—Te acompañaré —le dijo Vera—. Podemos ir paseando.

—¡Pero si llevo zapatos de tacón!

—¿Acaso te impiden bailar?

—Vera, pero qué poco civilizada llegas a ser... Si hubiera taxis en esta ciudad, por mí podrías irte al infierno.

Ya en la calle, Flavia se mostró exultante contemplando a su alrededor los destrozos causados por las bombas.

—¡Así aprenderá la burguesía! Durante años han estado mirando hacia otra parte, y ahora están recogiendo lo que han cosechado.

Vera intentaba poner en orden sus pensamientos, pero ni siquiera ella misma sabía lo que quería decirle. ¿Que se sentía atraída por otro hombre? La misma idea le parecía ridícula. Y lo primero que haría Flavia sería preguntarle quién era.

Y tampoco estaba segura de lo que esperaba a cambio de su confidencia. ¿Consejo? ¿Absolución? Antes de decirle nada, tendría que decidir qué buscaba.

Lo que más la frustraba era la bondad de Axel. No era ningún borracho, ni tampoco una persona de la que pudiese desconfiar; que ella supiera, jamás había tenido una aventura. No había hecho nada malo; más bien, al contrario: desde el pasado noviembre se había comportado de un modo admirable, asistiendo con entereza a la destrucción de la obra de toda su vida. Su capacidad de resistencia era una de sus mayores cualidades, y sin embargo era precisamente eso lo que había empezado a irritarla de él. Su fortaleza podía parecer complacencia. Y, visto desde cierta perspectiva, Axel pertenecía a aquella mezquina burguesía contra la que clamaba Flavia.

Vera rezongó para sus adentros. Nada de todo aquello tenía sentido, y, si no era capaz de explicárselo a sí misma, carecía de objeto intentar planteárselo a alguien más.

Inspiró profundamente, y le preguntó a Flavia si pensaba casarse alguna vez.

—Casarte en serio, quiero decir.

Flavia se giró hacia ella y le dirigió una penetrante mirada.

—¿Por qué lo preguntas?

—Por nada. Simple curiosidad.

Flavia se volvió para seguir admirando las ruinas.

—No es nada personal, pero nunca he deseado casarme. ¿Por qué limitarte a un solo hombre cuando tienes tantos a tu alcance? —Esbozó una sonrisa pícara—. Pero debo reconocer que últimamente he tenido algunos pensamientos sentimentales. Tal vez cumplir los treinta me haya vuelto más blanda.

—Si te casaras, ¿no resultaría muy duro para ti? Lo de estar con un solo hombre...

Flavia se fingió ofendida.

—¡Santo Dios! ¿Por quién me tomas? —Vera le sostuvo la mirada—. Oh, vale... de acuerdo —concedió Flavia—. Pero si alguien como yo fuera a casarse, la cuestión de la fidelidad sería fundamental. No emprendería ese camino si no me viera capaz de seguirlo. —Su expresión era casi remilgada—. Pero... ¿por qué me lo preguntas? ¿Estás pensando en echarte un amante?

Aun conociéndola desde hacía tanto tiempo, su franqueza no dejaba de sorprenderla. Vera la miró de soslayo para determinar hasta qué punto hablaba en serio, pero Flavia estaba contemplando de nuevo las ruinas.

—Difícil lo veo —dijo Vera—. ¿Dónde encontraría ahora un amante? Sería muy difícil encontrar uno bueno en los tiempos que corren.

—Lo que pasa es que eres muy exigente. Te he presentado a montones de hombres encantadores y siempre has arrugado la nariz ante ellos.

Se acercaban ya a la Wilhelmstrasse, y Vera era consciente de que, si pensaba decir algo más, tendría que ser ahora. Esforzándose por emplear el tono más intrascendente posible, comentó:

—A veces me pregunto... La manera de ser de Axel...

Flavia pareció sobresaltada.

—¿Es que estáis teniendo problemas?

—No exactamente. No. Es solo que en ocasiones su pragmatismo me enerva. Su falta de imaginación. Cuando se trata de un problema concreto, como un recinto destruido o una persona en apuros, reacciona enseguida, y eso es algo estupendo, pero no le interesan las abstracciones. Tú ya conoces su política. Es muy inocente. Es incapaz de reconocer la malicia. Después de que tú y Freddie cenarais con nosotros la otra noche, la mujer del Blockleiter intentó sonsacarme. Admite ser una informadora, y aun así Axel la considera inofensiva.

Flavia la interrumpió.

—¿Te preguntó por Freddie?

Vera intentó explicarle que la cosa no había tenido importancia, pero Flavia la cortó en seco.

—¿Qué le dijiste?

—Nada. El caso es que...

—Porque podría ser muy importante. —Le exigió que le contara toda la conversación con frau Ritter y no paró hasta que Vera se la repitió palabra por palabra. Al final, pareció satisfecha—. Si alguien vuelve a preguntar, quiero que me lo digas.

Echó a andar de nuevo y llegaron a la Wilhelmstrasse. Vera hervía por dentro. Flavia había roto el hilo de sus pensamientos y ya no le quedaba tiempo. El Ministerio de Asuntos Exteriores se alzaba junto a la Cancillería del Reich, el cuartel general del dictador. Potentes explosivos habían arrancado trozos de los sillares y las bombas incendiarias habían enne-

135

grecido los muros de ambos edificios. Manchas ahumadas se elevaban como cejas de las ventanas superiores.

Llegaron frente a la escalinata del ministerio y se detuvieron. Antes de la guerra a Flavia le habría resultado imposible visitar abiertamente a un amante en un edificio gubernamental, pero a medida que aumentaba la paranoia política, la vigilancia moral se había relajado.

Flavia se inclinó hacia Vera y la besó en la frente.

—Adiós, y recuerda lo que te he dicho.

Después subió corriendo los escalones.

Vera se despidió con un gesto tardío, y continuó caminando por la Wilhelmstrasse hacia la estación; luego, en el cruce con la Leipzigerstrasse, divisó la oficina de correos, y, como siempre, la vista de aquel lugar le trajo a la memoria el estallido de la guerra.

Aquel había sido un día caluroso en Berlín, con un cielo despejado y sereno. A mediodía llegaron noticias de la declaración de guerra por parte de Francia e Inglaterra, y hacia la una los altavoces de la Budapesterstrasse comenzaron a atronar el zoo con música militar. Después de la marcha atrás del año anterior, Vera no podía entender cómo se había llegado a aquello. Axel parecía anonadado, y repetía una y otra vez que en 1914 las calles se llenaron de multitudes enfervorecidas. Vera era incapaz de hablar. No sabía cómo enfrentarse a sus emociones —el dolor por la humanidad, la rabia contra los líderes mundiales—, pero por debajo de todas aquellas abstracciones subyacía la inequívoca sensación de que nunca más podría volver a confiar plenamente en Axel. Aquella tarde, las pocas personas que veía por las calles mostraban una evidente preocupación en su rostro: al menos, Axel había estado en lo cierto al decir que sus compatriotas no tenían más ganas de guerra. Durante unos minutos se consoló con ese pensamiento, pero al llegar a la oficina de correos un funcionario se negó a aceptar una carta que había confiado en poder enviar a su madre. Estaban prohibidas las comunicaciones postales con una nación hostil. Iba a estar atrapada allí mientras durara la guerra, y ya no recibiría más noticias de casa.

El 6 de abril las sirenas comenzaron a aullar a mediodía, y Vera, Axel, herr Winzens y los *Ostarbeiter* se encaminaron hacia las torres-búnker. En los ataques diurnos, por lo general, solo intervenían bombarderos Mosquito, que hacían poco más que crispar los nervios de la población, pero tras la destrucción del refugio del zoo más valía ser precavidos.

Desde Moabit, Wilmersdorf y Charlottenburg, riadas de personas se dirigían hacia las torres, que se alzaban sobre una masa boscosa cuyos árboles empezaban a echar brotes. En las entradas se habían formado ya colas, y junto a los muros había aparcadas hileras de cochecitos. En la puerta de la torre mayor se agolpaba la gente para entrar. Las sirenas gemían.

Tras varios minutos de espera, Vera se encontró en un atestado vestíbulo cuyas enormes paredes recordaban el escenario de una ópera wagneriana, y cuando las baterías antiaéreas del tejado empezaron a disparar todo el mundo se agachó como para esquivar el tajo de una guadaña. Los vigilantes de ataque aéreo hicieron subir a la multitud por unas amplias escaleras, mientras el hormigón vibraba con cada respuesta de las baterías. Los postigos de acero estaban cerrados. En los techos, haces de cables eléctricos serpenteaban entre las bombillas. Las sirenas habían condicionado a Vera a bajar a los subterráneos, por lo que ahora, aun sabiendo que la torre era inexpugnable, tenía que obligar a su mente consciente a hacer un gran esfuerzo de voluntad para subir. Los niños lloraban y los vigilantes vociferaban órdenes; después una mujer empezó a chillar y un guardia se la llevó aparte para recriminarla.

Al llegar al quinto piso se amontonaron todos en una estancia cavernosa, en cuyas paredes se alineaban bancos para los más débiles y los ancianos. El resto de la gente permaneció de pie, mezclados los extranjeros con los alemanes, los pobres con los ricos. Jóvenes uniformados se apretujaban con aire incómodo entre los civiles. El edificio parecía tambalearse con el retroceso de los cañones.

El contingente del zoo se hallaba en el centro de aquella muchedumbre, y Vera se encontró confinada entre Martin Krypic y herr Winzens. De pronto, por encima del ruido de las baterías, se oyó el rugido de los bombarderos, levantando un murmullo de intranquilidad entre la multitud. Un ataque colectivo de pánico podría resultar desastroso. Axel asintió tranquilizadoramente por encima de la cabeza de herr Winzens, aunque sin duda era consciente de la indefensión general.

Fuera empezaron a caer las bombas: un ataque serio, no los picotazos de anteriores incursiones diurnas. De forma accidental, el cuerpo de Vera se rozó con el de Krypic, y la aterró sentir que su rostro y su cuello se ruborizaban. Axel se hallaba a apenas un metro de ambos.

La bombas seguían cayendo, y unas cuantas personas se acuclillaron en el suelo, obligando a los demás a apiñarse aún más. Después las luces empezaron a parpadear, y la estancia quedó a oscuras. La multitud lanzó un sonido quejumbroso. Un hombre empezó a sollozar y Vera notó que el pánico empezaba a cundir entre la gente. Dio un traspié y notó los brazos de Krypic rodeándola, y al intentar retroceder los muslos de ambos se trabaron. Axel le preguntó si se encontraba bien y, con una tranquilidad que la asombró a ella misma, respondió que sí. La multitud parecía oscilar en sintonía con la torre, y se alzaban voces pidiendo calma. Krypic la atrajo contra sí, y Vera renunció a toda responsabilidad de mantener el equilibrio, descargándola sobre su cuerpo delgado pero inamovible. Él la besó en el cuello y ella rodeó el suyo con sus brazos, aterrada ante la posibilidad de que las luces volvieran de pronto y la obligaran a apartarse de un salto. Era una locura, algo demencial, pero su olor era tan agradable que Vera se abandonó a él. Sentía las manos de Krypic en su espalda, y luego cómo su boca se apretaba contra sus labios. Sus dientes entrechocaron, y Vera abrió más la boca. La lengua del hombre la sorprendió con su húmeda intimidad, el placer de sentirla le resultó tan intenso que olvidó sus miedos, hasta que en algún lugar se encendió una linterna y ella se apartó, alegrándose de que él no pudiera verle la cara. Ahora que se habían separado, Vera deseaba que volviera la luz, pero por encima de las cabezas de la gente solo se agitaban nerviosos haces de linternas. Axel seguía hablando con una exagerada calma.

El ataque finalizó veinte minutos más tarde, pero la luz seguía sin volver. Mientras se vaciaban los pisos inferiores, los vigilantes mantuvieron cerrada la salida, pero finalmente la multitud empezó a moverse y Vera descendió con ella hasta el vestíbulo, temerosa aún de que el estrépito de su corazón pudiera reflejarse en su rostro. En el exterior, el aire olía a humo, y Vera pudo ver que el Tiergarten estaba en llamas, una visión sobrecogedora a plena luz del día. La gente que salía detrás de ella miraba a su alrededor, parpadeando y guiñando los ojos. Axel tenía una expresión grave. Vera apenas se atrevía a mirar a Krypic, y cuando lo hizo la alivió ver en él un rostro inexpresivo. A la luz del día volvía a tener un aspecto casi de debilidad.

Lo que había ocurrido allí dentro parecía irreal, y eso la tranquilizaba. Cabía la posibilidad de no llegar a mencionarlo nunca. Ignorado, un beso podía desfallecer y morir.

Vera subió a través de una trampilla hasta el expositor de las serpientes del maíz: rocas, arena y matojos de hierba, tres paredes, un techo y un frontal acristalado. Dentro, el aire era tibio.

De las dos serpientes, solo la hembra estaba viva, con el cuello hinchado por una rata y por la mitad del cuerpo de su propia pareja: el macho había agarrado a la presa por el otro extremo y, poco a poco, había acabado siendo engullido por su compañera. Ahora la hembra estaba exhausta y corría el riesgo de morir. Sus ojos como ágatas se veían desplazados hacia atrás por la presión del cuerpo del macho, cuya parte final sobresalía entre las mandíbulas desencajadas. La serpiente movía convulsamente el cuello y barría la arena con su cola.

Vera descendió hasta el corredor de servicio y regresó a la galería, donde envió a uno de los polacos a buscar a Axel. Los demás polacos se encendieron unos cigarrillos, mientras Krypic permanecía apoyado contra una pared, sus ojos buscando los de ella y apartándolos tímidamente cuando se cruzaban. Habían perdido el placer de sus pequeñas charlas. De cualquier tipo de charla.

Para ocultar su azoramiento, Vera se alejó para observar, como si fuera una visitante más, las iguanas y los lagartos. El terrario se había librado hasta entonces de sufrir daños de consideración, pero aun así los cristales de los expositores se hubieran hecho añicos hacía tiempo si el padre de Axel no hubiera empleado vidrio reforzado. Podían verse algunas grietas abriéndose paso aquí y allá a través de la malla metálica.

Axel llegó y entró en el cubículo de las serpientes, de donde salió poco después con aire sombrío. Tras pasear la mirada por los trabajadores del equipo, le pidió a Krypic que fuera a buscar una sierra, lo cual hizo que Vera se pusiera tensa a su pesar, aun sabiendo que la elección de Axel no significaba nada que pudiera inquietarla. Krypic la miró a los ojos durante un instante que le pareció demasiado largo, y luego desapareció por las escaleras.

Krypic regresó al cabo de diez minutos con la sierra y se la entregó a Axel, y luego Vera y él volvieron a trepar hasta el expositor. Una vez dentro, Axel se agachó junto a las serpientes y le pidió que sujetara a la hembra por el cuello. Vera ya había manejado serpientes en ocasiones anteriores, pero de nuevo experimentó una extraña sensación al tocarla: las escamas se notaban secas, como uñas sobrepuestas... la herencia común de la queratina. Axel colocó la hoja de la sierra sobre el cuerpo del macho, a un centímetro de la boca de la hembra, y procedió a cortar. La serpiente se debatía bajo la mano de Vera. Sus encías eran de un rosa intenso y sus colmillos se clavaban en la espina dorsal del macho.

Axel acabó en cuestión de segundos, y dejó a un lado la cola de la serpiente muerta. La sangre que quedaba rezumaba coagulada, ya que la víctima había muerto asfixiada hacía horas. La carne presentaba surcos como la de un salmón. Vera soltó a la hembra y se apartó: la superviviente se retorció y luego se sumió en el torpor de la digestión. Los dientes de la sierra aparecían teñidos de sangre.

Salieron del cubículo a través de la trampilla y volvieron a la galería. Allí se separaron: él para proseguir sus rondas y Vera para reunirse con su equipo de trabajadores.

Los presagios pueden significar cualquier cosa, ese era el problema. O nada en absoluto. Vera intentó alejar de su mente aquellas imágenes, pero le resultaba imposible. La imagen que le venía a la mente, y de la que no podía librarse, era la de lo que habría visto la serpiente muerta antes del final: las mandíbulas de la otra cerrándose en torno a su cabeza en una firme caricia, el borde creciente de su boca, y luego, oscuridad.

Vera apoyó su nariz contra el espejo, que apenas era lo bastante amplio para reflejar su rostro. Una esquina del mismo estaba desportillada y se había desprendido el azogue. No reconoció a la mujer que vio ante sí, de cabello oscuro y ya en la treintena. Alrededor de los ojos tenía unas pequeñas arrugas que no le disgustaron. Iris de color castaño y diminutos capilares en el blanco de los ojos. Notó que su piel era menos tersa que la de una chica joven y que algunos hilos plateados destellaban en su cabello.

Siguió mirándose, no por vanidad —o no solo por eso—, sino para absorber la extrañeza de aquella imagen. Era algo que ya le había ocurrido antes, algunas veces desde la infancia... como si su cerebro tratara de inventariar todos los detalles del cambio. Si sobrevivía y conseguía llegar a la vejez, confiaba en evitar la sensación de no habitar en su propio cuerpo.

Pero esta vez la sensación de extrañeza era pertinaz, ya que no parecía estar en su rostro, sino en su persona. Pronunció su nombre y observó cómo se movían sus labios; añadió su apellido, luego su nombre de soltera, y escuchó las vibraciones que provocaba dentro de su cabeza. La sensación de sentirse ajena resultaba entumecedora y en sí misma placentera, así que durante un rato intentó conscientemente prolongarla.

Entonces retornó su yo, y la obligó a hacer recuento de todo su ser: sus recuerdos y creencias, su conjunto de instintos y emociones, en su mayoría miedos y desesperación, pero también amor... un amor tenaz a objetos y lugares, a animales y personas, a sus amigos y a su familia, y también a Axel.

Y sin embargo era con Martin Krypic con quien anhelaba hablar ahora, era a Martin a quien quería describirle la sensación de no reconocerse a sí misma en el espejo.

6

Vera y el resto del equipo de trabajo se habían adelantado y, dejándose llevar por un impulso, Krypic había soltado la pala y había dejado que la chimpancé se encaramara a sus brazos. El animal desprendía un fuerte olor a almizcle y pesaba más de lo que había esperado. Sintiéndose un tanto ridículo, empezó a arrullarla como había visto hacer a Vera, y acarició la mullida capa de pelo que cubría su lomo.

De pronto oyó un ruido a su espalda, y al volverse vio a Vera, de pie e inmóvil entre las jaulas. Lo observaba con una expresión extraña, como enfadada o dolida. Krypic bajó al suelo a la chimpancé, cogió la pala y salió de la jaula, cerrando la puerta tras él. Pensó en intentar explicarse, pero apenas se atrevía a hablar. Desde su temeraria acción en la torre-búnker, Vera se había mostrado distante.

Como una estatua devuelta a la vida, Vera se dirigió hacia él con una expresión tan intensa en su rostro que temió que fuera a abofetearlo. En vez de eso, dejó caer también su pala y tomó las manos de él entre las suyas, desencadenando un temblor que recorrió los brazos y el pecho de Krypic.

Ahora fue Krypic el que permaneció plantado e inmóvil, con el corazón latiéndole con fuerza mientras Vera le alzaba las manos a la altura de su rostro y las giraba una y otra vez ante sus ojos, contemplándolas embelesada. Krypic apenas podía respirar. Vera le apretaba las manos, las moldeaba, les daba vida propia, y finalmente depositó sendos besos en sus palmas.

Sin soltar sus manos en ningún momento, retrocedió hasta cruzar el atrio y lo condujo hacia la destruida ala este: altos muros, cascotes de hormigón, un cielo abierto. La primavera había hecho brotar hierbas entre las grietas de las ruinas y la luz del sol caía sesgada sobre los muros. Vera le besó, y esta vez él no sintió ningún temor. Volvieron a besarse, y entonces ella le aflojó el cinturón y se tendió sobre una gran losa de hormigón algo inclinada. Se despojó de su ropa interior y atrajo al hombre hasta situarlo encima de ella. Krypic notó el roce de su vello púbico, y entonces sin vacilación ella lo condujo a su interior y comenzaron a hacer el amor, completamente vestidos, solo la cara descubierta de Vera y el suave roce de los cuerpos entre sus ropas, intensificado por el áspero tejido y la sorpresa. Permanecían en silencio. Vera tenía los ojos cerrados y Krypic contemplaba sobrecogido sus aleteantes pestañas, hasta que finalmente dejó escapar un gemido y perdió el control de sí mismo.

Vera abrió los ojos, y Krypic se sobresaltó al advertir en ellos una expresión de incertidumbre. Le besó la frente y los párpados, y solo cuando una lágrima suya salpicó en la mejilla de Vera se dio cuenta de que estaba llorando. Enjugó la lágrima con un beso, y Vera le secó los ojos. Trató de decir algo, pero ella le hizo callar.

Permanecieron tumbados en silencio, el tiempo suficiente para que Krypic tomara conciencia del riesgo que corrían: en un susurro le preguntó por los polacos, y Vera le dijo que los había enviado a otra parte. No quiso preguntarle por su marido, pero como si le leyera el pensamiento Vera añadió que a nadie se le ocurriría ir a buscarla allí.

Krypic se relajó. ¿Qué podía perder, después de todo? Seis meses atrás solo había esperado la muerte... jamás habría soñado con aquella felicidad. Se sentía como un jugador con ganancias sobradas para apostar, así que, inclinándose sobre ella, le preguntó si podría verla desnuda.

Vera pareció divertida, pero luego negó con la cabeza.

—Aquí no.

—Ha dicho que aquí estábamos a salvo.

—Hace frío.

—El sol es cálido —replicó, y la besó en la oreja izquierda.

Estaba claro que se sentía tentada. Vera miró a un lado y a otro, y luego se despojó de su chaqueta de punto. Entonces él le apartó las manos y tomó la iniciativa, empezando a quitarle las prendas una a una y extendiéndolas sobre la losa de hormigón, hasta que Vera quedó completamente desnuda salvo por su alianza de bodas y la pequeña moneda de bronce que llevaba siempre colgada al cuello. Ella apartó la vista y trató de cubrirse, pero él la agarró de los brazos suavemente y la tendió de espaldas. Su melena se derramó sobre el hormigón.

—Déjame mirarte —dijo, tuteándola por primera vez, una licencia que la hizo sonreír.

Vera cerró los ojos y aceptó su mirada.

Era adorable, como un ángel, un ángel de cabello oscuro. Se levantó un poco de aire y su piel se erizó suavemente. Le preguntó si tenía frío y ella abrió los ojos.

—No, de veras. Pero me siento como si me estuvieras haciendo una revisión médica.

—No, no —dijo él, turbado, y le tomó las manos—. Eres preciosa.

Vera puso cara de escepticismo, pero cerró los ojos. La luz del sol volvió a suavizar su piel. El fino vello de sus antebrazos proyectaba unas levísimas sombras, y su rostro se relajó mientras se reclinaba de nuevo sobre el hormigón. Ofrecía un aspecto de majestuosa dignidad. De forma consciente, Krypic grabó la imagen en su memoria, en lo más profundo de su alma.

Tenía una costra en la rodilla, de cuando se había caído al resbalar en el hielo. Con el dedo trazó un círculo alrededor de la marca, y antes de poder reprimirse o incluso pensarlo, se inclinó y besó la herida. Se echó hacia atrás, esperando ser rechazado, pero Vera seguía con los ojos cerrados, sonriendo.

—Mi desliz freudiano...

Palabras cálidas, tontas: él las había echado en falta más que la comida, más que el poder tocarla. La besó en la boca, en los pechos, en las suaves lomas de sus muslos, luego notó las manos de ella sobre sus sienes y dejó que le guiara.

Como venía ocurriendo últimamente, no le resultó fácil localizar a Flavia, pero Vera la telefoneó desde el zoo y logró convencerla de quedar en el Tiergarten de camino hacia el Rose. Cuando colgó el teléfono, sintió una oleada de alborozo y nerviosismo.

Los días se iban alargando y el aire se hacía más cálido, pero el clima era la única semejanza con la primavera en el Tiergarten de antaño: las ramas de los árboles estaban desgajadas, y descubrió que el estanque de las carpas era una ciénaga llena de cráteres de bombas. Sacos de arena sepultaban a la amazona ecuestre.

Flavia llegaba tarde y, aunque tener que esperarla no suponía ninguna novedad, Vera empezó a sentir un cosquilleo nervioso en la boca del estómago. Por muy alocadas que hubieran sido las aventuras de Flavia, ninguna de ellas había sido ilegítima, y junto con el hecho de compartir su excitación estaba también la perspectiva de echar por tierra algunas de las presunciones de Flavia respecto a su persona. Además, había ciertas cuestiones prácticas que debían tratar.

El polen se arremolinaba en la luz cobriza del atardecer, y cuando Flavia apareció entre los árboles Vera se sintió radiante y feliz. El paso de su amiga era vivo. Se acercó a ella saludándola con la mano.

—¿Qué hay de nuevo, Vera Frey?

Vera esperó hasta después de besarse.

—Me he echado un amante.

Flavia pareció desconcertada.

—¿Estás de broma?

—¿Te habría pedido que vinieras para gastarte una broma?

—No te creo —replicó Flavia, pero en su rostro había una expresión de duda.

—Pues así es.

Durante años Flavia había bromeado con Vera diciéndole que debería buscarse un amante, pero estaba claro que lo hacía pensando que eso no ocurriría nunca.

—¿Y qué hay de Axel? —le preguntó.

—Axel no lo sabe.

—Eso ya me lo imaginaba —replicó Flavia—. Lo que te pregunto es si has tenido en cuenta sus sentimientos.

—Si no sabe nada de ello, no tiene por qué tener ningún sentimiento.

Asombrar a Flavia era una cosa, pero lo que parecía era estar furiosa.

—Entonces, ¿has acabado con él?

—Te he dicho que tengo un amante, no que haya dejado de querer a Axel. Si he de serte sincera —añadió, apelando al buen humor con que había supuesto que Flavia reaccionaría—, me ha hecho quererlo aún más: me preocupa que pueda notar un cambio de ritmos.

En un par de ocasiones se había preguntado si existiría algo así como la infidelidad hacia un amante.

—Eso es repugnante. Has violado la santidad del matrimonio.

Vera estalló en una risa tensa. Siempre había sabido que la amistad entre las dos se basaba en el reconocimiento mutuo de sus valores —los de la vida bohemia por parte de ella, los de la *Hausfrau* por parte de Flavia—, pero jamás se había dado cuenta de que el álter ego de Flavia fuera tan mojigato.

—Pero, Flavia... perdóname que te lo diga... ¿no te acuestas tú habitualmente con los maridos de otras mujeres?

—No es mi problema —replicó Flavia—. Yo no he hecho ninguna promesa... ninguna que cuente, quiero decir.

—Pues yo no me avergüenzo, esa es la cuestión. Axel está siempre ocupado con sus planes, y bueno... yo no.

De alguna manera, su relación con ambos hombres parecían ser cosas separadas: Axel era como el aire que respiraba; Martin, como un ascua que ardía en su pecho.

—En fin, ¿por qué me estás contando esto? —le preguntó Flavia.

Vera sonrió y trató de adoptar un tono levemente irónico.

—Pensé que tal vez te alegrarías un poco por mí.

Sabía que Flavia apreciaba mucho a Axel, pero había pensado que encontraría excitante aquella aventura y disfrutaría con los tejemanejes.

—Estoy horrorizada. Estoy decepcionada y horrorizada. Mira, ya sé que sientes añoranza de tu tierra, pero ¿crees que es este el remedio?

—Esto no tiene nada que ver con la añoranza.

—Es un engaño y una deslealtad. Son tiempos muy difíciles para Axel en el zoo.

La idea de que Flavia sacara a relucir el zoo a esas alturas resultaba ridícula.

—Si quieres que te sea sincera, pienso que es más feliz ahora que antes de los bombardeos. La tensión ya ha pasado.

—Yo solo sé que Axel no se merece esto.

El hecho de que Flavia no le hubiera preguntado de quién se trataba resultaba exasperante. Vera nunca hubiera creído que eso fuera posible.

—Hay otra cosa más —dijo Vera. Ahora que Flavia había manifestado lo que pensaba era una locura seguir, pero Vera sabía que se arrepentiría siempre si no continuaba con su plan—. Necesitamos que nos dejes tu piso de vez en cuando.

Flavia sacudió violentamente la cabeza.

—No, de ninguna manera.

—Solo los domingos, durante un par de horas.

—Por encima de mi cadáver.

Un temblor supersticioso recorrió el pecho de Vera.

—No tenemos ningún otro lugar adonde ir.

—¿No tiene piso propio ese Romeo tuyo?

—No. Es un *Ostarbeiter*.

Flavia se tambaleó como conmocionada. Vera había calibrado muy bien el tono de su golpe, y no se arrepentía.

—Y además estáis locos —exclamó Flavia—. La policía te arrastrará por la calle y te rapará al cero. A él... a él lo colgarán de un árbol.

—Por eso te estoy pidiendo un lugar seguro al que ir.

—Tirarse a un *Ostarbeiter* no es seguro en ninguna parte.

Vera respiró profundamente.

—Me dijiste que tu Blockleiter no es muy estricto, y que los vecinos están acostumbrados a que entren y salgan hombres.

—No es un burdel.

—Lo que quiero decir es que pasaría inadvertido. —Flavia parecía inflexible, pero Vera estaba decidida. Una parte de ella se observaba a sí misma, asombrada de lo mucho que necesitaba aquello—. ¿Me vas a hacer que suplique?

—Vera, no tienes ni idea del favor tan grande que me estás pidiendo.

—Lo sé.

—No, no lo sabes.

—Entonces no me estás diciendo que no... —dijo Vera, y sonrió, reacia a aceptar que Flavia hubiese perdido por completo su sentido del humor.

—Bueno, ¿y quién es? ¿Uno de tus hombres del zoo?

—El checo, Martin Krypic. Hablamos de él la noche que vinisteis a cenar. —Le dio algunos detalles acerca del bagaje de Martin—. Tiene veintinueve años —concluyó.

Flavia se mostró indignada y comenzó a hablar, solo para reprimir al momento lo que fuera a decir. En lugar de ello, preguntó:

—Entonces, ¿es una atracción simplemente física?

—Hay mucho de eso —respondió Vera, al advertir un nuevo tono de ligereza en la voz de su amiga. El cuerpo nervudo y musculoso de Martin la había sorprendido, y su falta de experiencia había ayudado a vencer la timidez de Vera—. Pero también me hace sentirme viva en su mente. La de Axel está siempre enfrascada en sus cosas, pero Martin se interesa por lo que pienso, por cómo me siento.

—¿Y no te importa acostarte con él en una cama que antes habías compartido con Axel?

—Flavia, es solo una cama... tu cama, y si eso es lo que te preocupa, ni siquiera la usaremos.

—No es eso lo que me preocupa. Está mal y es peligroso, y no solo para ti.

—Pero es más peligroso que malo... por eso te pido tu ayuda.

—Al parecer te ha ido bastante bien sin mi ayuda.

—Mira, no es solo por el riesgo. Trabajamos en un zoo. Martin es un hombre. Y, en todos los aspectos, es tratado como si fuera ganado.

—No sabes lo que me estás pidiendo.

—Eso ya me lo has dicho antes. Explícame por qué.

Flavia se cruzó de brazos.

—Al menos piénsatelo bien —añadió Vera.

Flavia cerró los ojos, sacudió la cabeza y exhaló.

—Me estás pidiendo demasiado.

El documento era un pase de permiso para un civil alemán que trabajaba en algún lugar de Rusia, pero lo que preocupaba a Krypic era el sello: un diseño circular con la palabra «Dienststelle» escrita en letras góticas arriba, y la indicación «Feldpostnummer 1017» debajo. En el centro aparecía un águila estilizada sobre una esvástica.

Con papel de calcar y un lápiz blando resiguió el sello, admirando a su pesar las audaces líneas del águila y la torsión del despreciable símbolo. Una vez que hubo completado la imagen, utilizó un compás para marcar el borde, y después dio la vuelta al papel y volvió a trazarlo por segunda vez, transfiriendo el contorno calcado al reverso de una vieja fotografía. A fuerza de repetidas tentativas, había llegado a la conclusión de que el papel bañado en bromuro de plata era el más adecuado para su propósito.

Una vez transferido el dibujo, ya tenía hecho medio trabajo, así que paró un rato para descansar la vista y estirar el cuello. Al otro lado de la puerta de los retretes, el barracón estaba en silencio. Era domingo y la mayoría de los *Ostarbeiter* estaba disfrutando del sol o trapicheando en el mercado negro. Las condiciones de vida estaban mejorando para los trabajadores extranjeros a medida que empeoraban para los alemanes: la escasez de mano de obra había obligado a las autoridades a facilitar a los trabajadores comida suficiente para sobrevivir, aunque solo la justa. La seguridad también se había relajado desde que los antiguos vigilantes habían sido reclutados por la Wehrmacht, pero aun así Krypic prefería no correr riesgos y siempre trabajaba en el retrete, empleando como escritorio una tabla apoyada sobre sus rodillas. Aunque la falsificación era un delito penado con la muerte, había visto morir a gente por las más diversas causas y estaba dispuesto a tentar a la suerte: los *Ostarbeiter* a los que les iba mejor eran aquellos que andaban metidos en algún tipo de chanchullo, sopesando los riesgos de quebrantar la ley y los peligros derivados de la obediencia, como el hambre y las enfermedades que esta conllevaba.

Abrió el frasco de tinta y comenzó a rellenar el perfil sobre el papel de bromuro. Cualquier error supondría volver a empezar de nuevo. Mientras trabajaba, tarareaba el *Vals en re bemol mayor* de Chopin, deleitándose en sus pensamientos acerca de Vera. No podía dar crédito a que fueran amantes. La felicidad que le aportaba había sobrevenido de forma tan repentina que le hacía dudar de sus sentidos, como si hubiese ido a caer a un nuevo mundo que se parecía al suyo, pero que en todos los aspectos era mucho mejor que el anterior.

Vera era distinta de cualquier otra mujer que hubiera conocido. En su época de estudiante se había enamorado de la hija de un banquero, y durante un año habían intercambiado apasionadas cartas que hablaban de poesía y de pintura, hasta que un glorioso día de verano se besaron a las puertas del castillo de Praga y desde allí fueron caminando de la mano hasta la casa de la muchacha al otro lado del río. Pero lo que había creído un comienzo fue de hecho el final. Durante las dos semanas siguientes le escribió cartas que no obtuvieron ninguna respuesta, y solo sobornando a una de las doncellas de la familia consiguió enterarse de que el padre había ordenado a la joven que rompiera todo contacto con él. La profesión de Krypic, según informó la criada, no era suficientemente varonil.

Krypic se mostró inconsolable. Era joven y pobre, y suspiraba por tener una amante, pero no cualquier mujer: quería encontrar una amiga, una persona afín con la que pudiera hablar de Rafael o de Signorelli sin correr el riesgo de parecer condescendiente. La mayoría de sus amigos iban con prostitutas, y en los meses siguientes consumó dos aventuras con chicas de clase trabajadora: con una lavandera, durante su instrucción militar, y después con una muchacha que trabajaba como criada en casa de un amigo. En la granja en la que trabajó después de que llegaran los alemanes había una joven llamada Liselotte, una preciosa muchacha de cabello negro azabache que guardaba cierto parecido con Vera. Liselotte fue para él una compañía agradable, pero él seguía aspirando a un amor que fuera total, y en su fuero interno la comparaba desfavorablemente con la hija del banquero. Tras decidir que estaba aburrido de su vida, regresó a Praga y entró en aquel cine de Kaprova Ulice, donde se acordaría ya demasiado tarde del sentido común y la generosidad de Liselotte.

El cautiverio había puesto fin a su búsqueda del amor, o eso había pensado, y sus ansias más profundas pasaron a ser el pan y el calor, y por un tiempo, durante su enfermedad, las ganas de morir. El beso de Vera en la torre-búnker lo había devuelto a la vida. Era inteligente, bondadosa y bella, y por encima de todo era real: era de carne y hueso, no una fantasía... una amalgama de la hija del banquero y de Liselotte, solo que más, mucho más.

Cuando hubo completado el dibujo interior, empleó el compás para trazar con tinta el borde, deleitándose en su precisa circularidad. Al levantar la aguja, todo el dibujo tembló: el único inconveniente del papel de bromuro era su escasa absorbencia. Para evitar que la tinta se corriera, aplicó suavemente papel de periódico a modo de secante.

El sello era de excelente calidad. Lo colocó cuidadosamente boca abajo sobre el primero de varios pases falsificados que el cliente había escrito a máquina. Pasó varias veces el borde de un peine sobre el papel hasta obtener la primera impresión, después la retiró y procedió a imprimir un segundo documento. Con cuidado, podía obtener hasta cuatro impresiones buenas. Las dos primeras eran muy nítidas... si acaso, incluso mejores que el original.

Una vez obtenida la cuarta impresión, arrojó el sello usado por la letrina y guardó sus herramientas en distintas bolsitas. Compás, tinta, peine, un lápiz y un puñado de fotos instantáneas eran, por separado, objetos inocuos, irreconocibles como herramientas de un delito. Le había llevado una hora realizar cuatro sellos, lo que le dejaba aún mucho tiempo para acudir a su cita con el cliente en la Friedrichstrasse e intercambiar los documentos falsificados por cigarrillos: un negocio de lo más lucrativo, ya que él no fumaba.

El peligro podía presentarse de muchas formas, y aunque un *Untermensch* pillado en el acto de deshonrar a una mujer aria podría ser ejecutado, no le importaba. Valía la pena correr ese riesgo por Vera, y en cualquier caso las ventajas podían superar con creces los perjuicios: como ciudadana alemana, Vera no solo podía ser fuente suplementaria de ropa y comida, sino también de información. De ningún modo pensaba desistir. Al margen de cualquier otra consideración, Vera le había dado un motivo para seguir adelante. Tal vez el mejor chanchullo de todos fuera el amor.

Vera le preguntó cómo se las había arreglado para conseguir sus botas de cuero.

Estaban en los establos, en un lecho formado por sus ropas y las últimas hojas del otoño. En sus cuadras, los caballos se removían y relinchaban, entre ellos también un kudú, un superviviente del recinto de los antílopes. Era un macho de noble estampa, con cuernos como sacacorchos, amplias y enhiestas orejas y manchas blancas en la cabeza. Como una criatura mítica de un cuadro de Tiziano, había dicho Martin.

La mención de las botas hizo que la actitud cariñosa del hombre se volviera algo tirante.

—Tienen que haberte costado mucho —le dijo Vera—. ¿Valen tanto dinero las raciones de los animales que os quedáis?

Le pasó la mano por el cuello hasta enredarla en su pelo, que había crecido suave y ondulado.

Él la observó atentamente, con una larga mirada valorativa.

—Si alguna vez he cogido comida, ha sido para mí. Y te pido disculpas por ello. En cuanto a las botas, falsifico papeles: cartillas de racionamiento, documentos de identidad...

La primera reacción de Vera fue echarse a reír. Parecía tan dulce, tan inocente.

—¿Cómo? ¿Cuándo? No te creo.

Krypic le describió cómo se había decidido a trabajar para el mercado negro y cómo había aprendido a dominar el arte de la falsificación.

—Dibujar es lo único que sé hacer bien.

—No es lo único —replicó Vera, y le acarició la espalda.

Él inspiró profundamente y le pasó la mano por el pelo.

A Vera le llevó un rato asimilar la nueva información.

—Y pensar que estaba preocupada por ti...

Los dedos de Martin resiguieron la cadena de su collar.

—Ahora soy yo el que estoy preocupado. He puesto mi vida en tus manos. ¿Qué recibiré a cambio?

El sentido de sus palabras estaba muy claro —le estaba acariciando los pechos—, pero ella fingió interpretarlas mal.

—¿Me estás pidiendo mi collar? ¡Estás conmigo por mi dinero!

—No, no... Es a ti a quien quiero.

Martin la besó y ella se estremeció, deseándolo de nuevo, pero de pronto se le ocurrió una idea. Se llevó las manos a la nuca y soltó el cierre del collar.

—Quiero que te lo pongas —le dijo.

Él la miró, indeciso.

—¿Por qué?

—Para hacerte mío.

Él tomó el collar, examinó el cierre y sin vacilar aseguró la cadena por detrás de su cuello. El penique quedó colgando ante su esbelto torso. La visión de la cadena sobre su piel resultaba de lo más excitante.

—Quiero que lo lleves —le dijo Vera.

—¿Me estás diciendo que me lo quede?

Ella asintió.

—Que nunca abandone ese adorable cuello.

Se inclinó hacia delante y presionó con sus labios la piel a uno y otro lado de la cadena.

—¿No lo echarán de menos?

Vera adivinó que se refería a Axel. Hasta entonces apenas habían hablado de él.

—Lo he perdido todo. ¿Qué importa una cosa más?

—No puedo aceptarlo —dijo Martin.

—Por favor —insistió Vera—. Dártelo será un privilegio para mí.

Por un momento, Vera se preguntó si lamentaría desprenderse de la moneda... pero no: perder así su último contacto físico con su hogar no hacía sino realzar la idoneidad del regalo. A partir de ahora, lo único que la conectaría con Australia sería su imaginación. A Selby le dolería si se enterara alguna vez de que había entregado su regalo a otra persona, y tampoco aprobaría su romance, aunque seguramente entendería su simpatía por un extraño.

Se disculpó ante Martin por el escaso valor de la moneda.

—De donde yo vengo, lo que cuenta es el detalle.

Por segunda vez, Martin intentó negarse, pero Vera estaba tan decidida que finalmente aceptó quedárselo con la condición de que no dudara nunca en pedirle que se lo devolviera.

—Y podrás verlo siempre que quieras.

Ahora que había cedido, Martin parecía muy satisfecho, lo cual no hacía más que confirmarle a Vera que había obrado acertadamente. De los dos, él era sin duda el más sentimental.

—Lo único que te pido es que lo lleves escondido —le dijo.

Después volvió a besarle y empezaron a hacer el amor.

Vera se sentía audaz y extraordinariamente libre. Desde las cuadras llegaba hasta ellos el olor del estiércol. De pronto oyó un movimiento a su espalda, volvió la cabeza bruscamente y vio que el kudú los miraba con sus ojos de largas pestañas.

—Nos está observando —dijo Vera, aumentando el ritmo.

Martin miró de soslayo.

—Como un centinela. Un espíritu guardián.

La amplia y curva fachada del restaurante Uhlandeck abarcaba toda la esquina de la Ku'damm con Uhlandstrasse, pero por lo demás se parecía a los edificios vecinos: marcas de metralla y ventanas cegadas con tablones. Vera le dio las gracias a Motz-Wilden cuando este abrió las puertas para que entrara, seguida de Flavia y Axel. De inmediato se sintió transportada de vuelta al Berlín de preguerra: paneles de caoba, apliques de bronce, espejos intactos... Dominaba el local un gran mostrador semicircular, y aunque sus vitrinas estaban vacías de dulces, aguardientes y licores se alineaban en los estantes de detrás de la barra. Un imponente techo abovedado cubría la sala, y junto a la barra un pianista con frac tocaba música de Schubert. Los comensales eran en su mayoría funcionarios de la administración, acompañados de sus esposas o amantes, así como varios altos cargos. Uno de ellos reconoció y felicitó a Motz-Wilden, quien esa noche lucía por primera vez su insignia de Hauptmann.

Motz-Wilden hizo una seña a un camarero ya mayor, quien los acomodó en una mesa situada junto a una de las ventanas cegadas. La declaración de Guerra Total anunciada por Goebbels había obligado supuestamente a cerrar todos los restaurantes, pero a juzgar por el aspecto del Uhlandeck había excepciones para la gente bien relacionada, no solo nazis, sino también vástagos de la aristocracia *Junker* tradicional como Motz-Wilden. En su actual estado anímico, Vera aceptó de buen grado la hospitalidad de Motz-Wilden, dispuesta a pasar por alto cualquier recelo que pudiera haber albergado respecto a él en el pasado. También Axel estaba de buen humor. Solo Flavia parecía algo incómoda, sin duda porque era la primera vez que los veía a Axel y a ella juntos después de haberse enterado de lo de Martin.

El camarero volvió con una bandeja de copas de brandy medio llenas. Vera no había vuelto a probarlo desde poco después de la caída de Francia. Axel alzó su copa para brindar por el ascenso de Motz-Wilden, pero este lo detuvo y anunció que tenía malas noticias que darles: su amigo piloto, el novio de Flavia, había sido abatido y muerto cuando sobrevolaba Francia.

Flavia tomó la mano de Motz-Wilden, aunque este parecía muy tranquilo, tal vez por haber superado ya el impacto inicial. Se liberó de la mano de Flavia y propuso un brindis.

—Bebamos —dijo—. Él no habría querido estropearnos una agradable velada.

Vera bebió un sorbito de coñac, pero apenas lo saboreó. Tenía en su mente la imagen del joven aviador: cabellos rubios, mejillas sonrosadas y un aire de fatalismo que Axel afirmaría más tarde haber visto a veces en las trincheras.

La comida era muy buena, de hecho excepcional, pero pese a la ecuanimidad mostrada por Motz-Wilden los ánimos estaban algo decaídos, así que Vera se sintió casi aliviada cuando a través de los altavoces del sistema de comunicación pública empezó a sonar una fanfarria. El camarero se detuvo y prestó atención, cesaron los ruidos de vajilla en el comedor, y un locutor de radio empezó a hablar en un tono que, aun siendo anónimo, resultaba familiar. ¿Se trataba de la misma voz que llevaban oyendo desde hacía once años, o era solo uno de sus acólitos? Las *Wunderwaffen*, anunció, habían sido lanzadas sobre Londres como represalia contra los piratas aéreos británicos y norteamericanos. Las armas —«una armada invencible de cohetes»— golpearían al enemigo hasta obligar a su rendición. Mientras la voz profería bravatas, Flavia siguió comiendo, como reafirmándose en su postura temeraria.

Concluyó la emisión y se reanudaron las conversaciones en un tono más ruidoso que antes. Flavia dejó su cuchara en el plato.

—Hoy nuestras armas han llovido sobre el enemigo, destruyendo una maceta de geranios y estropeando una celosía. *Heil, Hitler!*

Axel sonrió.

—Esta fue siempre una ciudad militar. Los Hohenzollern construyeron una muralla para impedir que la guarnición escapara —dijo.

—Estoy harta de eso.

—Me preguntaba cuándo lanzarían esos misiles —dijo Motz-Wilden—. Armas inteligentes. Los cohetes decidirán la próxima guerra, pero han llegado demasiado tarde para cambiar el resultado de esta.

Flavia se quedó boquiabierta.

—¿Habías oído hablar de ellas? —preguntó.

—Más o menos, sí.

A Vera le pareció que en el tono de Flavia había un deje de irritación.

Siguieron hablando de los cohetes durante unos minutos, y luego Vera se excusó para ir al lavabo. Flavia la acompañó, cerró la puerta y, antes de decir nada, comprobó que todos los cubículos estuvieran vacíos.

—Sí —dijo.

—Sí... ¿qué?

—Que sí, que podéis utilizar mi piso.

Vera la abrazó.

—¡Oh, Flavia...!

—Pero antes quiero conocerlo.

—¿A Martin? ¿Por qué?

—Necesito ver con mis propios ojos al hombre por el que estás dispuesta a arriesgar tu matrimonio.

—No pienso dejar a Axel.

—Entonces es que estás aún más loca de lo que pensaba.

Vera intentó que Flavia entendiera lo vulnerable que aquel encuentro haría sentirse a Martin.

—Y cuanto menos sepas, menos posibilidades habrá de que tengas que mentir.

Los motivos de Flavia eran lascivos, no importa cómo los disfrazara, pero se mostró inexorable y Vera no tuvo más remedio que ceder. Se pusieron a concretar los detalles y la voz de Flavia delató los primeros temblores de excitación. Estaba enganchada, y ya no habría manera de hacer que diera marcha atrás.

En un callejón de la Meinekestrasse, tras un montón de escombros, Krypic se quitó la camisa y se puso otra que carecía de cualquier distintivo de identificación. La desgastada franja con letras de su pechera le ofrecía cierta protección, y sin ella se sentía vulnerable, pero no tenía previsto estar mucho tiempo en la calle. Metió la camisa con el distintivo dentro de una bolsa, la cerró con una cuerda, salió del callejón y cruzó la calzada en dirección al número dieciséis.

Todos los apartamentos del edificio estaban ocupados, pero no se cruzó con nadie en las escaleras. Vera abrió la puerta del piso y le hizo entrar a toda prisa. Como ya le había advertido, su amiga Flavia estaba allí, una mujer alta y de rasgos angulosos que lo miró de arriba abajo. Si aquel encuentro no hubiese significado tanto para él, habría puesto alguna objeción a semejante inspección, pero se recordó a sí mismo que se trataba de una amiga de Vera y que también ella estaba poniéndose en una situación comprometida por culpa de él.

—Muy bien —dijo Flavia—. Por mi parte, ya está.

Vera pareció exasperarse.

—¿Es que no piensas hablar con él?

—Quería conocer al hombre que va a utilizar mi cama. Aparte de eso, no. No necesito un nuevo amigo.

Krypic torció el gesto. Aquello significaba mucho más que una cama, pero Vera no dijo nada y él decidió seguir su ejemplo.

Flavia se volvió hacia él, y contradijo sus propias palabras al decirle:

—No consigo entender por qué Vera está haciendo esto. Solo espero que aprecies tu vida tanto como yo aprecio la suya.

Se dirigió hacia la puerta, le lanzó una llave a Vera, y después dio media vuelta y salió del piso.

—No te preocupes —dijo Vera—. Se acostumbrará. Todo esto es nuevo para Flavia: por lo general, soy yo la que tengo que pasar por estas situaciones a causa de ella.

Krypic miró a su alrededor, contemplando la habitación con asombro. Desde que saliera de Praga no había vuelto a estar dentro de una casa, y un sillón, una alfombra y una mesita de café le parecían auténticos lujos. La visión de unos cuantos libros resultaba algo excitante.

Al momento, Vera estaba llevándole del brazo y conduciéndole a través de una puerta abierta, y Krypic pudo contemplar ante él otra asombrosa maravilla: una amplia y mullida cama.

Los guijarros de los senderos que recorrían el zoo parecían estar mucho más perfilados que antes, y en los árboles las hojas daban la impresión de estar más separadas del resto. Un simple atisbo del cabello negro de Vera bastaba para que el corazón de Krypic sufriera una violenta sacudida, y si no hubiera experimentado una sensación similar con la hija del banquero, habría llegado a preocuparse por su salud. Pero ni siquiera la hija del banquero había provocado un efecto tan fuerte sobre él. Cuando nadie miraba, Martin se ponía a dar saltos en el aire como un muchacho, y por la noche en los barracones, tumbado en su camastro, se echaba a reír entre dientes recordando algo que Vera le había dicho, hasta que su compañero de litera lo acusaba de estar perdiendo la chaveta.

Con un piso a su disposición los domingos, Vera se negaba a correr más riesgos de la cuenta en el zoo, aunque él hubiera afrontado gustoso cualquier peligro con tal de verla a solas. Vivía solo pensando en aquellas citas dominicales.

En los benditos momentos que pasaban a solas, él susurraba al oído de Vera frases cariñosas en checo —tomadas de canciones de cuna aprendidas en el regazo de su madre—, que se negaba a traducirle por más que ella se lo rogara. Las que le decía en alemán ya eran suficientemente malas, como fragmentos extraídos de una novela barata. Krypic le pedía que le hablara en inglés y él entendía casi todo lo que le decía, disfrutando con la emoción de lo ilícito casi tanto como con el acto amoroso.

Le fastidiaba que no pudieran pasar una noche juntos. Nunca había dormido a su lado y ansiaba disfrutar de ese privilegio, pero cuando le pedía que se durmiera un rato Vera se echaba a reír y le decía que eso podía hacerlo en casa.

Sin embargo, aquel era solo un pequeño reproche. La mayor parte del tiempo que pasaban juntos transcurría como en un sueño, haciéndole preguntarse qué clase de mundo era capaz de interrumpir el sufrimiento con un gozo tan pleno, aunque interrumpía a tiempo el análisis de su buena suerte para agradecérsela a regañadientes a Dios, o a cualquiera que fuera el mecanismo que le había otorgado la existencia. Hasta entonces había llevado una vida incomparable, rica en arte y libros y en placeres de los sentidos, así que aunque tuviera que morir al día siguiente todo aquello habría valido la pena.

Intentaba no pensar en el marido de Vera, y sentía celos del papel desempeñado por herr Frey en su historia personal, y para compensarlo trataba de atesorar cuantos más datos pudiera sobre su vida anterior. Le preguntaba acerca de su infancia en Sidney, y ella le describía sus brillantes aguas, los acantilados de arenisca y los lagartos que se escabullían sobre el ardiente pavimento.

Le preguntó por su familia. Vera no sabía si su madre seguiría viva, un penoso trance que ambas compartían. Su madre era una mujer estoica, le dijo.

—Ha tenido que serlo a la fuerza. Mi hermano regresó de la guerra terriblemente cambiado, y después nuestro padre murió a consecuencia de la gripe española. Yo acababa de cumplir doce años.

Sus ojos permanecían muy fijos mientras recordaba aquello, y Krypic se debatió entre el deseo de saber más cosas y el de aliviar su dolor con sus besos. Pero se contuvo, y obtuvo su recompensa cuando ella empezó a describirle sus vacaciones de infancia.

—Mi padre me enseñó a surcar las olas. Al principio nos cogíamos de la mano. Cuando se acercaba una ola, él me gritaba si teníamos que pasarla por encima o por debajo, y luego, los dos juntos, nos zambullíamos o saltábamos.

—Lo presentas como si hubiera sido el padre perfecto.

—No vivió lo suficiente como para que pudiera verlo con otros ojos.

Krypic llegó a la conclusión de que uno construye el amor derribando obstáculos: los muros de tu vida interior. Con la hija del banquero jamás había tenido la oportunidad, y con Liselotte el misterio había desaparecido demasiado pronto. Con Vera, en cambio, era un lento y dulce descubrimiento.

Su corazón palpitaba con fuerza cuando la veía. El miedo a la muerte se desvanecía. Al tocarla experimentaba un sentimiento de consagración.

Enfermedad, locura, un estado de gracia... El amor, decidió Krypic, era una mezcla de esas tres cosas.

Aunque el gobierno se negara a decirlo, Axel tenía muy claro que la guerra estaba perdida y que, si la batalla terrestre llegaba a Berlín, los daños en el zoológico serían inmensos: ya había visto con anterioridad lo que un ejército podía hacerle a una ciudad. Sobrevivir sería cuestión de buena suerte y de pensar con claridad.

A principios de junio llegaron noticias de la largamente anunciada invasión aliada del norte de Europa. El ataque se había producido en Normandía. Axel se sintió desgarrado entre su simpatía por las tropas —los hijos de sus antiguos camaradas— y la esperanza de que fueran las potencias occidentales y no los soviéticos quienes acabaran tomando Berlín. Hasta entonces, la única presencia de los aliados occidentales en el continente se había dado en Italia y en los cielos de Alemania, pero Normandía tenía todos los números para convertirse en un segundo frente real. Axel rogaba por que la

Wehrmacht se replegara en el oeste mientras rechazaba a los soviéticos en el este. La guerra había sido muy dura para estos, y si fueran los primeros en llegar a Berlín sería de vital importancia que Vera no se encontrase allí.

Al principio, la Deutschlandsender se jactaba de que los británicos y los norteamericanos serían obligados a retroceder hacia el mar, pero a medida que transcurrían las semanas los nombres mencionados en la radio —Caen, Saint Lô, Cherburgo, Honfleur— narraban su propia versión del avance aliado, por lento que fuese. Flavia empezó a ir al zoo de vez en cuando, donde casi sin aliento les daba resúmenes de las noticias de la BBC, y también Vera comenzó a mostrarse más optimista. Conforme se acercaba el solsticio de verano, las incursiones aéreas eran cada vez menos frecuentes, ya que las noches eran demasiado cortas para que los británicos pudieran hacer el viaje de ida y vuelta desde Inglaterra al amparo de la oscuridad; y, aunque los americanos se aventuraban alguna vez sobre Berlín en pleno día, sus ataques resultaban menos destructivos que la pérdida de sueño. Los ánimos de Vera mejoraban. Reaccionó filosóficamente a la pérdida de su collar favorito, y parecía que la vida en el bloque le resultaba cada vez más llevadera. Había habido momentos en que Axel llegó a preguntarse si podrían recuperar alguna vez la felicidad de los años anteriores a la guerra, pero ahora veía que solo se trataba de una cuestión de paciencia. A veces, en el matrimonio, la principal virtud era la capacidad de aguante.

El último día de junio, cuando Vera llegó a casa del zoo, se encontró a gran parte de la *Stamm* reunida en el piso de Erna Eckhardt. Frau Ritter se apresuró a salir e informarla de que había llegado un telegrama en el que se le comunicaba a Erna la muerte de su hijo en Rusia. Vera se detuvo en el umbral de la puerta. Dentro, Erna estaba sentada muy rígida junto a la mesa, mientras su madre parecía hundida en su silla de ruedas.

Frau Ritter volvió a abrirse paso hasta el interior del piso. Se aclaró la garganta y propuso que rezaran una oración por el héroe caído, pero enseguida guardó silencio cuando Erna alzó la vista y le dirigió una mirada furibunda. Luego esta hizo señas a Vera para que se acercara, la atrajo hacia ella y le pidió que fuera a visitarla esa noche. Vera asintió y, al darse la vuelta para marcharse, pudo ver un reguero de lágrimas en la mejilla de frau Eckhardt.

Cuando las visitó esa noche, las Eckhardt estaban solas. Al igual que ella y Axel, habían perdido la mayor parte de sus pertenencias en el bombardeo de noviembre y su piso presentaba un aspecto de desnuda desolación: un aparador antiguo, sillas talladas a mano y una mesa con un tablero de rico veteado.

Erna sirvió té, se sentó y, sin más dilación, comenzó a hablar.

—Yo vivía para mi hijo.

Sus ojos hundidos tenían una expresión distante. Vera dirigió una furtiva mirada de inquietud hacia frau Eckhardt, pero la anciana estaba ausente, sumida en sus pensamientos.

—Antes de que él naciera, no me hacían mucha gracia los niños —dijo Erna—. Y su padre... —Hizo un ademán despectivo—. Yo quería una hija, una pequeña que me hiciera compañía, pero aunque al principio fue una gran desilusión, no duró mucho. Nunca fue un niño mimado —dijo con firmeza, como si se defendiera de una vieja acusación.

Vera asintió para mostrar su comprensión.

—Pero desde el principio fue un niño diferente —prosiguió Erna—. Soñador, pero serio. Apasionado. Se lo tomaba todo muy a pecho: un loro en una jaula, una rata envenenada, y en una ocasión un caballo que tiraba de un carro y que murió en plena calle... esas cosas lo dejaban pensativo durante días enteros. Y lloraba. Por mucho que lo intentara, nunca podía evitarlo. Tensaba todo su cuerpo para contener las lágrimas, pero siempre acababan saliendo. Y por eso, y porque no tenía padre, los otros niños se burlaban de él.

Ahora que había empezado a hablar, las palabras brotaban a raudales. Vera asentía y murmuraba palabras de simpatía.

—Cuando era un muchacho, el Partido lo atrapó. No quiero decir por la fuerza —matizó al ver la expresión del rostro de Vera—, aunque para el caso diera igual. Se volvió obsesivo, *fanatisch*. Todos lo eran, lo sé, pero en su caso era algo más fuerte. Los demás chicos practicaban deportes, iban a las competiciones, pero él lo vivía. Deseaba tanto pertenecer al Partido que cada vez fue aislándose más. No tenía amigos.

Hizo una larga pausa.

—Cuando tenía quince años, después de la victoria en Francia, me dijo que estaba aprendiendo swahili. Quería llegar a ser gobernador en África. ¡En África! Lo que me dijo fue... me dijo: «Madre, yo no soy Adolf Hitler, pero algún día te quedarás sorprendida por los logros de tu hijo».

Sonrió con amargura, una expresión que Vera jamás había visto en su rostro.

—Se unió a las SS... era un muchacho alto y fuerte.

Hizo otra larga pausa antes de añadir:

—Yo ya sabía que moriría.

Aunque los caídos aparecían citados en orden alfabético, Vera tardó un minuto en encontrar el nombre del hijo de Erna: las listas de bajas habían aumentado el grosor del periódico hasta casi doblar el que tenía antes de la guerra. Una crucecita negra precedía a cada nombre, convirtiendo cada página en un cementerio de tinta. Alrededor de la cuarta parte de los fallecidos habían «muerto por el Führer», pero a Vera la alivió ver que el hijo de Erna había dado su vida «por la Madre Patria». Aunque también eso fuera muy cuestionable.

Enrolló el periódico y lo metió en su bolsa de malla, donde se abrió contra las cuerdas que lo contenían. El tranvía chirrió hasta detenerse, y en la parada subió un soldado que caminaba con bastón y llevaba el uniforme empapado por la lluvia. Vera se puso en pie y le ofreció su asiento, y cuando el soldado se negó a aceptarlo se dirigió hacia la puerta delantera preparándose para bajar. Al mirar hacia atrás sobre las cabezas de los pasajeros —en su mayoría *Hausfrauen* y obreros de fábricas—, vio que el soldado se había sentado.

El tranvía cruzó sobre los bordes de un canal y empezó a dar bruscas sacudidas hasta detenerse en la siguiente parada. Vera se agarró a un asidero del techo, y el conductor se volvió hacia ella y se disculpó. Era un hombre de cabello y barba canosos, otro jubilado reclamado de nuevo para el trabajo.

Delante, a través de la lluvia, Vera vio que se había formado un arco iris, no un arco, sino una franja multicolor que se hundía entre las ruinas de la Kotbusserstrasse. Las vías del tranvía se veían grises y apagadas. Cuando volvió a levantar la vista, el arco iris se estaba desvaneciendo.

El conductor tenía los ojos fijos en las vías. Con voz inexpresiva, dijo:

—Qué hermosa podría ser la vida...

7

Un puñado de carne picada con trocitos de perejil. Un poco de salchicha y despojos. Los dedos del carnicero tamborileaban sobre el mostrador, mientras alguien tosía con impaciencia en la cola. A través del cristal curvado, Vera le señaló una rodaja de *Rollfleisch*, y al momento el hombre lo sacó de debajo del reflejo de ella, que se veía achaparrado como en un espejo de feria. Envolvió la carne con tres hábiles movimientos, selló su cartilla y entregó a Vera el paquete y el cambio.

Fuera, la tarde era calurosa y tranquila. Al doblar la esquina, en la Tauenzienstrasse, un vehículo militar pasó a toda velocidad, levantando el polvo de la carretera. Aparte de eso, solo circulaban tranvías. Antes de la guerra aquella había sido una calle de moda, bulliciosa de coches y viandantes, pero ahora los escaparates estaban sellados con tablones de madera y las mercancías expuestas en el interior llevaban a menudo la etiqueta de «NO ESTÁ EN VENTA». A esa hora del día, las aceras estaban desiertas.

En Wittenburgplatz oyó un estruendo sordo y, cuando llegaba a las escaleras del metro, vio cómo desde una calle lateral irrumpía un tanque que giraba bruscamente para entrar en la *Platz*. El vehículo era gris, pintado de camuflaje, y se desplazaba a sorprendente velocidad. Tras completar el giro, enfiló directamente hacia donde estaba Vera. Un hombre provisto de auriculares sobresalía muy tieso de la torreta, un tallo de carne sobre el metal. El suelo vibraba. La máquina ocupaba dos carriles. Detrás de ella, una columna de tanques irrumpió atronando en la *Platz*, con los cañones apuntando al frente y las torretas cerradas. El que lideraba la marcha pasó por delante de la entrada del metro, arrojando gases por un tubo trasero. Sus ruedas chirriaban. Los dientes delanteros de sus cadenas mordían el asfalto, luego se detuvo unos momentos y giró reculando sobre su parte trasera, dejando sobre la calzada un rastro de marcas. La columna se dirigió hacia el norte por la Ansbacherstrasse, hasta que el ruido de los motores se perdió en la lejanía.

Inquieta, Vera bajó apresuradamente las escaleras y tomó el metro hacia su casa, pasándose primero por la tienda de comestibles de la Reichenbergerstrasse. Le gustaba pensar que el tendero era un amigo. La había apodado «la irlandesa», y a menudo le obsequiaba con raciones de comida extra: tratos entre liliputienses, como él los llamaba, ya que los hacían por debajo del mostrador. Al comentarlo con Erna, había averiguado que ella no recibía tales favores del tendero.

No llevaría en casa más de media hora cuando llegó Flavia, aporreando la puerta y llamando a voces. Vera la dejó entrar y Flavia la abrazó, sin parar de dar saltos arriba y abajo.

—¡Está muerto! ¡Está muerto!

—¡Suéltalo ya! ¿Quién está muerto? Me estás haciendo daño...

—Hitler —le susurró—. Lo hemos matado. ¡Ha volado en pedazos! —exclamó, sin parar de brincar sobre el sitio.

A Vera se le revolvió el estómago.

—En la Guarida del Lobo —siguió Flavia—. Una bomba. Hemos destrozado a ese bastardo.

—¿Cuándo? ¿Cuándo?

—A primera hora de hoy. Me lo ha dicho Freddie. Hay montado allí un pandemónium.

—¿Un pandemónium dónde?

—En su despacho. Fui a verlo por sorpresa. Lo encontré haciendo malabarismos entre teléfonos y teletipos. ¡Es un golpe de Estado! Freddie solo dijo que Hitler está muerto, pero yo sé lo que está pasando. ¡Pronto seremos libres!

—Esto puede ser peligroso, Flavia.

—¿Tú crees? —preguntó Flavia—. Lo hemos hecho. Suceda lo que suceda ahora, nada cambiará eso.

—Deberías quedarte aquí —le dijo Vera, y al instante deseó no haberlo hecho, sintiéndose avergonzada de su cobardía.

—Freddie tiene que saber dónde encontrarme. Tomaré el tren a casa. Dale mi cariño a Axel y dile que esta guerra, esta jodida guerra, pronto habrá acabado.

Había comenzado a llorar.

—Ten cuidado.

—No te preocupes. Te veré cuando todo haya acabado.

—Cuando todo haya acabado —repitió Vera.

Flavia la abrazó y se fue.

Estaba en la cocina rociando el *Rollfleisch* con su propio jugo cuando la Deutschlandsender anunció que el Führer había salido ileso de un intento de asesinato. El Ministerio de Propaganda era más que capaz de mentir, pero aun así Vera sintió un temblor de espanto.

Axel llegó a casa poco después y Vera le contó todo lo que sabía. Pareció turbado, y durante un rato no dijo nada.

—¿Y si Flavia está mezclada en todo esto? —preguntó Vera al cabo, dando voz a la idea que había estado acosándola desde que se había ido su amiga.

—Lo dudo. ¿A qué idiota se le ocurriría implicar a Flavia en una conspiración? De todos modos, pienso que debería ir a buscarla.

—No —dijo Vera con un tono demasiado enérgico. Se sentía debilitada por el miedo—. Esto... será mejor que averigüemos primero lo que está sucediendo.

A las ocho estaban plantados delante de la radio, con sendas copitas de schnapps. El boletín comenzó con la noticia del fallido intento de asesinato y terminó con el anuncio de que el Führer se dirigiría a la nación «tan pronto como sea factible».

—Si está vivo, ningún golpe de Estado podrá triunfar —dijo Axel.

—Pero suena todo como si trataran de ganar tiempo.

—Tal vez. Al menos, esperemos que así sea.

Vera lo observó de soslayo. Axel nunca había apoyado al régimen, pero aquella era la primera ocasión en que expresaba su deseo de verlo derrocado. Si el gobierno era derribado, también se derrumbaría el país: una perspectiva terrible para cualquier alemán leal.

—Un golpe de Estado eficaz se habría apoderado de las emisoras de radio —añadió.

Axel volvió a llenar las copas y Vera sirvió la cena. Tenía un nudo en el estómago, y tras comer la mitad de su plato le pasó el resto a Axel. La Deutschlandsender seguía repitiendo el mismo mensaje: el Führer estaba sano y salvo y no tardaría en dirigirse a la nación. Axel la convenció de que debían intentar sintonizar la BBC, pero su locutor hablaba solo de las victorias aliadas, y luego emitían música de Purcell y Chaikovski.

Hacia las once Vera ya no podía soportar más la espera y le dijo a Axel que se iba a la cama. Él prometió despertarla si sucedía algo. Una vez en el dormitorio, se quitó la ropa y se metió bajo el edredón, aturdida por las horas de tensión y nervios. Tuvo la sensación de que la cama se balanceaba. El cerdo y el licor se revolvían en su estómago. En la sala, la radio alternaba comunicados con marchas militares —cornetas y tambores—, hasta que al poco rato se durmió y empezó a soñar con colas que se extendían a lo largo de callejones y entre los pupitres de su antigua escuela de primaria. La tinta que manchaba sus manos se convertía en sangre, que ella se limpiaba en su delantal. Corría por un patio empedrado de conchas marinas en el que atronaba el rugido de un motor, y después, a través de una verja como el rastrillo de una fortaleza, apareció un tanque... un tanque gris como un rinoceronte, con el cuero erizado de cerdas. La criatura la acorraló contra una pared, y el ruido de su motor se desvaneció. Su cañón se inclinó hacia ella, acariciándole el cuello. *Denk an das Fleisch*, susurró el cañón en un tono ladino y desagradable, «Recuerda la carne».

Se despertó cuando Axel se metía en la cama. Vera le preguntó qué hora era.

—La una pasada. Está vivo.

—¿Estás seguro?

—Ha hablado por la radio.

Permanecieron un rato en silencio. A Vera le daba vueltas la cabeza.

—¿Qué pasará ahora? —preguntó.

—No lo sé. Mañana iré a ver a Flavia.

El mismo miedo que había sentido antes atenazó su estómago... más lento, más insidioso que el terror de las bombas.

—¿No sería mejor esperar?

—¿Esperar a qué?

Ni ella misma lo sabía, pero de pronto le vino a la mente: a que arrestaran a Flavia. Quería esperar por si detenían a Flavia. Aquella constatación la dejó aterrada, pero reconocer el miedo no lo hacía menos real.

Apretó la mano de Axel.

—Veamos cómo están las cosas mañana.

Axel se despertó temprano y se arriesgó de nuevo a sintonizar la BBC, solo para apagar la radio asqueado cuando el locutor empezó a regodearse con lo de «alemanes matando a alemanes». El tono de la Deutschlandsender era curiosamente similar: una «camarilla criminal de oficiales» había intentado detener la marcha de la historia; algunos habían sido fusilados el día anterior, y el resto no tardaría en ser exterminado implacablemente.

Decidió no pedirle a Vera que lo acompañara al piso de Meinekestrasse. Estaba hecha un manojo de nervios, había perdido el aplomo de las últimas semanas, y cuando le dijo que pensaba ir a ver a Flavia intentó incluso detenerle. Jamás la había visto tan descompuesta, tan diferente de sí misma.

Llegó al piso de Flavia, y se disponía a llamar a la puerta cuando decidió anunciarse antes. Flavia respondió de inmediato. Estaba demacrada, con los ojos enrojecidos, y se echó en sus brazos sollozando. Luego alzó la vista y le preguntó si sabía algo de Friedrich. Axel negó con la cabeza y la empujó suavemente al interior del piso.

—No he sabido nada de él —le explicó Flavia—. Ya sé que no me llamará aunque esté a salvo, pero no puedo soportar más esta espera... y solo han pasado unas horas. ¡Necesito ir a verlo, hablar con él!

—No lo hagas. Él querría que tuvieras cuidado.

Flavia dio un puñetazo en la mesa.

—¡No puedo soportarlo!

—Tienes que comportarte como si no hubiera pasado nada.

Luego le preguntó qué tenía previsto para ese día.

—Un ensayo en el Rose.

—Pues tienes que ir.

—No puedo.

—Debes hacerlo.

La obligó a comer unas tostadas. Devoró cada una en tres o cuatro bocados, y luego se pasó una mano por los labios y alzó la vista.

—¿Por qué fracasó? ¿Cómo pudo fracasar?

—Porque sí.

—¿Porque sí... qué?

—Porque sí.

—¡Eso no es ninguna explicación!

—De acuerdo. Porque Hitler se movió, o porque no lo hizo. Porque el tiempo era demasiado seco o demasiado húmedo. Porque Dios no existe; o, si existe, es ciego, o no ve mucho más allá que nosotros. —Le dedicó una breve y triste sonrisa—. Como ves, yo también le he estado dando vueltas al asunto.

—Jamás lo aceptaré. Nunca lo entenderé. ¡No mientras viva!

—Y vivirás una eternidad, si eres sensata. Así que olvídate ahora de Hitler. ¿Qué podemos hacer para localizar a Freddie?

—Buenos días, frau Frey.

Vera se sobresaltó y se dio media vuelta: Frau Ritter estaba de pie junto a la puerta abierta, y Vera se maldijo por no haberla cerrado después de barrer.

Frau Ritter atravesó la estancia.

—¿Puedo pasar?

Vera cayó en la cuenta demasiado tarde del aparato de radio y recordó horrorizada que Axel había estado escuchando la BBC. Frau Ritter fingió mirar a través de la ventana, y luego echó una mirada furtiva al dial de la radio. Un fugaz destello de frustración cruzó por su rostro, mientras Vera bendecía mentalmente los metódicos hábitos de Axel.

Frau Ritter señaló con la cabeza hacia la maceta.

—He venido a ver cómo andan sus narcisos. Y a preguntar cómo lo están llevando. Todo ese asunto de la bomba... ¡Cómo están las cosas, qué espanto!

—Los narcisos están creciendo bien.

—Esos traidores recibirán su merecido... si no lo han recibido ya, claro.

—Es terrible —reconoció Vera.

—He oído decir que algunos de los conspiradores pertenecían al Ministerio de Asuntos Exteriores.

Vera se obligó a serenarse.

—¿De veras? —preguntó.

—¿No habían transferido a Asuntos Exteriores a su invitado de la otra noche... aquel tipo de la Luftwaffe?

—Así es.

—¿Y cómo le va?

—Muy bien, por lo que tengo entendido.

—Estupendo —dijo frau Ritter, y se encaminó hacia la puerta—. No olvide darle recuerdos de mi parte.

—¿Y por qué no nos tiramos mejor a la vía del tren? Si preguntas por Friedrich, vendrán también a por nosotros.

Axel había esperado preocupación, ansiedad, pero no toda esa ira, y mucho menos dirigida contra él.

—Vera, nosotros no hemos hecho nada malo.

—¿Y los judíos sí? ¿En qué país has estado viviendo estos últimos diez años?

Un vecino de Motz-Wilden había visto cómo la policía lo arrestaba, aunque Axel no tenía ni idea de dónde lo tenían retenido.

—Friedrich es un amigo.

—Es prácticamente un desconocido.

—Pero Flavia le quiere.

Vera se mostró desdeñosa.

—Flavia quiere siempre al hombre que tiene más a mano.

—Puede ser, pero creo que esta vez es distinto. Y aunque no lo fuera, Friedrich necesita ayuda.

—Nadie puede ayudarle en esta situación.

Vera hizo una pausa y suspiró profundamente.

—Por favor, Axel, explícame qué esperas conseguir yendo a visitarlo. Sinceramente, ¿qué esperas poder hacer?

—Aún no lo sé. Pero eso es lo que tenemos que averiguar. Tal vez él conozca a alguien que pueda ayudarle en su situación. Podría llevarle libros, algo de comida. Quizá tenga algún mensaje para Flavia, o Flavia para él.

Vera alzó la cabeza bruscamente.

—¿Te ha pedido ella que le lleves un mensaje?

—Me he ofrecido yo —admitió Axel.

—Porque no te corresponde a ti asumir riesgos de su parte.

—Me he ofrecido yo.

Axel hizo una pausa para darle tiempo a que se calmara.

—*Liebling*, a pesar de su brutalidad, la Gestapo actúa de forma metódica. Necesitarán pruebas de algún tipo, no solo para hacer justicia, sino para llevar unos buenos expedientes.

—Haber tenido relación con el acusado bastará como prueba.

—No pueden arrestar a todo el mundo... ¿dónde se detendrían, si no? La Gestapo ya está bastante ocupada sin perseguir a gente como nosotros.

—La gente como nosotros somos sus presas favoritas... ¡un bocado exótico y sabroso!

Una vez más, tablas. Axel podía ver que Vera estaba asustada. El miedo era algo natural, pero estaba distorsionando su juicio. Ahora tenía que mantener la calma por los dos.

—Mira, Vera, cuando llegaron los *Ostarbeiter*, dijiste que poníamos en peligro nuestras almas. Puede que tuvieras razón, lo admito, pero ahora sabemos con seguridad que hay alguien en apuros, y nuestro deber está claro. Algún día comprenderás que lo que estoy haciendo es lo correcto.

—Oh, ya sé que es lo correcto —replicó amargamente Vera—. De lo que dudo es de tu cordura. ¿Qué harás si te interrogan?

—No tengo nada que ocultar.

—¿De veras? —Vera compuso una horrible mueca en su rostro y empezó a hablar en una gutural parodia del prusiano—. Herr Frey, dice usted que es amigo del prisionero. ¿Quién los presentó? ¿Dónde se conocieron? ¿Quién más había allí?

Era cierto que Axel no había considerado la posibilidad de un interrogatorio.

—¿Y si te inyectan algún tipo de droga?

—Ahora estás hablando exactamente igual que Flavia.

—Tal vez Flavia tenga razón con respecto a algunas cosas. Quizá la verdad sea mucho peor de lo que imaginamos.

—*Liebling*, si eso va a hacer que te sientas mejor, hablaré con Flavia y decidiremos qué tengo que decir si me interrogan.

—Lo único que hará que me sienta mejor es que abandones por completo esta absurda idea. —Se cruzó de brazos—. Estás pidiendo a gritos ser el siguiente al que detengan.

Krypic se sobresaltó cuando ella lo llevó aparte: durante un mes no habían hecho el amor en el zoo. Era el mismo cuarto sin techo en el que él la había desnudado por primera vez, solo que en esta ocasión el sol calentaba y los hierbajos crecían abundantes entre los ladrillos. De ordinario hubieran hablado, prolongando el momento, pero Vera se apresuró a quitarle la ropa y, como en aquel primer día, permaneció en silencio.

El acto fue excitante al principio, pero por momentos turbador. Ella parecía lejana, con los ojos distantes; y, con una sensación entre la violación y provocación, él respondió en consecuencia. Ella lo sujetaba por la cadena que colgaba de su cuello.

Después permanecieron abrazados en silencio. Krypic no estaba seguro de si sentirse eufórico o contrariado. Vera estaba callada, con los ojos cerrados, cuando una lágrima se deslizó por debajo de uno de sus párpados. Él le preguntó si le pasaba algo, pero ella no respondió. Aguardó un rato acariciándole la frente, hasta que ella, por propia iniciativa, empezó a hablar. Un amigo de Flavia Stahl, un oficial, había sido detenido, y Axel Frey estaba decidido a intervenir.

—Va a arrojar su vida por la borda.

Vera despotricaba contra la ingenuidad e inocencia de su marido, mientras Krypic la escuchaba alarmado. No estaba preocupado por la suerte del oficial, que sin duda sería valiente, sí, pero cuyos esfuerzos llegaban con al menos tres años de retraso. No, lo que le intranquilizaba era su relación con Flavia Stahl, y la de esta con Vera.

—No puedo evitar admirar la terquedad de sus buena intenciones —decía Vera—. Pero es un necio: solo entiende la injusticia a nivel personal. Políticamente, es un inocentón.

Aquella parrafada de Vera en contra de su marido turbó a Krypic.

—Tú también eres una heroína —le recordó—. Cada vez que me besas. Si concedieran medallas al amor, tú recibirías las más altas condecoraciones.

Le miró desconcertada, como si el alemán de Krypic no tuviera sentido, y mucho menos su broma.

—Lo de Axel no es tanto audacia como temeridad —dijo Vera—. Incapacidad para ver el peligro.

Krypic cayó en la cuenta de que, en su propia mente, ya había incluido a Axel Frey en la categoría de «antiguo», como algo perteneciente al pasado. Las caricias de Vera le habían convencido de que a ella ya no le importaba su marido, pero de pronto le asaltó el doloroso pensamiento de que aún persistían vestigios del amor entre ellos.

A juzgar por el trato que dispensaba a los trabajadores, Axel Frey era un hombre justo. Carecía de la circunspección que uno podía percibir en la mayoría de los hombres. Krypic nunca había dudado de que Vera lo hubiese amado alguna vez —una mujer de su sensibilidad nunca se hubiera casado de no haber sido así—, pero le desconcertaba que hubiera elegido quedarse en Alemania cuando el régimen empezó a mostrar sus garras, incluso siendo consciente de que nunca hubiese llegado a conocerla si hubiese abandonado el país.

—Hace que el resto de nosotros parezcamos cobardes —dijo Vera—, pero es que él está anestesiado frente al miedo.

Su actitud ausente al hacer el amor le había resultado menos inquietante que esto. Habría querido decirle que estaría a salvo, que en adelante él velaría por ella, pero lo cierto era que no podía prometerle nada. En Alemania él era un cero a la izquierda... peor aún, un lastre. Lo mejor que podría hacer por ella sería desaparecer.

—¿Vendrás conmigo a Praga? —le preguntó—. ¿Cuándo haya acabado la guerra?

Vera lo miró irritada, y él retrocedió ligeramente. Para ocultar su dolor, probó con un tono desenfadado.

—Te enseñaría los lugares de interés. Podríamos sentarnos en las orillas del Moldava a tomar unos helados. Admitámoslo, las posibilidades en Praga son mucho mayores que en Berlín.

—Suponiendo que los soviéticos no la arrasen a su paso.

Aquello enfureció a Krypic.

—Suponiendo que la Wehrmacht no la defienda, querrás decir.

Como si buscara aclararse las ideas, Vera sacudió la cabeza como un perro.

—Lo siento. Tienes razón. Estos días ya no sé a quién debo culpar... o a quién temer. Esas redadas son como las que montaron para deportar a los judíos, solo que esta vez la mitad de sus víctimas son *Junker*. Incomprensible —dijo, y después repitió muy despacio para sí misma—: *Un-vor-stell-bar*.

Eso lo aplacó un tanto, aunque seguía algo aturdido por el golpe, y se maldecía por la inoportunidad de su invitación a Praga. En ese momento su ofrecimiento sonaba frívolo y ridículo, y hacía comprensible la brusca reacción de Vera. Sus planes eran todavía muy vagos: durante mucho tiempo ni siquiera había esperado vivir, pero ahora cualquier cosa le parecía posible. Vera estaba casada, sí, pero nadie sabía lo que podría ocurrir en los próximos meses o años. Trató de olvidar el destello de desdén que había visto aflorar en el rostro de ella.

—Me siento como una espectadora en un mundo extraño y macabro —dijo Vera—. Como Alicia en la corte de la Reina de Corazones. Solo que ahora las decapitaciones son reales y Alicia era más valiente que yo.

Martin la estrechó en sus brazos y empezó a acunarla suavemente, presa de una súbita y abrumadora ternura. Ambos estaban indefensos. Él no podía protegerla, ni siquiera podía protegerse a sí mismo, pero aun así se inclinó y le susurró que velaría por ella. Una y otra vez entonaba en su oído la misma mentira, tanto para confortarse a sí mismo como a Vera. La mecía entre sus brazos con su salmodia de falsas seguridades, hasta que de repente ella lo tumbó de espaldas y se puso encima de él, y empezó a besarlo con tal intensidad que hizo que Krypic soltara un suspiro desde lo más hondo de su pecho.

Axel había quedado con Flavia en una *Kneipe*, una tasca de barrio, después de un ensayo general del *Heracles* de Esquilo en el Rose. Durante tres días, ella había seguido el consejo de Axel y había ido a trabajar como de costumbre, pero ahora decía que ya no podía vivir sin tener noticias de Freddie.

Iba sobrado de tiempo y decidió ir paseando, ya que en esos días había escasas oportunidades de ocio. Salió del zoo por la puerta norte, cruzó el Tiergarten y se adentró en Mitte, sin reparar apenas en los daños ocasionados por las últimas bombas. Los temores de Vera acerca de sus intentos de encontrar a Motz-Wilden habían hecho presa en su espíritu más de lo que le hubiese gustado admitir. Si lo interrogaban, su reacción instintiva sería decir la verdad, ya que con mentiras solo conseguiría embrollar aún más la situación. Se sentía inocente, esa era la cuestión. «Era» inocente, se recordó... ya había empezado a pensar como un criminal. Era todo tan absurdo...

En la Postdammerplatz ya vendían los periódicos de la tarde, y al pasar frente al quiosco una palabra del titular del *Beobachter* captó su atención: «TRAIDORES». Sintiéndose vagamente culpable, compró un ejemplar del tabloide del Partido y, apartándose del flujo de transeúntes, leyó el titular: «TRAIDORES EJECUTADOS». En la lista de nombres, vio el de Friedrich Motz-Wilden.

La celeridad del castigo lo dejó pasmado. Podía entender las ejecuciones sumarias de los autores del golpe, pero a partir de ahí habría esperado que se celebraran juicios.

La lista incluía a un mariscal de campo, a un general y a varios oficiales. Friedrich era el más joven de todos. Axel siguió leyendo y se enteró de que sí se había celebrado un juicio, convocado apresuradamente ante el Tribunal Popular. Las posibilidades de Friedrich de salir absuelto habían sido nulas. El artículo citaba a Heinrich Himmler, quien aseguraba que se daría caza a otros conspiradores.

A Axel le hubiera gustado dedicar unos cuantos pensamientos al pobre Freddie, pero tenía que encontrar a Flavia cuanto antes y, si era posible, comunicarle la noticia a solas. Avivó el paso hacia la Klosterstrasse y llegó minutos después a la *Kneipe* donde habían acordado encontrarse. La tasca estaba abarrotada de soldados y obreros bulliciosos, con una atmósfera cargada por el denso humo de cigarrillos de mala calidad. No había ni rastro de Flavia por ninguna parte.

El teatro Rose era un pequeño edificio rococó que se alzaba al otro lado de la calle, y, aunque habían desaparecido casi todas sus ventanas, por lo demás había sobrevivido. Axel entró en el vestíbulo y encontró al personal ocupado en limpiar y recogerlo todo tras el ensayo general. La mayoría de los trabajadores eran mujeres. Tres o cuatro actores vestidos con togas y túnicas charlaban y fumaban en las butacas de la platea. Le dijeron que Flavia se había marchado hacía una media hora.

La estación de metro más próxima era la de Alexanderplatz. Tomó un tren hacia Bahnhof Zoo, y en cuestión de media hora ya estaba subiendo las escaleras del piso de Meinekestrasse. Llamó y al cabo de unos segundos Flavia le abrió la puerta, pero en lugar de recibirlo como había hecho pocos días antes, retrocedió hacia el interior de la sala y se dejó caer sobre su butaca. En el suelo había un ejemplar del *Beobachter*.

—Lo siento —dijo Axel.

—Destruyo todo lo que toco.

Axel se acercó, se detuvo y recogió el periódico del suelo. Flavia permanecía muy quieta.

—Ese animal recibirá su merecido —dijo.

—¿Animal? —preguntó Axel.

—El juez. Freisler. Aunque tenga que hacerlo yo misma.

Axel no se había fijado en el nombre del juez cuando leyó el artículo, pero había oído hablar de Freisler, un individuo colérico y despreciable.

—He arruinado por completo mi vida —añadió Flavia.

No estaba nada clara la línea de sus pensamientos, pero Axel optó por dejarla hablar.

—Si hubiera tenido una pizca de sentido común, habría elegido a un hombre como tú: decente y digno de confianza. —Soltó una risotada amarga—. Mírate... eres como un gran oso pardo.

A Axel casi se le escapó una sonrisa, pero Flavia se había puesto seria de nuevo.

—Vera es muy afortunada, aunque no se dé cuenta de ello.

Axel no sabía qué hacer. Le ofreció traerle un vaso de agua y ella asintió. Fue al fregadero, llenó el vaso, pero cuando se lo tendió a Flavia ella lo dejó a un lado.

—Freddie era la única persona que me conocía.

Y rompió a llorar en silencio. Axel vaciló, y después empezó a acariciarle la cabeza.

—Ya está, ya está, Flavia —le dijo—. Ya está, ya está, no llores.

Ella comenzó a sollozar quedamente, se inclinó hacia delante en el asiento y rodeó con sus brazos las piernas de Axel. Después apoyó la frente en su vientre.

—Todo va bien —dijo Axel.

Flavia se estremeció, se acercó aún más y dejó descansar su cara sobre los pantalones del hombre. Su llanto cesó.

Permaneció así durante un momento, y luego comenzó a acariciarle los muslos.

—¿Qué haces? —le preguntó Axel.

—No hables, no digas nada.

Ella frotó suavemente su rostro contra el vientre de él y llevó las manos a su cinturón. Axel retrocedió y se apartó.

—Flavia, ¿qué estás haciendo?

Ella pareció asimilar el tono de su voz, y alzó la vista un momento, Luego lanzó un gemido y se echó los brazos a la cabeza.

—¿Flavia...?

—Vete, por favor —dijo, dejándose caer al suelo—. Vete.

—¿Estás segura?

—¡Sí!

Axel retrocedió hasta la puerta.

—¿Quieres que le diga a Vera que venga?

Ella no dijo nada, y Axel volvió a preguntarle. La respuesta fue un violento ademán para que se marchara. Él le prometió que volvería al día siguiente. Cuando cerraba la puerta, vio que Flavia seguía en el suelo, meciéndose lentamente adelante y atrás con los brazos rodeando sus rodillas.

Se detuvieron en el recinto de los perros de caza africanos. A Krypic le gustaban aquellos animales, con su pelaje moteado y las orejas ahuecadas y enhiestas, alertas como las de un murciélago.

Alzaron los cubos de despojos de foca que llevaban y vertieron su contenido por encima de la verja. Los perros devoraron los órganos enteros y luego se pelearon por los menudillos.

—No podré verte este domingo —dijo Vera.

Él la miró de soslayo bruscamente, buscando su cara.

—El piso de Flavia es demasiado peligroso ahora.

—¿Peligroso?

Vera le contó que el amante de Flavia había sido ejecutado.

—Lo habrán interrogado también. No podemos correr ningún riesgo.

Menudo fastidio... no había ninguna otra forma de describirlo. Ciertamente era una respuesta egoísta, pero no podía evitar desear que Vera hubiera escogido con más cuidado a sus amistades. Resultaba absurdo que ahora ella se viera en peligro no por su causa, sino por culpa de algún aristócrata majadero. Sin duda era terriblemente cruel que unos cientos fueran ejecutados, pero esos cientos no eran nada en comparación con los millones de muertos que la guerra ya se había cobrado.

¿Y qué decir de él mismo? Él no era más que una persona, pero tan merecedora de respeto como cualquier otra. Había llegado a depender de aquellos encuentros furtivos entre Vera y él no solo por el placer físico, sino también por la sensación de libertad, por recordarle que tenía tantas esperanzas como problemas.

Los perros mordisqueaban los últimos restos de carne. Sus lenguas se movían y relamían babeantes. Krypic era consciente de que lo que Vera le ofrecía era, por encima de cualquier otra cosa, la prueba de que su naturaleza no era solo animal, sino también, para lo bueno y para lo malo, legítimamente humana.

Vera pensó cuidadosamente cuál sería la forma más segura de encontrarse con Flavia. El piso de Meinekestrasse estaba totalmente descartado: se habría pasado todo el tiempo con un oído pendiente de cualquier ruido procedente de la escalera, y la opción del Rose tampoco era mucho mejor. Si de ella hubiera dependido, Vera habría pospuesto aquel encuentro —Flavia seguramente lo entendería—, pero Axel seguía insistiendo en que su amiga necesitaba compañía.

Al final, y por sugerencia de Axel, se decidió por la *Kneipe* de Klosterstrasse, enfrente del Rose. Un lugar público ofrecía un anonimato más tranquilizador. Los espacios más inquietantes eran los privados.

Vera la llamó desde un teléfono público, pensando que podría localizarla en el trabajo. Descolgó un tramoyista. Fue a buscarla, y pasaron unos minutos antes de que Flavia se pusiera al aparato. No pareció especialmente interesada en que se vieran, lo cual irritó a Vera: hacía falta mucho valor para ir a visitarla en aquellas circunstancias, y Flavia podría mostrar algo de gratitud, pero al final transigió y acordaron encontrarse al sábado siguiente, antes de la primera función de la tarde.

El sábado amaneció caluroso y desapacible, con un viento molesto que levantaba polvo de los lugares donde habían caído las bombas. Vera empujó la puerta de la *Kneipe*, cambiando la polvareda de fuera por una densa cortina de humo de tabaco, aunque la tasca estaba llena a solo un cuarto de su capacidad.

Flavia estaba sentada en un reservado en un rincón, con un vaso de *Weissbier* delante de ella. Parecía cansada, pero su maquillaje era perfecto. Vera tomó asiento y, para su sorpresa, el camarero salió de detrás de la barra y se acercó a preguntarle qué tomaría. Era anciano y caminaba con paso renqueante. Vera le pidió otra *Weissbier*.

—Una cortesía para las damas —explicó Flavia mientras el viejo se alejaba tambaleante hacia la barra.

—No parece que tenga fuerza suficiente para llevar un vaso —observó Vera.

—Galante hasta decir basta —dijo Flavia.

Vera le expresó cuánto sentía lo de Friedrich... y decía la verdad, no importaba lo inconsciente que hubiera podido ser.

—Los colgaron muy lentamente —explicó Flavia—, de ganchos de carnicero. Los reanimaron varias veces antes del final.

Vera la miraba como si no comprendiera. Empezó a hablar, pero Flavia la interrumpió tocándole el brazo: el camarero había traído la cerveza. Le dio las gracias, aguardó hasta estar segura de que no podía oírla, y después se inclinó sobre la mesa.

—¿Cómo sabes tú eso? —le preguntó a Flavia.

—Eso no importa. Lo sé. Los ocho murieron así.

Vera se quedó sin habla. Levantó su vaso y bebió, pero la *Weissbier* sabía a aguachirle. Flavia podría igualmente haberle traído noticias del otro mundo. Parecía muy tranquila.

—¿Para qué querías verme? —le preguntó.

—Para saber si estabas bien.

—¿Y lo estoy?

Fuera, una sirena comenzó a aullar con tediosa oscilación. Flavia apuró su cerveza y se excusó para ir al lavabo, mientras Vera observaba cómo los demás clientes salían de la tasca. Detrás de la barra, el viejo cerró la caja. Vera se ofreció a ayudarlo para ir a algún refugio, pero el hombre se negó sacudiendo la cabeza con gesto irritado.

Flavia salió al fin del baño y se apresuraron a abandonar el local. El gemido lastimero de las sirenas se hizo más agudo. Desde el final de la calle, Vera volvió la cabeza y vio al camarero echando el cerrojo a la puerta.

Se dirigieron a la Alexanderplatz, hasta la estación, donde riadas humanas convergían y penetraban bajo tierra a través de las largas escaleras centrales, tenebrosas en comparación con la claridad estival del exterior. Los que llevaban jerséis o chaquetas se las pusieron. A lo largo de las paredes se alineaba ya mucha gente, lo que obligaba a los recién llegados a bajar a niveles inferiores. Al pie de las escaleras había un soldado con tres perros guardianes sujetos con correas.

En el tercer andén la aglomeración era menor. Vera agarró a Flavia por el codo y, sin que esta opusiera resistencia, la hizo sentarse en un hueco vacío del suelo de hormigón. Fuera, las bombas habían comenzado a caer, removiendo el aire en la arteria del túnel. Por encima de sus cabezas las luces parpadeaban, subiendo y bajando de intensidad y haciendo que los minerales destellaran sobre el revestimiento del andén, mientras que más allá de las vías las baldosas desprendían temblorosas nubecillas de polvo. El estruendo de las explosiones alcanzaba hasta lo más profundo.

Vera observaba a los congregados en el andén, así como a los recién llegados que saltaban a las vías. La mayoría de ellos se veían desconcertados, perdidos. Flavia siempre había proclamado que los bombardeos acabarían haciendo mella, y ahora su expresión parecía ser la mejor prueba de ello.

La multitud se agitó de pronto, y por las vías apareció un hombre vestido con una toga orlada de púrpura. Llevaba una corona en una mano y con la otra sostenía los bajos de la toga, dejando al descubierto unas espinillas peludas. Tras él venían otros actores, todos ellos ataviados y caracterizados, unos con semblante grave y otros riendo. Algunos miembros del coro todavía llevaban sus máscaras: encarnaciones en papel maché de júbilo o desesperación.

Flavia cruzó los brazos sobre sus rodillas y agachó la cabeza. Vera la observó, intrigada.

—¿Te escondes de alguien?

—De todos —dijo Flavia—. Ninguno de ellos es Freddie.

Una hora más tarde emergieron a la luz del día y al humo de los edificios en llamas.

Flavia se paró en la acera.

—¿Seguirás viendo a tu checo?

—Quizá —admitió Vera—. No estoy segura.

—Parece un buen muchacho —dijo Flavia, y luego la cogió de las manos—. Pero Axel es un buen hombre. Te necesita más.

Vera hizo una mueca, pero la complació aquella supuesta necesidad de Axel. Flavia prosiguió:

—¿Dónde si no encontraría a una mujer lo bastante loca para pasarse media vida con los brazos metidos en estiércol hasta los codos?

Giró sobre sus talones y, antes de que Vera pudiese detenerla, estaba cruzando a toda prisa la *Platz*.

Más tarde, Vera se daría cuenta de que la detención debió de producirse apenas unas horas después de que Flavia la dejara en la estación de Alexanderplatz, pero tuvieron que pasar otros dos días antes de que Axel acudiera a Meinekestrasse y se enterase de que dos hombres de paisano se la habían llevado.

La primera reacción de Vera fue de terror. En menos de una hora, sufría de diarrea y palpitaciones. La imagen que la atormentaba era la de la guillotina: un accesorio teatral de pesadilla, lo único que el régimen había tomado prestado de Francia. Imaginaba la inexorable muerte provocada por una ejecución así, y lo único que veía eran fluidos. Cualquier descripción era vacua. Incluso la palabra «muerte» le parecía un mero eufemismo, aunque en alemán se aproximaba mucho más a la realidad: *Tod*, una gota de sangre cayendo sobre madera.

Al llegar la noche, el terror había dado paso a la resignación. Se sentía como si hubiera corrido una maratón. Axel estaba abatido, pero a Vera le alegraba ver su serenidad. Comprendía sin necesidad de preguntar que haría todo lo posible para que soltaran a Flavia, y eso parecía lo más natural, aunque Vera no tenía dudas de cuál sería el resultado: interrogarían a Axel acerca de Motz-Wilden, lo interrogarían acerca de Flavia, y luego le preguntarían por su esposa extranjera. Recordó que de niña había oído contar la historia de tres hombres que se ahogaron en la playa de Manly: la corriente había arrastrado mar adentro al primero de ellos, y el segundo había intentado salvarlo. El tercero había muerto al intentar rescatar a los otros.

Esa noche no pudo dormir por la congoja que sentía por Flavia. Motz-Wilden había cometido una enorme locura al arrastrarla a todo aquello. Flavia era inocente, una chiquilla. Vera lloraba —quedamente, para no despertar a Axel—, intentando en vano imaginar lo que estaría soportando Flavia. En comparación, morir bajo las bombas parecía algo más sencillo.

Al amanecer se sentía exhausta. Se levantó y preparó un paquete con comida y ropa de abrigo, por si Axel encontraba la forma de poder entregarle algo a Flavia. Estaba tranquila, aunque sabía que eso no duraría.

Axel se levantó, desayunó y empezó a arreglarse. Se puso su único traje. Ahora que estaba listo para marcharse, Vera deseaba que no se fuera.

Le tendió el paquete que había preparado.

—Por si acaso —le dijo.

Axel asintió, la besó y la abrazó con fuerza. Al despedirse, le prometió que se verían por la noche.

Vera no podía enfrentarse al trabajo en el zoo: herr Winzens tendría que apañárselas solo. No estaba segura de poder fingir ante los *Ostarbeiter* que no pasaba nada, ni siquiera de poder explicarle la situación a Martin. Con cierta indiferencia advirtió que no había pensado en él desde el arresto de Flavia. Martin creía firmemente que la necesitaba, pero no era cierto. Si sobrevivía a la guerra, podría emprender una nueva vida.

Durante un par de horas Vera se concentró en sus tareas domésticas, y luego cayó en la cuenta de que tenía que hacer la compra. Parecía una incongruencia aprovisionarse de víveres, casi como tentar a la suerte, pero podía confiar en que el tendero la confortaría con alguna palabra amable. Comenzó a bajar las escaleras y, aunque aquello ya había ocurrido anteriormente una veintena de veces, la sorprendió encontrar a frau Ritter en el umbral de su puerta.

—Buenos días, frau Frey. No tiene muy buen aspecto hoy. ¿Ocurre algo?

La voz de la mujer era taimada, como si ya estuviera al corriente de todo.

El cuartel general de la Gestapo se hallaba en un palacio barroco de la Prinz-Albrechtstrasse, que con anterioridad había sido una escuela de artes y oficios. Axel pensó que su nombre de Policía Secreta del Estado, Geheim Staat Polizei, resultaba ya suficientemente amenazador sin necesidad del sortilegio de fundir sus sílabas iniciales. No había palabra alguna que hubiera crecido con tal desmesura a partir de la suma de sus componentes.

Subió las escaleras de la fachada y entró en el edificio por una puerta practicada en un gran portón de hierro, dejando atrás la luz de la mañana para introducirse en una penumbra cavernosa. De entre las sombras salió un policía que primero le pidió su documentación y luego empezó a darle golpecitos en el traje y los pantalones, un masaje percusivo que lo dejó muy perplejo hasta que comprendió que estaba siendo sometido a un cacheo. El policía desgarró el papel que envolvía el paquete de Vera, miró en su interior, y luego se lo devolvió con el contenido hecho un revoltijo.

Todas las ventanas estaban selladas, y mientras los ojos de Axel se acostumbraban a la penumbra pudo distinguir un amplio suelo de mármol ajedrezado en colores antracita y gris. El techo se perdía en la oscuridad. Al fondo del vestíbulo varias personas hacían cola ante un gran escritorio ocupado por más policías. Un sudor frío, que no tenía nada que ver con ningún esfuerzo físico, empapó el cuello de Axel. Se preguntó si Flavia habría pasado también por allí, aterrorizada o fulminando a todos con mirada desafiante.

El policía le hizo señas para que avanzara y Axel se puso en la cola. El escritorio era cuadrangular, y se elevaba tanto sobre el suelo que una mujer que estaba siendo atendida tenía que ponerse de puntillas para que la vieran. Más allá, una escalera se enroscaba en torno al hueco de un ascensor tipo jaula.

Axel aguzó el oído para escuchar las conversaciones ante el mostrador, pero las voces eran apenas murmullos. Aquello recordaba a un banco. Cuando le llegó el turno, fue atendido por un hombre de uniforme con gafas. Axel estuvo tentado de denunciar el caso de Flavia como el de una persona desaparecida para ver si podía hacer sentir cierta culpabilidad al funcionario, pero no era el momento de mostrarse airado. Con un tono de voz sereno, le explicó que la Gestapo había detenido a una amiga suya y que había venido allí para aclarar lo que sin duda era un error flagrante.

El policía administrativo pareció desconcertado, y después le preguntó si tenía concertada una cita. Axel admitió que no la tenía.

—Entonces tendrá que volver más tarde.

—¿Cuándo?

El hombre consultó una agenda encuadernada en piel.

—En septiembre —dijo.

Axel frunció el ceño en contra de su voluntad.

—Lo siento, pero no puedo esperar tanto. —Su tono resultó muy inapropiado, perentorio. Debería tener más cuidado. Lo intentó de nuevo con voz más suave—. ¿Podría tal vez esperar a que quedara alguien libre para recibirme?

La palabra «libre» sonó vagamente satírica, pero el policía administrativo no pareció advertirlo.

—Si está dispuesto a esperar... —dijo en tono dubitativo.

Axel le aseguró que lo estaba.

—Tal vez el Kriminalrat Gutmann pueda encontrar un momento para recibirle.

—Ah, el Kriminalrat Gutmann —repitió Axel, como si estuviera hablando de un amigo.

Gutmann, Good Man, «Hombre Bueno»... el nombre sonaba alegóricamente cómico, y por un momento se preguntó si se trataría de una clave, un mensaje enviado por micrófono a algún duro oficial del consejo de la policía criminal que se encontrara en alguna parte de aquel edificio.

—Pero no puedo garantizarle nada.

Axel asintió y dijo que se hacía cargo.

El policía administrativo anotó sus datos personales y le pidió también los de Flavia. Después señaló hacia arriba.

—Cuarta planta, despacho veintinueve.

Axel le dio las gracias y rodeó el mostrador de recepción. Pasó por delante de la caja del ascensor y se fijó en que sus puertas estaban cerradas con candado. Una brisa fría ascendía desde los pisos inferiores.

Transportando con sumo cuidado el maltrecho paquete, Axel subió por las escaleras. Las plantas superiores estaban pavimentadas con el mismo mármol a cuadros del vestíbulo. A uno y otro lado se extendían largos corredores, detrás de cuyas puertas se advertían signos de actividad: conversaciones en voz baja, rumor lejano de teletipos, una secretaria que pasaba corriendo de un despacho a otro con una carpeta de color verde oscuro bajo el brazo.

Llegó a la planta cuarta y fue contando los números de las puertas: veintiséis... veintisiete... veintiocho... Despacho veintinueve. Abrió la puerta y entró. La sala era larga y estrecha. Tres mujeres escribían a máquina en una mesa de caballete, de espaldas a una serie de ventanas acristaladas, con tres hombres sentados enfrente de ellas. Había más hombres en un banco a lo largo de la pared más cercana y un guardia al fondo de la estancia. La postura de los hombres sentados resultaba extrañamente parecida, con las manos y los pies apuntando hacia delante, y cuando Axel se acercó más pudo ver que llevaban esposas y grilletes.

Vaciló, miró hacia atrás y vio a un segundo guardia junto a la puerta: resultaba fácil entrar en aquella habitación, pero tal vez más difícil salir. Se preguntaba si habría recordado correctamente el número del despacho, pero los guardias parecieron aceptar su presencia allí y le indicaron que tomara asiento, por lo que buscó un lugar en el banco junto a los otros. Pudo sentir fijas en él las miradas de los presos que estaban a ambos lados. ¿Habrían entrado también en aquel despacho como hombres libres?

Se sentía mareado y las manos le temblaban, y por un momento se preguntó si estaría sufriendo una recaída de la malaria que había contraído veinte años atrás en Sierra Leona. Entonces se acordó... era la misma sensación que experimentó en Passchendaele en 1917 la mañana del ataque en el que resultó herido: un gran vacío en la boca del estómago.

Cerró los ojos, respiró profundamente e imaginó el mar: el Mediterráneo el día en que el *Einhorn* zarpó de Nápoles. Alta mar, vientos cálidos y la perspectiva de volver a casa; Vera a su lado en una tumbona, tapándose la cara del sol con un libro y sonriéndole a los ojos.

Había que ordenar primero los pensamientos y el cuerpo respondería. El valor consistía en mostrarse dispuesto a jugarse la vida, pero no por apatía, sino porque la vida era ya de por sí harto complicada. Si lo peor que te puede pasar es la muerte, entonces no había nada que temer, ya que la muerte llegará de todos modos. En las trincheras había visto morir a mucha gente. Era algo normal.

Las máquinas de escribir tableteaban y repicaban, mientras los hombres sentados ante la mesa musitaban declaraciones o confesiones o, por lo que él sabía, las cláusulas de sus testamentos.

El preso que tenía más cerca terminó de hablar, y la mujer de enfrente le entregó la transcripción. El hombre la leyó atentamente y, al final de cada página, garabateó una firma. Axel, demasiado lejos, fue incapaz de descifrar el nombre.

Cuando el hombre acabó, se puso en pie y miró a su alrededor, revelando un rostro lleno de magulladuras. Aquella inesperada visión resultó muy turbadora para Axel, que evitó cruzar su mirada con la del preso. Las cadenas le hacían caminar como un pingüino. Uno de los guardias lo condujo afuera y otro detenido ocupó su lugar frente a la mecanógrafa.

Durante el resto de la mañana se repitió la misma historia: los prisioneros iban y venían, y dictaban sus declaraciones. Algunos se mostraban desafiantes, otros intimidados, pero todos se expresaban con suma cautela, como si sus vidas dependieran de ello. Las mujeres parecían todas igual de aburridas.

A la hora de la comida, las mecanógrafas salieron con sus fajos de papeles, entonces llegaron otras mujeres y prosiguieron con la tarea. Axel preguntó al guardia más próximo si sabía dónde trabajaba el Kriminalrat Gutmann. El hombre se encogió de hombros.

—A mí nadie me dice nada.

Axel no estaba seguro de cómo se explicaría, llegado el caso. Había ensayado los puntos más obvios, pero las improvisaciones no eran su fuerte y corría el riesgo de contradecir a Freddie o Flavia.

A media tarde empezó a sospechar que el policía o bien se había olvidado de anunciarlo al Kriminalrat Gutmann o bien había decidido no hacerlo; o incluso que Gutmann, después de todo, fuera tan solo alguien imaginario, una broma pesada que le gastaban para que él la transmitiera al exterior: no había ningún Hombre Bueno en la sede central de la Gestapo. Tenía hambre y sed, y necesitaba ir al baño.

Eran más de las cinco cuando trajeron a la mujer. Era joven, aproximadamente de la misma edad que Flavia, y llevaba las manos y los pies encadenados como los hombres. Cuando llegó a su altura, vio por la prominencia de su vientre que estaba embarazada. Los guardias y las mecanógrafas no parecieron extrañarse, pero estaba más que claro que Axel no podía levantarse y pedir que le soltaran las cadenas. La mujer estaba pálida y parecía enferma. El guardia la condujo hasta el banco.

Naturalmente, Axel sabía que el régimen estaba arrestando a mujeres, muchas de ellas esposas o, como Flavia, amantes de conspiradores, pero hasta entonces no había pensado mucho en ello. Poco a poco su ira se transformó en horror al pensar que se le permitía permanecer allí como testigo... dejándole claro que su opinión importaba bien poco. Si lo dejaban marcharse después, significaría que habían perdido todo rastro de decencia.

Otro de los presos firmó su declaración y entonces la mujer se levantó y ocupó su lugar frente a una de las mecanógrafas. Axel estaba furioso, pero también avergonzado. Durante años había restado importancia a los temores de Vera sobre el rumbo que estaba tomando el país; ella provenía de un lugar más feliz, le había dicho él, y por eso no entendía que la agitación era algo normal en Alemania. Allí no había habido democracia antes de la Gran Guerra, y durante la contienda habían pasado hambre. Ella no había vivido las batallas en las calles ni la hiperinflación.

Pero Vera tenía razón: siempre se podía ir a peor. Donde él solo había visto errores estúpidos y calamidades, ella había reconocido un camino cuyo destino era una mujer embarazada con grilletes.

Le debía a Vera una disculpa, pero no solo eso: le debía un cierto grado de seguridad. Ella ya había pasado por demasiadas experiencias terribles, y por eso prometió en silencio que a partir de aquel día haría todo cuanto estuviera a su alcance para mantenerla a salvo.

La mujer embarazada concluyó su declaración, firmó la transcripción y se puso en pie, mirando a su alrededor como aturdida. Uno de los guardias le señaló la puerta.

Axel se levantó de su asiento.

—Dispense, *gnädige Frau* —le dijo. Ella lo miró con un rostro carente de expresión—. Creo que esto es para usted.

Le tendió el paquete con la comida y ella se lo quedó mirando fijamente, sin hacer movimiento alguno para aceptarlo.

—De parte de un amigo —explicó Axel, dirigiéndose también al guardia. Puso el paquete en las manos de la mujer, haciendo que tintinearan las cadenas—. Tenga cuidado: el envoltorio está roto.

La mujer lo tomó y asintió con la cabeza, pero su rostro permaneció impávido, así que Axel no pudo saber si había entendido la naturaleza del regalo, o ni siquiera que se trataba de uno. El funcionario la empujó por el brazo y ella renqueó hacia la puerta, apretando el paquete contra su vientre.

Axel se sentó de nuevo, temblando pero ya sin miedo. Ahora estaba seguro de que sabría cómo actuar si aparecía el tal Gutmann. Vera lo había acusado de ser un ingenuo, así que... al diablo con todo: se pondría la coraza de la ingenuidad. Diría y haría cualquier cosa con tal de que soltaran a Flavia.

Llevaba nueve horas esperando cuando un policía gritó su nombre y le anunció que el Kriminalrat Gutmann lo recibiría. Desde la sala de espera el guardia lo condujo de vuelta al pasillo y llamó a una de las puertas por delante de las cuales había pasado esa mañana. Respondió un hombre, y entonces el policía abrió la puerta y le hizo pasar al potente resplandor de unas lámparas de arco voltaico. Axel avanzó un paso y se detuvo, sin ver nada más que el suelo y las patas de un escritorio. Desde la cegadora luz una voz se presentó como el Kriminalrat Gutmann y le ordenó que tomara asiento.

—Me encantaría, herr Kriminalrat, pero debo confesar que no veo absolutamente nada.

Como primera confesión sonó insolente, y se produjo una larga pausa detrás del escritorio. Entonces Axel oyó el crujido de una silla y el clic de un interruptor, que dejó una única bombilla encendida en el techo. Sus pupilas se dilataron.

Lo primero que advirtió cuando recuperó la vista fue la juventud del Kriminalrat, apenas una leve sombra de vello en su tez pálida. Su rostro era sorprendentemente triangular y achatado, con un mechón de cabello castaño caído sobre la frente. Una boca fina. Ojos entrecerrados de miope, aunque no llevaba gafas. La amplia frente sugería una inteligencia formidable.

—Herr Frey, dentro de una hora tengo una cena con unos amigos. Una cena que, de hecho, se ofrece en mi honor.

—Le agradezco su tiempo.

—Francamente, tengo curiosidad. No es frecuente que alguien se presente por sí mismo para ser interrogado.

—Para serle sincero —respondió Axel—, he venido para hacer preguntas, no para contestarlas.

El Kriminalrat pareció divertido.

—Con respecto a frau Stahl, me imagino.

—Exacto.

—¿Y qué le gustaría saber?

—Por qué razón está detenida. Y qué puedo hacer yo para aclarar cualquier malentendido que pueda haber conducido a su arresto.

El Kriminalrat extrajo de un cajón varias carpetas, una mucho más abultada que las otras.

—Herr Frey, ha escogido a sus amigos de forma imprudente. Muy imprundente, de hecho. —Se inclinó hacia delante—. Frau Stahl es una imbécil. Una absoluta y redomada idiota.

Trottel: una descripción extraña, incluso cómica, de Flavia, pero probablemente alentadora. ¿Iba a molestarse el régimen en ejecutar a los idiotas?

—Procuro pasar por alto los defectos de mis amigos.

El semblante del Kriminalrat se ensombreció.

—¿Pasar por alto la traición? ¿Pasar por alto la solemne estupidez, repetida una y otra vez? ¿Pasar por alto una aventura con el traidor más abyecto, con un hombre resuelto a asesinar al Führer y a apuñalar a la nación por la espalda?

Su mirada miope estaba cargada de desprecio. La furia del Kriminalrat tenía algo de teatral, pero aun así Axel notó que empezaban a sudarle las manos.

—En mi opinión, Flavia... es decir, frau Stahl —respondió—, amaba de verdad a Friedrich Motz-Wilden.

—Entonces no lo niega.

—No, pero ella nunca ha estado metida en política. Flavia es una persona sencilla, y si tiene algún defecto es la frivolidad. Lo último que podría esperarse de ella es que se interesara por la política.

En cierto sentido, todo cuanto había dicho era verdad: a pesar de toda su retórica, a Flavia la traían sin cuidado las ideas. En este aspecto, Vera era la más política de las dos.

—Cuando me enteré de que Motz-Wilden había conspirado contra el Führer —prosiguió Axel—, me quedé horrorizado, y me consta que Flavia también. Yo diría que su naturaleza confiada le impidió ver la verdadera personalidad de Motz-Wilden.

—Un bonito discurso —comentó el Kriminalrat con desdén. Señaló la carpeta más abultada—. El dossier de Friedrich Motz-Wilden. Cada una de estas páginas contiene pruebas concluyentes de su culpabilidad, y en muchas de ellas aparece el nombre de Flavia Stahl.

Axel lo puso en duda: si así fuera, la policía habría detenido a Flavia mucho antes.

—Como le he dicho, Flavia estaba muy enamorada de Motz-Wilden. Es natural que pasara mucho tiempo con él.

Confiaba en que la proximidad a Freddie fuera la única prueba que tuvieran contra ella.

Los ojos del Kriminalrat se entrecerraron aún más.

—Herr Frey, dice haber venido aquí para interesarse por frau Stahl, pero déjeme decirle con todo respeto que también tiene usted sus propios problemas. También usted era amigo de Motz-Wilden.

El Kriminalrat había puesto sus cartas boca arriba. La conversación había llegado a un punto al que tal vez había estado dirigida desde un principio. Axel se preguntó si toda su vida había estado encaminada hacia ese momento.

—Es cierto —admitió—. Y, al igual que Flavia, no tenía ni idea de sus actividades.

—Eso habrá que verlo. —El Kriminalrat abrió una de las carpetas más finas y Axel descubrió con horror que en ella figuraba su nombre—. Herr Frey, voy a hacerle una serie de preguntas, y le advierto que si no me responde con absoluta sinceridad se estará metiendo en un terreno muy peligroso.

Axel asintió. La absoluta sinceridad era una premisa que podía cumplir.

—¿Conocía bien al traidor Friedrich Motz-Wilden?

—A juzgar por lo ocurrido, no lo suficiente. Nos conocimos a principios de este año.

Con un sobresalto, cayó en la cuenta de que su respuesta no solo era vaga sino además incierta, ya que Freddie y él se habían conocido en Nochevieja.

—¿Dónde se conocieron exactamente?

Axel recordó la fiesta. ¿Cuántos invitados había? ¿Veinte? ¿Veinticinco? Rememoró la euforia de la noche, el espíritu de buena voluntad reinante.

—Debió de ser en enero, sobre el siete o el ocho. Nos ayudó a mi mujer y a mí a mudarnos a nuestro piso en Kreuzberg.

El rostro del Kriminalrat no se alteró, y Axel se permitió un cauteloso respiro de alivio. Quizá la Gestapo carecía de la clarividencia que todos le atribuían. Guttman le preguntó quién más había estado allí, a lo que Axel respondió sin vacilación; después de todo, Freddie y su amigo piloto estaban muertos, y solo quedaban Vera, Flavia y él mismo.

El Kriminalrat consultó sus papeles.

—El diecisiete de marzo de este año organizó usted una cena para frau Stahl y Motz-Wilden.

Aquello resultaba más incómodo. ¿Lo habría revelado Freddie o Flavia, o tal vez alguien más?

—No recuerdo la fecha exacta, pero sí, celebramos una cena en casa.

—¿Y de qué hablaron?

Sedición en su mayor parte, si mal no recordaba: desde la anécdota de la alfombra del Führer hasta la supuesta matanza de judíos.

—Fue una conversación distendida.

—¿Distendida?

—Amena. Trivial.

—Vamos, hombre, debió de haber algunos momentos de seriedad. La nación está en guerra.

—Tiene razón, herr Kriminalrat. Hubo un momento en que expresé mi consternación por que los soviéticos hubieran cruzado la frontera polaca.

—¿Hablaron de política?

—No, que yo recuerde. Como le he dicho, Flavia no es un animal político. Se hubiera aburrido conversando sobre política.

El Kriminalrat Gutmann se mostró escéptico, pero no insistió en el tema. En vez de eso, abrió otra de las carpetas.

—Veo que su esposa es británica.

Axel se esperaba aquello, pero aun así sintió que le flaqueaba el ánimo. Hasta el momento, Vera había tenido razón acerca de lo que le aguardaría allí dentro.

—Del Dominio británico —le corrigió.

El Kriminalrat Gutmann pareció desconcertado por aquella distinción.

—Es australiana —puntualizó Axel.

—Pero Australia es parte del Imperio británico.

—Lo era.

En realidad, no estaba muy seguro acerca de los matices constitucionales.

El Kriminalrat Gutmann pareció impacientarse.

—Australia está en guerra con Alemania, ¿no es así?

Su voz sonó un tanto insegura y Axel estuvo tentado de negarlo, pero el hecho se podía comprobar fácilmente. Así pues, admitió que, en efecto, Australia estaba en guerra con Alemania.

—Pero solo técnicamente. No creo que hayan combatido contra los alemanes. Su principal enemigo es Japón.

Tampoco ahora Gutmann pareció muy satisfecho. Echó una ojeada a la carpeta y comenzó a hacerle una serie de preguntas sobre Vera: cómo se habían conocido, quiénes eran sus padres, sus familiares, a qué se dedicaba allí... Su tono era más calmado y parecía casi amistoso, como si acabaran de conocerse en una fiesta y estuvieran charlando tranquilamente. Axel estaba desconcertado. Cuando le explicó que Vera había enseñado alemán a jovencitas, el Kriminalrat pareció interesado y quiso saber en qué tipo de escuela había sido. ¿Había conocido Vera a los padres de sus alumnas? ¿Había entre ellos personas influyentes?

Axel creyó atisbar una salida, una idea tan rocambolesca que de entrada la rechazó, para retomarla al momento con contenida excitación. Cuando menos, podía intentar ponerla a prueba.

—Había un alto funcionario civil a quien Vera frecuentaba. Había conocido a su esposa a través de la escuela, y la invitaban con frecuencia a su casa. ¿Cómo se llamaba...? —Frunció el ceño, haciendo un esfuerzo por pensar que resultó tremendamente auténtico: los únicos apellidos británicos que le venían a la cabeza eran Churchill y Roosevelt, y el último era holandés—. Smith —dijo al fin—. Eso es. Smith.

La expresión del Kriminalrat Gutmann era burlonamente desdeñosa.

—Selby Smith —continuó Axel—. Era un personaje influyente en el gobierno de Nueva Gales del Sur, pero después pasó a formar parte del gobierno nacional... como primer secretario del ejército, o algo así. A finales de los años treinta presidió una delegación enviada a Gran Bretaña, donde estableció contactos con los militares de allí. Vera mantuvo correspondencia con su esposa hasta el inicio de la guerra. Fue nombrado caballero y se convirtió en sir Selby Smith.

Axel se preguntó si no estaría pasándose un poco, pero el Kriminalrat parecía interesado, incluso ávido por saber más detalles.

—¿Llegó a conocer usted a ese tal Selby Smith?

—Oh, claro. Por entonces Vera era muy buena amiga de la familia. Todavía puedo recordar a sir Selby: un tipo fornido, con bigote de morsa y completamente calvo. Tenía una risa estruendosa —añadió Axel, riéndose para sus adentros e imaginando otros rasgos de Reinhardt Schiefer que podría incorporar a su retrato. Casi estaba disfrutando—. Era un gran admirador de Alemania.

—¿De verdad? ¿Y eso por qué?

—Creía que los aliados habían tratado con excesiva dureza a Alemania en Versalles. Recuerdo que decía que los británicos habían cometido un grave error y que algún día tendrían que enmendarlo.

—¿Le dijo eso a usted?

—Así es. Por supuesto, eso fue antes de que alcanzara notoriedad, aunque dudo que sus opiniones hayan cambiado desde entonces. Estaba muy interesado por conocer mis experiencias en el frente occidental. De hecho, descubrimos que había mandado un regimiento que combatió contra el mío por la época en que resulté herido, en mil novecientos diecisiete.

—¡Vaya coincidencia! —comentó Gutmann, con un tono de voz nuevamente receloso.

—No se crea —respondió Axel—. Las tropas australianas ocupaban grandes sectores en las líneas aliadas.

—Creía haberle entendido que no habían luchado contra Alemania.

—En esta guerra. En la anterior fueron grandes adversarios. Algunos afirman incluso que los australianos inclinaron la balanza en las batallas finales de mil novecientos dieciocho.

De pronto, el Kriminalrat volvió a parecer furioso.

—¡Eso es mentira! Jamás habríamos perdido la guerra si los judíos y los comunistas no nos hubieran apuñalado por la espalda.

—No sabría decirle —respondió Axel—. Yo era un simple soldado en el frente.

Ahora se sentía cansado y harto de juegos, peligrosos o de cualquier otro tipo. Uno de los dos tenía que decidirse a correr el riesgo. Era posible que en la habitación hubiera micrófonos, así que debía medir muy bien sus palabras.

—Selby Smith es un hombre importante —aseguró, dejando traslucir en su voz una vaga promesa—, y cuando esta infortunada guerra acabe mi esposa no dudará en retomar la amistad.

El Kriminalrat lo estudió detenidamente, se levantó y apartó las carpetas a un lado:

—Herr Frey, la cena a la que asisto esta noche es una especie de despedida. Me he alistado como voluntario en la Wehrmacht y pronto abandonaré mi cargo aquí. Pero le prometo que, antes de marcharme, me ocuparé del caso de frau Stahl.

Le tendió la mano y Axel se la estrechó. Cualesquiera que fueran sus convicciones políticas, el Kriminalrat Gutmann sabía muy bien hacia dónde soplaban los vientos: el gris de campaña sería mucho más fácil de explicar a los aliados que el uniforme que ahora llevaba. Tendría que sobrevivir antes al campo de batalla, pero sin duda estaría bien relacionado con algún alto mando del Cuartel General. Axel le expresó su gratitud y el Kriminalrat lo acompañó a la puerta.

Las escaleras estaban pobremente iluminadas y Axel las bajó algo aturdido. No tenía ni idea de qué hora podía ser, ni tampoco energía para alzar el reloj y consultarlo. El mostrador de recepción estaba vacío. Cruzó el vestíbulo y un guardia le indicó la salida. Había caído el crepúsculo y Venus descendía sobre un perfil urbano que, según le pareció, podría ser recortado con tijeras de una cartulina negra. Bajó los escalones y se dirigió a casa.

8

Krypic estaba preocupado. Llevaba varios días sin ver a Vera.

El primer día no aparecieron ni Vera ni su marido, y estuvo convencido de que los habían arrestado a ambos. Le bastaron unas pocas horas para darse cuenta de que la vida de Vera le importaba más que la suya propia y que hubiese dado su vida por salvarla. Pero aquello no eran más que fantasías. Y lo único que podía hacer era esperar.

Axel Frey apareció al día siguiente, pero dando muestras de una preocupación nada habitual en él. Vera no se encontraba bien, anunció a los trabajadores, llevándose una mano a la boca y sin mirarlos de frente. Cuando los polacos partieron hacia sus obligaciones, Krypic vaciló, tentado por el impulso de agarrarlo por el cuello y exigir que le contara la verdad. ¿De qué servía mostrarse prudente ahora? Tan solo lo detuvo una exasperante sensación de impotencia: conocer su situación tampoco serviría para que pudiera ayudarla.

Los dos días siguientes los pasó como en ascuas. Herr Frey llegaba al zoo cada mañana como de costumbre, pero no decía nada de Vera. Su incertidumbre era una agonía.

Llegó el domingo. En el instante mismo en que abrieron las puertas de los barracones, Krypic se encaminó hacia Bahnhof Zoo, adonde llegó poco después de las ocho. Los domingos el director solía presentarse más tarde, y lo más probable era que saliera de la estación a las nueve, cruzara Hardenberg-platz y entrara en el zoo. Sin perder tiempo, Krypic partió hacia Kreuzberg.

Su única opción era ir caminando. Era un hermoso día de finales de verano, y el paseo entre montañas de tejas y ladrillos le recordaba sus excursiones por los Cárpatos. En el Mitte, algunos de los edificios no eran más que formaciones rocosas.

En Kreuzberg la devastación era algo menor. Él no había estado nunca en aquella zona de Berlín y solo conocía la dirección de Vera por algunas cartas dirigidas a ella que había visto en el zoo. Caminaba al azar, sin conseguir dar con la Reichenbergerstrasse, cuando vio a un anciano y decidió arriesgarse a preguntar por la calle. El hombre le dio todo tipo de indicaciones, y después comenzó a contarle la historia de su vida que, por lo que Krypic pudo deducir, había transcurrido prácticamente en las calles de los alrededores. Tal vez el viejo tuviera la vista demasiado mal para distinguir el distintivo en su camisa, pero el placer de que se dirigieran a él como a un ser humano corriente le resultó tan gratamente inesperado que Krypic lo dejó divagar.

Tras algunos vanos intentos de cortar la conversación, Krypic se despidió del hombre y tomó el camino que le había indicado. La Reichenbergerstrasse estaba cerca: la había cruzado ya antes, pero las explosiones y los escombros habían hecho desaparecer los rótulos de las calles.

Aparte de localizar el bloque en el que vivía Vera, no tenía ningún otro plan. Había imaginado que podría verla convaleciente junto a alguna ventana abierta, o tal vez paseando por la calle: un simple atisbo le bastaría. De hecho, si se encontraba en casa, a Vera no le haría ninguna gracia que se presentara allí. Por un buen número de razones, lo mejor era mostrarse cauto.

Había pasado ya junto a unas pocas entradas cuando advirtió que, por cada bloque que daba a la calle, había hasta otros cinco interiores en torno a patios, conectados a través de galerías con arcos como en infinita recesión. El número 412 era uno de los bloques interiores. Krypic se detuvo en la acera. Una cosa era observar de pasada un edificio que diera a la vía pública y otra arriesgarse a fisgonear en los apartamentos. Necesitaba tiempo para reflexionar, y para no dar la impresión de andar vagabundeando tomó por una calle lateral. Un par de minutos más tarde llegaba a un amplio canal.

En las sombras de debajo de un puente se cambió de camisa y emergió por el otro lado como un ciudadano sin distintivo. Gracias a su destreza como falsificador, no iba demasiado mal vestido. El camino de vuelta a la Reichenbergerstrasse era más largo que cualquier otro que hubiese recorrido en Berlín sin la ambigua protección del distintivo, pero había poca gente en las calles y procuró poner cara de saber perfectamente adónde se dirigía.

Dejó la calle principal y anduvo bajo las galerías hasta llegar al número 412. El aspecto del bloque era deprimente, y le resultaba difícil creer que allí pudiera estar el hogar de Vera. Algunas de las ventanas de los pisos de arriba estaban abiertas, pero desde su posición solo se veían techos, y tampoco quería llamar la atención retrocediendo hasta el centro del patio para tener una vista mejor. La única alternativa que le quedaba era entrar.

Ninguno de los pisos de la planta baja era el de Vera, así que subió por la escalera hasta llegar al tercer nivel y dar allí con el número seis. La puerta estaba cerrada. Había esperado encontrala entreabierta y escuchar ruidos en el interior.

Se acercó más y aplicó la oreja a la puerta. El piso estaba en silencio. Si Vera no se encontraba bien, puede que estuviera dormida, aunque eso no explicaba la actitud nerviosa y preocupada de Axel Frey.

¡Cuánto había deseado poder encontrarla allí! Una vez llegado al final de su peregrinación, preguntar no le parecía pedir demasiado. Una señal bastaría, un mínimo indicio ... no hacía falta la gozosa evidencia de una mujer en carne y hueso.

Se volvió para marcharse y entonces se detuvo, miró de nuevo la puerta y, decidiéndose casi en el último momento, levantó la mano y llamó.

El apartamento era el primer lugar donde los buscaría la policía, pero en ningún lugar estarían a salvo si iban a por ellos, y así, aunque al principio había odiado aquel piso, ahora Vera encontraba confortador su reducido espacio.

Axel iba y venía cada día, radiante de esperanza. Aquello ayudaba, pero aún no tenían ninguna noticia de Flavia.

Durante tres días Vera escribió cartas y limpió el piso, y cuando ya no le quedaba nada que frotar, se dedicó a la costura. De cuando en cuando se detenía con la vista perdida en el vacío, inmovilizada por una sensación de futilidad.

Estaba hilvanando el dobladillo de una falda cuando sonó el golpe en la puerta, que se le clavó como una punzada en el pecho. Se quedó sentada muy quieta. Su visitante podía ser cualquiera... Erna Eckhardt, o incluso Flavia. Se puso en pie y cruzó la habitación, corrió el pestillo y abrió la puerta de par en par.

Martin pareció sorprendido, lo cual más tarde le resultaría a Vera algo muy extraño. De momento solo estaba estupefacta. Su primer impulso había sido gritarle que se fuera, pero la idea de enviarlo escaleras abajo era tan aterradora como la de dejarle entrar. Lo agarró del brazo y tiró de él para hacerlo cruzar el umbral, volvió a mirar hacia el descansillo y vio a frau Ritter. Vera se detuvo, su mano aferrando aún el brazo de Martin, saludó bruscamente con la cabeza a la sonriente mujer y cerró la puerta de golpe.

Martin estaba ya balbuciendo disculpas.

—Pensé que no estarías aquí.

—¿Y a quién esperabas encontrar? —le susurró—. ¿A Hermann Göring?

—Entonces... ¿te encuentras mejor?

Ella lo miraba furiosa, desconcertada, y le puso un dedo en los labios. No tenía la menor idea de cómo había podido encontrarla. Al menos no llevaba su distintivo, aunque eso no hacía más que agravar el riesgo que estaba corriendo.

Acercó la oreja a la puerta y no oyó nada fuera, aunque estaba convencida de que frau Ritter seguía allí, probablemente a escasos centímetros de distancia.

Condujo a Martin al dormitorio y le susurró al oído que tenía que marcharse inmediatamente, que ya se verían al día siguiente. Le dijo que no hablara con la mujer que estaba fuera, aunque ella intentara sonsacarle alguna palabra. Le preguntó si lo había entendido.

Martin asintió, con aire desdichado, y Vera lo acompañó hasta la puerta. Fuera se oyó un corretear de pies. Para reforzar sus palabras, Vera señaló con insistencia hacia las escaleras, después abrió la puerta e hizo salir a Martin. Frau Ritter estaba esperando en las escaleras, espiando sin ningún disimulo. Vera aguardó a que Martin pasará sin problemas por delante de la mujer, luego miró fijamente a frau Ritter y cerró la puerta.

—¿En qué demonios estabas pensando para hacer algo así?

La pregunta llevaba veinticuatro horas bullendo en su mente, y ahora estaba decidida a obtener una respuesta. Hacía mucho calor en la sala de calderas, el generador funcionaba con estrépito y un olor a petróleo impregnaba el aire. Una hilera de bombonas cilíndricas de gas vacías se alineaban a lo largo de una pared, como Vera imaginaba que estarían dispuestas las bombas en el vientre de un avión.

Martin estaba compungido: esa era la palabra que mejor lo describía. Con su cabello rizado y sus rojos labios muy prietos podía ser la viva imagen de un escolar presa del remordimiento. El piloto de luz destellaba. Martin se sentía atenazado por la angustia.

—Lo siento muchísimo, Vera —consiguió decir—. Estaba muy preocupado.

—Así que decidiste cargarme a mí con una nueva preocupación.

La palabra «preocupación» quedaba muy lejos de lo que Vera había experimentado durante toda la noche. Las vibraciones del generador se clavaban punzantes en la caja de resonancia de su cráneo.

Martin se serenó. Adoptó una expresión solemne.

—Vera, yo nunca he querido hacerte daño. Te amo. Haría cualquier cosa para proteger nuestro amor.

Su amor... Hacía que sonara tan real, tan tangible... Vera se preguntó si sus propias emociones habían llegado a ser alguna vez algo tan concreto. Martin la había atraído e intrigado, eso era cierto, y ella había respondido deseándolo y empatizando, en ocasiones incluso adorándolo.

—Ya no hablamos como lo hacíamos al principio —dijo él.

Si ella lo había amado, había sido sobre todo de obra. Sus sentimientos eran impredecibles como el azogue, no el monumento que él describía como amor.

—Tu alma... está en otra parte —prosiguió Martin, cada vez más quejumbroso—. Nunca hemos pasado una sola noche juntos.

Vera estuvo a punto de replicar que era por culpa de él, pero se contuvo a tiempo, pasmada por haber llegado casi al extremo de culparle.

Martin le sujetó ambas manos.

—Si les dejas, ellos lo matarán.

Hablaba de su amor, de su gran amor, yaciendo como una foca rodeada de hombres con porras. Dejó que la estrechara entre sus brazos.

En muchos aspectos, lo entendía mejor que a Axel. Había en Martin una vulnerabilidad que ella reconocía muy bien, una sensibilidad que hubiese calificado de femenina de no ser porque había encontrado en otros hombres esa cualidad, y también a muchas mujeres que carecían de ella.

Quizá lo que había buscado en Martin era a ella misma. De ser así, dudaba que su aventura pudiera justificarse... si es que se puede excusar la infidelidad. El autodescubrimiento era seguramente un lujo para tiempos de paz.

—Las cosas mejorarán —dijo Martin—. La guerra acabará. Hasta entonces, nos tendremos el uno al otro.

Vera lo atrajo hacia sí, esperando que aquello sirviera como respuesta, pero por su rigidez notó que quería que dijera algo. Le pasó suavemente los dedos por el pelo, tomó su cabeza entre las manos y la reclinó junto a su cuello.

—Martin... ¿qué haría yo sin ti?

Debido a la suspensión veraniega de los ataques nocturnos, Axel había tenido pocas ocasiones de coincidir con la *Stamm*, y por eso se mostró sorprendido cuando frau Ritter lo paró en el vestíbulo. Empezó con las quejas de costumbre acerca de las restricciones de víveres, comentó la gran cantidad de calcetines que su hija había tejido para las tropas y alardeó de que su yerno había sido nombrado jefe de distrito del Partido. Estaba ya traspasando el umbral cuando la mujer añadió una frase que le resultó muy extraña, como si estuviera dirigida a otro. Se detuvo en los escalones, no muy seguro de haberla escuchado correctamente: algo relativo a Vera y a un joven bien parecido.

—Parecían ser muy buenos amigos —dijo frau Ritter—. ¿No es un consuelo tener a alguien en quien apoyarse en estos tiempos difíciles?

Axel murmuró unas palabras de asentimiento y se apresuró a despedirse, sintiendo como si acabara de hurgar en asuntos ajenos. Pero, sobre todo, se sentía confuso: Vera no conocía a ningún joven, al menos ya no. Incluso los jóvenes actores que había conocido a través de Flavia habían sido enviados tiempo atrás al frente. Repasó las posibles explicaciones, pero tanto si frau Ritter había pretendido insinuarla como si no, solo había una.

Incluso antes de que el pensamiento anidara en su espíritu, ya lo había rechazado. Salvo por las tensiones surgidas a raíz de su intento de ayudar a Friedrich, las cosas entre él y Vera iban bastante bien. A pesar de los agobios del trabajo y del racionamiento, el aspecto físico de su relación iba viento en popa. Y Vera era demasiado reflexiva, demasiado formal, para descarriarse.

Sin embargo, quedaba la duda de por qué habría de mentirle frau Ritter. Vera siempre había dicho que aquella mujer le tenía ojeriza, y tal vez estuviera en lo cierto.

Le vino a la mente otra idea. En el edificio de Prinz-Albrechtstrasse se había preguntado cómo podría haberse enterado Gutmann de su cena con Friedrich y Flavia, y la respuesta podría ser muy bien a través de frau Ritter. Axel recordaba haberla visto apostada en su puerta aquella noche, y al día siguiente había interrogado a Vera. La ansiedad por la suerte de su hijo prisionero podría haber sacado de quicio a la pobre mujer, y posiblemente el acento extranjero de Vera hubiese hecho el resto. Cualquiera que fuese la causa, era más que probable que Vera hubiese tenido razón al desconfiar de ella.

Krypic se acercó a los perros de caza africanos llevando una carretilla cargada hasta arriba de zancarrones de vacuno. Los huesos estaban mondos de carne e incluso había un par de cuernos. Pero los perros estaban ya agitados y ladrando. Soltó la carretilla y comenzó a arrojar los huesos uno por uno al otro lado de la verja. Hubo algunas riñas por los primeros, pero luego cada perro se hizo con su hueso y se dedicó a roerlo.

Descansó un rato apoyado contra la tela metálica. El sol era agradable. De la sombra de una caseta salió un perro solitario, una hembra, que se acercó tambaleante a la luz del sol.

Sacudía la cabeza con brusquedad de un lado a otro y jadeaba apresuradamente, gruñendo con cada exhalación. Tenía abiertas las mandíbulas, que rebosaban de una baba espumeante. Las orejas de los otros perros se amusgaron hacia ella y algunos la miraron.

Krypic retrocedió, dejó la carretilla apoyada contra la verja y fue corriendo en busca de Vera. La encontró en el recinto de los primates, le describió lo que acababa de ver, reservándose el diagnóstico para sí, y los dos se dirigieron a toda prisa al lugar. El aire inundaba los pulmones del hombre, que se sentía más fuerte que nunca desde su captura. La luz del sol bañaba sus brazos y su cuello.

Llegaron a la perrera, donde la hembra protegía un círculo de huesos abandonados. El pelaje se le erizaba en el lomo, y jadeaba y soltaba espumarajos por la boca. Tres de los machos, entre ellos el jefe de la manada, le enseñaban ya los colmillos en actitud amenazadora. Vera soltó un improperio en inglés, le advirtió que no dejara que ningún animal se acercara a la perra y se alejó a toda prisa. Se la veía firme y decidida.

En el recinto, la perra gruñó y se lanzó contra el jefe de la manada, que soltó un aullido y retrocedió con una soga de babas al cuello. El resto de la manada se mantuvo a distancia, y solo uno o dos intentaron escamotearle un hueso. La perra gruñía, pero no tocaba los zancarrones.

Vera volvió a aparecer rodeando la torre de observación, con un rifle en el brazo.

Krypic se puso tenso.

—¿No puede encargarse de esto tu marido?

—Está en el ministerio.

—Entonces espera hasta que vuelva.

—No podemos correr ese riesgo.

—Pues deja que lo haga yo —dijo él.

Vera esbozó una sonrisa apagada.

—¿Dejar un arma en manos de un trabajador extranjero? Podría meterme en un problema muy serio.

Él quería evitarle aquel mal trago.

—No es tarea para una mujer —insistió.

Vera frunció el ceño.

—Si alguna vez fue cierto eso, Martin, hoy no tiene ningún sentido.

Se acercó a la verja, echó hacia atrás el cerrojo del rifle y se lo llevó al hombro. De sus días en el ejército, Krypic reconoció que se trataba de un Mauser, de unos cuarenta años de antigüedad pero aún en buen estado. Vera pasó el cañón del arma a través de la tela metálica y apuntó a la perra en el momento en que saltaba hacia ella. Apretó el gatillo del Mauser y el animal cayó hacia atrás y gimió, arrastrándose como un saco sobre sus patas traseras. Vera cargó de nuevo el rifle. Krypic sintió una oleada de ternura hacia ella y se obligó a no apartar la mirada.

La segunda bala impactó en el cuello de la perra, haciendo que su cuerpo se desplomara de lado sobre la tierra. Krypic buscó con la mano el brazo de Vera y notó que temblaba. Ella le advirtió que retrocediera y colocó de nuevo el rifle en posición, pasándolo por la verja. Los demás perros se habían dispersado. Empleando la tela metálica para fijar la puntería, Vera fue disparando contra cada uno de ellos, deteniéndose dos veces para volver a cargar el arma. El retroceso impulsaba su cuerpo hacia atrás. Parecía demasiado menuda para soportar aquella paliza.

Krypic se obligó a sí mismo a presenciarlo todo, respirando con fuerza. Al final había catorce animales muertos.

—Habrá que quemarlos —dijo Vera, señalando los cuerpos—. ¿Te encargarás de organizarlo?

Él asintió.

—Emplead leña —añadió—, pero la menor cantidad posible. Y queroseno, si es preciso.

Se dio la vuelta para marcharse.

—Iré contigo —le dijo Krypic—. Hasta el almacén.

Ella aceptó, y caminaron en silencio hacia las cocinas. Las hojas muertas se arremolinaban bajo sus pies. Martin imaginaba su pesar y se preguntaba qué consuelo podría ofrecerle.

Después de haberla disgustado tanto con su visita a Kreuzberg, resultaba fundamental demostrarle que era merecedor de su confianza.

El edificio de las cocinas estaba desierto. Vera guardó el arma bajo llave y, cuando se daba la vuelta para marcharse, él la sujetó por la mano. Como si su contacto quemara, ella se zafó con brusquedad.

—¿Qué diablos te pasa? ¿Te has vuelto loco? No estoy de humor.

Krypic la observó, horrorizado.

—No era para eso —le dijo.

—Entonces, ¿para qué?

Habría sido más sencillo para él enumerar qué era lo que no buscaba en ella. Quería una amante con la que poder reír o conversar, y que correspondiera a su devoción. Ansiaba que sus almas se entrelazaran.

—Quería consolarte, demostrarte lo mucho que te quiero. Y, sí, tienes razón, confiaba en que me respondieras con afecto.

Una mueca despectiva desfiguró el rostro de Vera, y él descubrió conmocionado que ya no era tan joven.

—Entonces hoy quieres ser amado con todo en contra.

La sala de conciertos era una parte del zoo que Axel planeaba restaurar en su estilo original. Si la vida iba a volver algún día a la normalidad, la gente necesitaría música para olvidar todo lo que había tenido que pasar. De dónde sacaría el dinero para su proyecto era otra cuestión.

Axel recorría el lugar, abriéndose paso por entre maderos chamuscados, cuando vio a herr Winzens en el vestíbulo.

—Hay alguien aquí que quiere verle —le anunció con su habitual tono adusto.

Axel le preguntó quién era el visitante, pero entonces, en la entrada iluminada por el sol, distinguió la silueta de Flavia.

—¿Cómo te va, Axel Frey?

Tuvo que saltar por encima de todas las vigas y maderos que se interponían, pero al poco ya la había alzado en vilo y la hacía girar en el aire, sin parar de farfullar como un idiota.

—¿Estás bien? ¿Te han hecho daño? —Y, con mayor insensatez todavía—: ¿De verdad eres tú?

—Pues claro que soy yo. ¡Bájame! Me vas a matar si me estrujas así. —Y, después, en voz más baja para que herr Winzens no pudiera oírla—: Esto es peor que la Gestapo.

Axel la bajó enseguida, presa de una súbita preocupación. Ella puso los ojos en blanco.

—Por Dios, Axel, estoy hablando en broma.

Él hizo un gesto con la cabeza hacia el mentón de ella, que presentaba algunos rasguños, y después enarcó una ceja escéptica.

—Bueno, medio en broma.

Axel le había alborotado los cabellos, y ahora, al verla con aquellas greñas tan poco habituales en ella, estalló en un ataque de risa que le hizo preguntarse si no sería histeria. Herr Winzens lo observaba alarmado.

—¿De qué te ríes? —le preguntó Flavia, con el pelo de punta y su aire indómito.

Para no empeorar las cosas, Axel la abrazó una vez más.

—Ven —le dijo—. Vamos a buscar a Vera.

La encontraron cerca de la rotonda, con herr Krypic a la zaga. Vera divisó a Flavia a lo lejos, y ya estaba llorando para cuando ambas por fin se abrazaron.

Flavia sonrió.

—Seguro que pensasteis que la diñaría —dijo, frotando cariñosamente la espalda de Vera—. Siempre me había preguntado cómo sería mi funeral, pero ahora no voy a tener que morirme para saberlo.

Flavia miraba de una forma extraña a herr Krypic, y Axel, suponiendo que era porque deseaba hablar en privado, le pidió al checo que dejara a las mujeres un rato a solas. Krypic vaciló, asintió y se fue.

—Aquellas celdas están más llenas que una estación del metro —comentó Flavia sobre el cuerpo aún tembloroso de Vera—. Para mí que la policía se ha atragantado con tantas víctimas y se ha visto obligada a escupirnos a unos cuantos.

Axel asintió, radiante. Todo era posible. Las decisiones logísticas de la seguridad del Estado resultaban más predecibles que los cálculos de una mente humana.

Con Flavia de vuelta entre ellos, decidió Vera, la vida sería más sencilla, pero a la semana siguiente llegó una carta del Frente de Trabajo del Reich que destrozó esa ilusión. Las dos terceras partes de los *Ostarbeiter* del zoo iban a ser reasignados a otras ocupaciones.

Axel presentó en persona una protesta formal, pero no sirvió de nada. Un oficial le reveló confidencialmente que, con la pérdida de Francia y con las tropas soviéticas concentrándose en masa en Polonia, se necesitaban *Ostarbeiter* para construir fortificaciones en el entorno de Berlín.

—Tal como yo lo veo —le dijo Axel al regresar del ministerio—, o nos quedamos con un solo equipo, o escogemos a nuestros cuatro mejores hombres.

Tenían una semana para decidir.

Sin pretenderlo, Vera se había ido acostumbrando a emplear mano de obra esclava, y la perspectiva de tener que arreglárselas con menos hombres resultaba bastante sombría. Cuatro *Ostarbeiter*, más Axel, ella misma y herr Winzens, sumaban siete personas: insuficientes incluso para un zoológico que se estaba quedando sin animales a marchas forzadas, pero cuatro más de las que se necesitaban para conservar limpia, o menos manchada, su conciencia.

Y, además, estaba Martin. El mero hecho de pensar en él la turbaba. Su pasión por él ya había pasado, y tal vez fuera algo normal, ya que, mientras que el matrimonio podría continuar y reforzarse a raíz de todo aquello, una aventura no parecía tener ningún futuro. Le resultaba atroz la idea de poder causarle daño, pero la noticia que le había comunicado Axel había liberado en su interior un genio maligno, y se sentía unas veces fascinada y otras horrorizada por la facilidad con que podría expulsar a Martin de su vida. La idea le resultaba inconcebible, y jamás haría nada en este sentido. El problema radicaba en cómo lograr que Martin se quedara en el zoo sin que Axel descubriera sus sentimientos.

Se hallaban junto al estanque de Neptuno cuando le habló a Martin de la reorganización de la mano de obra extranjera, dejándole claro que él se quedaría en el zoo. Él guardó silencio, tan pensativo como el dios de las aguas, que parecía ensimismado planeando alguna venganza o conquista amorosa.

—¿Tú quieres que me quede? —preguntó Martin, levantando la vista.

La pregunta la pilló por sorpresa.

—Pues claro.

—Porque si tú no quieres, me iré.

—No quiero que te vayas, Martin.

Él la miró poco convencido, mientras Vera intentaba conservar la calma. Si al menos pudiera limitarse a aceptar su suerte...

—¿Y si nos hubieran reclutado a todos? —preguntó Martin—. ¿Cómo te habrías sentido?

—Exhausta —replicó Vera, e intentó sonreír. Martin parecía enfadado, y eso la irritó—. ¿Qué esperas obtener haciendo preguntas hipotéticas?

—Creo que no me amas. No como te amo yo.

Así que habían vuelto al tema del amor. Vera se volvió más precavida.

—Tengo la sensación de que ya no somos tan felices como antes.

—Eres tú la que no es feliz.

Ella dudaba de que eso fuera cierto. Si Martin no exigiera tanto, no habrían llegado a aquella crisis.

—Ahora piensas menos en mí —le dijo—. Reconócelo.

—No es así.

—Quiero la verdad.

—Como quieras, Martin: pienso menos en ti.

Vera lo había dicho con cansina ironía, pero el trallazo de dolor en el rostro de Martin resultó de lo más real. Cada vez que él se exponía a la crueldad, alguna ley de la naturaleza parecía obligar a Vera a procurársela.

El joven clavó la mirada en el suelo, y Vera pensó que podría echarse a llorar, pero en lugar de ello alzó la vista con una nueva determinación.

—Vera, vente conmigo a Praga. No más adelante... ahora. —Ella empezó a negar con la cabeza, pero Martin siguió hablando en un arranque impetuoso—. Estaremos más seguros en Praga: la ciudad no ha sido bombardeada, y no combatirán por ella como por Berlín. Falsificaré pases fronterizos y todos los documentos que necesitemos, y una vez que estemos allí podremos vivir con cartillas de racionamiento falsificadas.

—Eso es una locura, Martin. Yo no puedo dejar Berlín.

Martin pareció encogerse, desinflarse.

—¿No puedes... o no quieres? ¿Y qué es lo que no puedes dejar, Berlín o a Axel?

Era la primera vez que le oía pronunciar el nombre de Axel, y pudo advertir el esfuerzo que le había costado.

—A los dos —respondió—. Lo siento. A los dos.

Apartó la vista hacia el estanque y ahora sí comenzó a llorar.

—¿Cómo puedes soportar vivir entre ellos? —le preguntó.

¿Cuántas veces se habría planteado ella misma esa pregunta? Martin continuaba con la vista fija en el agua, y ella siguió su mirada. El viento rizaba la superficie.

—Porque no tengo otra elección.

—Pero antes de la guerra... Cuando eras libre para escoger. La propaganda, los campos de concentración, el antisemitismo... ¿cómo pudiste elegir seguir entre esta gente?

Merecía una respuesta, pero... ¿cuál? Podía intentar decirle que los crímenes cometidos allí no eran específicamente alemanes, sino propios de la naturaleza humana, pero eso sería una excusa demasiado simplista. Había sido testigo de cómo el régimen perseguía a otros y se había sentido horrorizada, pero como cualquier mujer alemana había sido capaz de permanecer como una mera espectadora.

—No tengo ninguna excusa, Martin. Mi decisión fue personal. Habría seguido con Axel sin importar nada más. Lo amaba. Lo único que me importaba era estar juntos.

Él asintió una vez y cerró los ojos. Vera quería consolarlo, pero no podía. Se hallaban al aire libre, pero ese no era el verdadero problema. Tocarlo solo habría servido para hacerle más daño.

A pesar de llevar nueve meses viviendo enfrente de la taquígrafa y el ingeniero, Axel sabía muy poco de ellos, aunque recordaba que su antigua casa había sido destruida en los primeros compases de la guerra. De todos los refugiados en el bloque, eran los que conocían a frau Ritter desde hacía más tiempo.

Vera había ido a visitar a Flavia y, aprovechando su ausencia, Axel cruzó el rellano y llamó a la puerta del piso número cinco. Tras una larga pausa, la puerta se entreabrió ligeramente, mostrando por el resquicio una cadena de seguridad y el rostro de la taquígrafa. Pese a que la mujer lo conocía del sótano, su actitud era recelosa y la cadena permaneció en su sitio, y con cierto sobresalto Axel comprendió que lo consideraba una amenaza. Dio un paso atrás y sonrió. La mujer le dijo que su marido no estaba en casa. En el tono más cordial posible, Axel le explicó que le gustaría comentar unos temas relativos al bloque. Ella le respondió que su marido no tardaría en volver.

El nerviosismo de ella lo hacía sentirse incómodo. Nada podría inducirlo a hacer daño alguno a aquella mujer, ni aunque viviera diez vidas, pero había otra parte de su mente, desapasionada y especulativa, que se daba cuenta de lo fácil que le resultaría meter la mano a través del resquicio, arrancar la cadena de cuajo y forzar la entrada al interior.

Se preguntó si la taquígrafa habría intuido de algún modo lo que estaba pasando por su cabeza, y tal vez si también era consciente del hecho de que se sabía perfectamente a salvo, pero que, aun cuando retirara la cadena y lo invitara a pasar para ofrecerle un café, la sombra de la primera posibilidad permanecería latente entre ambos.

Axel sugirió que volvería después de cenar, a lo que la taquígrafa asintió. Le dio las gracias, regresó a su apartamento y se enfrascó en sus cosas hasta que fueron las ocho. Cuando volvió a llamar, fue el ingeniero quien abrió la puerta, aunque la cadena seguía trabada al marco. El ingeniero la descorrió y lo invitó a pasar, echando un vistazo al rellano antes de cerrar.

El apartamento era un reflejo exacto del suyo, solo que con un mobiliario mejor que el que Vera y él habían logrado reunir, tal vez porque la pareja se había instalado allí antes. No parecían sentirse muy cómodos, pero el recibimiento fue bastante correcto. La taquígrafa lo saludó incluso con una sonrisa. Tras rechazar su ofrecimiento de una copa, Axel fue directo al grano, o al menos a una parte de él: no pensaba hacer mención a aquel joven. Les dijo que un amigo de la familia había tenido problemas con la policía, y que sospechaba que frau Ritter podría haber tenido algo que ver en ello. Por su seguridad y la de Vera, quería conocer su opinión.

La pareja no se mostró sorprendida. Si acaso, dio la impresión de que se esperaban algo así. Se miraron el uno al otro, y Axel tuvo la sensación de que llegaban a algún tipo de acuerdo tácito entre ambos. Fue el ingeniero quien habló.

—Tiene usted razón en estar preocupado.

Le explicó que el piso número seis no había sido desahuciado como los de los Schiefer y los Eckhardt, sino que había estado ocupado hasta una semana antes de que él y Vera se mudaran. Vivía allí una comadrona con sus tres hijos pequeños, cuyo marido había sido dado por desaparecido en Rusia. Era mujer muy locuaz y sociable, que se interesaba por los asuntos de todos los vecinos y ayudaba en todo lo que podía.

—Era la única persona del edificio que no le tenía miedo a frau Ritter —dijo el ingeniero—. Sabía que frau Ritter la odiaba y le gustaba enojarla con su trato cordial: saludos amables, incluso le ofrecía leche, ya que a veces le sobraba de las raciones de los niños.

En diciembre del año anterior, la comadrona había sido arrestada por escuchar la radio soviética. Había sintonizado una emisora que retransmitía un boletín con los nombres de los prisioneros alemanes, con la esperanza de oír el de su marido.

—No lo oyó —dijo el ingeniero—, pero sí otro nombre que le resultó familiar: el de Norbert Ritter. Naturalmente fue enseguida a ver a frau Ritter y le dijo que su hijo seguía vivo. Ese mismo día, frau Ritter la denunció a la policía. La ejecutaron dos días antes de que llegaran ustedes. Los niños fueron confiados a unos parientes.

Axel escuchaba en silencio, tratando de asimilar lo que acababa de oír y sabiendo de sobra que el esfuerzo era inútil.

La taquígrafa le preguntó si quería quedarse con ellos un rato, pero él se negó cortésmente. Les dio las gracias, se despidió y cruzó el rellano. Entró en el piso número seis y encendió una solitaria vela. Una corriente de aire agitó la llama y la habitación pareció estremecerse. Ahora parecía menos un hogar.

Encontró el regalo en una antigua farmacia del Mitte, un esenciero que vio en el escaparate, situado unos pocos y cruciales pasos por debajo del nivel de la acera. El farmacéutico colocó el frasco en una delicada cajita y la envolvió en un papel verde descolorido.

Esa noche en casa, después de la cena, le entregó el paquete a Vera. Ella lo miró desde el sillón con cara de sorpresa.

—Una disculpa —le explicó—. Anda, ábrelo.

Vera desenvolvió el papel verde, abrió la caja y sacó el pequeño frasco de color azul.

—Huele —le dijo Axel.

Vera desenroscó el tapón y se llevó el frasco a la nariz. Cerró los ojos y se quedó muy quieta. Alarmado, Axel vio que las pestañas de Vera se humedecían y se preguntó si el olor a eucalipto sería demasiado intenso. Debería haber pensado que el aroma de su tierra podía traerle recuerdos que la inquietaran. Pero, de repente, Vera se levantó y le besó, murmurando palabras cariñosas sobre su cuello.

—Como te he dicho —repitió—, es una disculpa.

Vera echó la cabeza hacia atrás, mirándolo extrañada, y entonces él le explicó lo que había averiguado acerca de frau Ritter y la comadrona. Ella escuchó en silencio, y al final dejó escapar un profundo suspiro.

—Tú me lo habías advertido —concluyó Axel—, y yo debería haberte escuchado. Lo siento. Por todo.

Sus palabras parecieron preocuparla, pero cuando ella lo miró Axel supo que ya le había perdonado. Durante unos segundos se sostuvieron la mirada —un acto que conservaba toda su fuerza tras diez años de matrimonio—, y después Vera inhaló la esencia por última vez y cerró el frasco.

Era tarde ya, y había otros asuntos acuciantes que tratar. Axel sacó el tema de los *Ostarbeiter* y Vera esbozó una mueca de desagrado, pero él le recordó con delicadeza que el Frente de Trabajo del Reich necesitaba una respuesta pronto.

—A mí me gustaría conservar a Martin Krypic —dijo Vera—. Es el más despierto de mi equipo y habla alemán con soltura.

Era una pena tener que deshacer los equipos de trabajo, pero no tenían mucha elección.

—Entonces —dijo Axel—, herr Krypic se queda. Formaremos un solo equipo de trabajo a partir de los tres que tenemos.

Se sintió aliviado por haber dejado zanjada esa cuestión en particular. Comparado con tomar decisiones sobre el destino de otros, sobrevivir a una guerra parecía sencillo: planeabas, hacías acopio de reservas, te agachabas en los momentos justos y confiabas en tu suerte. En el este los soviéticos se habían apostado a las afueras de Varsovia, mientras que en el oeste los aliados habían reconquistado París y Bruselas. En Alemania, Himmler había creado el Volkssturm, una milicia popular de la que ninguna tarjeta especial podía eximirte.

Tomó las manos de Vera entre las suyas.

—*Liebling*, la guerra se está acercando. Es hora de que decidamos qué haremos si llega aquí.

Vera lo miró con una expresión extraña y él le preguntó qué le pasaba. Ella volvió a serenarse.

—Nada. Solo que no me esperaba esto ahora.

—Si lo posponemos, tal vez sea demasiado tarde.

Axel esbozó el plan en el que llevaba pensando desde hacía meses. Si los soviéticos se acercaban a Berlín, Vera se marcharía a Friburgo y se refugiaría en casa de la hermana de Axel.

—Estarás más segura en el oeste —le dijo.

Ella hizo una pausa.

—¿Y qué hay de tu seguridad?

—Para un hombre, las cosas son diferentes.

—Diferentes... ¿en qué?

Axel intuía que ella sabía muy bien de qué le estaba hablando.

—Los riesgos son distintos.

Vera se mostró escéptica.

—Aun cuando tuvieras razón y los aliados occidentales fueran unos invasores más considerados que los del este, yo no te dejaría aquí. ¿Y si te movilizan?

—Dudo mucho que eso llegue a ocurrir.

—Pero la posibilidad de que eso ocurra es la razón por la que quieres enviarme lejos de aquí.

Axel trató de ordenar sus ideas. Había ocasiones en las que podía entender por qué algunos hombres preferían tener esposas con pocas luces.

—Yo tengo que quedarme, Vera. Alguien tiene que cuidar de los animales.

Ella no dijo nada al principio y se limitó a mirarlo impávida, señal de que, aunque disgustada, estaba dispuesta a pasar aquello por alto. Después replicó en tono serio:

—Axel, es demasiado tarde para postularte como el defensor de los animales.

Tendría que andarse con cuidado si no quería dilapidar el afecto que ella acababa de manifestarle.

—*Liebling*, ¿tengo que recordarte los riesgos que correrías aquí?

—No, porque estoy de acuerdo contigo. Lo prudente sería irse.

Al fin, un progreso.

—Pero lo que es cierto para mí lo es también para los dos, y yo nunca me iré sin ti —dijo Vera, clavando los ojos en él sin pestañear.

Dejar el zoo... La idea era inimaginable. Había elecciones que podían arrancarte la vida de raíz, hacer que tu historia carezca de sentido.

Pero ¿podía permitirse ignorar de nuevo los deseos de Vera? Su disposición a abandonar a los animales era aleccionadora, y también recordaba la promesa que se había hecho en el cuartel general de la Gestapo de protegerla de cualquier daño. Cuando llegara el momento, era esencial que Vera saliera de Berlín. Diez años atrás, por vivir con él, había convertido aquella ciudad en su hogar, y para devolverle aquel favor ahora tendría que viajar con ella al oeste, por muy ilógico que resultara para él hacerlo.

—Muy bien —dijo—. Nos iremos juntos.

Pasara lo que pasara, Krypic sabía que recordaría siempre ese día. La luz y el aire eran perfectos: un día de otoño tal como lo hubiera pintado Renoir. Las hojas de los árboles habían embellecido al agostarse: fresnos de tonos granate juntos a olmos dorados, como damajuanas de vino tinto y de Riesling; árboles del ámbar en llamas. Los álamos amarilleaban en sus flancos occidentales. Solo los plátanos languidecían sin gracia, sus hojas oscureciéndose en un hosco color parduzco antes de desprenderse y arremolinarse a los pies de las coníferas.

Krypic aprovechó la oportunidad para hablar a solas con Vera cuando se hallaban en el recinto de los primates. El rostro de la mujer, sus queridos ojos oscuros, no le dijeron nada, pero de fondo se oía a los lémures chillando con sarcasmo burlón. Estás loco, le gritaban, eres un idiota, un payaso.

Vera sonrió y le dijo que tenía buenas noticias: podría quedarse en el zoo.

Pero eso ya lo sabía. Y no era suficiente. Su seguridad carecía de sentido si no tenía la certeza de que ella lo amaba.

Tenía que estar seguro. La miró fijamente a los ojos y extendió las manos con las palmas hacia arriba: aparte de él mismo, no tenía nada que ofrecerle.

Vera examinó sus manos y después sacudió muy despacio la cabeza, y Martin, pese a que los chillidos rompían la tranquilidad del recinto, captó la ironía: ella lo había entendido perfectamente.

Le dio las gracias y, en un arranque de humor negro, incluso sonrió un poco al decirle:

—He decidido dejarlo.

—¿De qué estás hablando?

—Del zoo. Y de nosotros. Seguir aquí no tendría sentido.

Vera pareció alarmada, y eso le complació.

—No puedes irte.

—¿No? ¿Y por qué no?

—Sería peligroso —dijo Vera—. No dejaré que lo hagas.

Como si lo que más importaba no se hubiese perdido ya. Intentó sonreír, pero sospechaba que solo logró esbozar una mueca.

—La mano de obra es demasiado escasa ahora para que las autoridades se dediquen a matarnos sin más. Nunca lo hemos tenido tan bien como ahora.

Una por una, Vera procedió a enumerar las objeciones: pasaría hambre sin la comida extra del zoo, se helaría de frío sin el uniforme, recibiría palizas indiscriminadas... Punto por punto, él trató de tranquilizarla, o casi: angustiarla un poco serviría como represalia por su desgracia.

Vera trató de engatusarlo, razonar, suplicar, pero él logró mantenerse firme. La renuncia era la única forma digna de perder el amor.

Lo que él no había esperado era sentir un pequeño escalofrío de libertad y, mientras Vera intentaba persuadirlo para que se quedara, le sorprendió descubrir que su mente se proyectaba hacia el futuro. Aunque ahora disponía de medios para escapar, se quedaría en Berlín. Aquí tenía contactos. En las últimas semanas había descuidado sus actividades de falsificación, y ya iba siendo hora de retomarlas: había una gran demanda, y la destrucción de imprentas y oficinas del gobierno provocaba que el formato de los documentos cambiara constantemente.

—¿Y qué voy a decirle a Axel? —le preguntó Vera—. Ya le había dicho que quería que te quedaras.

—Dile que prefiero irme con los polacos. Qué sé yo... Que les he tomado mucho aprecio.

De nuevo le suplicó Vera que cambiara de idea, y, aunque tentado, se obligó a recordar la tajante negativa de ella a su propuesta de ir a Praga.

Para evitar la tentación de vacilar, Krypic cogió su cubo y se dirigió a la jaula de los gibones de mejillas blancas. Vera le siguió y juntos alimentaron a los animales, tomándose un respiro de tanto hablar. La hembra tenía un pelaje de color crema, y el macho y la cría negro. Vera le había explicado que todas las crías de la especie nacían de color crema como sus madres y más tarde se volvían negras, mientras que las hembras recuperaban el tono crema en la adolescencia.

Cuando se acabó la comida, los gibones treparon por las sogas, chillando y columpiándose en amplias parábolas gracias a unos brazos cuya longitud doblaba la de sus cuerpos, con movimientos tan gráciles como pasos de danza. Se paraban y se quedaban colgados balanceándose, el macho aferrándose con una sola mano.

—Hace unos días me preguntaste por qué me quedé en Berlín —dijo Vera. Señaló a los gibones—. Aquí tienes otro tipo de respuesta.

La cría de color negro bajó danzando por las sogas y se aferró al barrote que Krypic tenía delante. La pequeña hembra ladeó la cabeza y se lo quedó mirando, con unos ojos redondos profundamente humanos.

El ánimo de la mujer había pasado de reflexivo a directamente nostálgico.

—¿Quién habría pensado que me iba a dejar un eslavo infrahumano?

Krypic se irritó ante su frivolidad. Era como si estuviese rememorando una historia de amor que hubiese terminado no solo unos minutos antes, sino hacía años.

—Para serte sincera —dijo Vera—, me alegro de que la decisión haya sido tuya. ¿Te he contado alguna vez lo que más eché de menos cuando murió mi padre?

Krypic negó con la cabeza. No iba a concederle eso.

—Vera, no quiero saber nada de tu padre.

Ella pareció desconcertada, una causa más de sombría satisfacción para Krypic, y luego bajó la vista, como reconociendo la justicia de su rechazo. Era un pobre consuelo. En el silencio que siguió, Krypic se sintió amputado de toda esperanza, ternura y bondad.

9

A la caída de la noche, un fino hilo de luna se elevó sobre las ruinas del acuario. Axel salió del zoo con Vera y encadenó la verja de un lugar que ya apenas reconocía. El nuevo año había traído un recrudecimiento de los bombardeos, que estaban destruyendo el zoo a tal velocidad que cada vez que llegaba por la mañana se sentía desorientado.

Tomó la mano enguantada de Vera y cruzaron la calle. En las aceras de alrededor de la iglesia del Káiser Guillermo, refugiados de Pomerania y de Silesia se apiñaban para combatir el frío. Notó que la mano de Vera se ponía rígida, y él le apretó los dedos en respuesta. Dos mujeres mecían a un niño en una manta para que se durmiera.

El edificio del número dieciséis de Meinekestrasse estaba parcialmente derruido. El muro exterior de la caja de la escalera había desaparecido, dejando a la vista las casas vecinas y la parte de atrás de la vieja sinagoga. No se veían luces por ninguna parte. Las escaleras ascendían en el vacío a partir del rellano de la cuarta planta, y daban la sensación de perderse en la Vía Láctea.

Cuando Flavia abrió la puerta, abrazó primero a Axel y luego tendió los brazos hacia Vera.

—¡Freisler ha muerto! ¡Asesinado!

—Así que Dios existe —dijo Axel—. Es una noticia excelente.

Flavia los hizo pasar y les relató apresuradamente lo ocurrido. En el intenso ataque del día anterior, el juez Freisler había sido la única baja de las bombas caídas en el Tribunal Popular. Flavia estaba exultante.

—¡Justicia! Y en ese lugar, precisamente. Él habría sido uno de los primeros en ser conducidos al paredón, pero los americanos les han ahorrado una bala a los obreros.

Flavia se había hecho comunista, y hablaba en un tono jactancioso y enigmático de «actos de sabotaje». Tenía ahora un nuevo léxico sobre los ataques contra la burguesía, adaptando el aristocrático desdén de Motz-Wilden a un nuevo idioma más viable. Axel se sentía agradecido de que Flavia pareciera eximirlos tanto a Vera como a él.

La joven se puso a preparar achicoria sobre una plancha eléctrica vuelta del revés, mientras Axel examinaba las reparaciones que había hecho en el piso, que ahora parecía más bien una madriguera, casi una trinchera. Flavia había reconstruido una pared entera sin utilizar mortero y había vuelto a conectar la electricidad con la ayuda de un vecino, pero la mayor parte del revestimiento de yeso había desaparecido y la puerta que daba al balcón estaba tapiada para conservar el calor. Gracias a una improvisada chimenea, el lugar estaba caldeado: durante los dos últimos meses la destrucción de mobiliario en los ataques aéreos había permitido satisfacer las necesidades de leña en Berlín.

Flavia sirvió la achicoria y brindaron por la muerte de Freisler. Axel levantó su taza y después le hizo una seña con la cabeza a Vera: habían convenido que sería ella quien planteara el tema.

—Cuando llegue el momento —dijo Vera—, Axel y yo hemos planeado irnos al oeste. Queremos que nos acompañes.

Flavia los miró con incredulidad.

—¿Y perderme cómo los fascistas reciben su merecido? La mujer de vuestro Blockleiter, por ejemplo... ¿no queréis ver cómo paga por todo lo que ha hecho?

—Preferiría no volver a verla más —replicó Vera—. Lo más importante es que estaremos a salvo en el oeste.

—¿Como refugiados? —preguntó Flavia en tono escéptico.

—Estaremos más seguros con los aliados occidentales que con los soviéticos —dijo Axel. Y para purgar el comentario de todo sesgo ideológico, añadió—: Los camaradas tienen más que perdonar.

Flavia se cruzó de brazos.

—No estoy de acuerdo en que el Ejército Rojo se comportará peor que cualquier otro.

—Seamos serios —dijo Vera—. ¿Qué me dices de las atrocidades en Silesia?

—Mera exageración propagandística —replicó tranquilamente Flavia.

Axel podía ver que Vera se estaba enfadando. Intervino rápidamente para recordarle a Flavia que él ya había combatido contra los británicos.

—Son firmes, pero justos.

—Todos los hombres son iguales —dijo Flavia—. La nacionalidad no supone ninguna diferencia.

Qué comentario tan simplista, pensó Axel.

—Los hombres son producto de las circunstancias —dijo, en un tono más pomposo del que había pretendido.

Y estalló la discusión. En un par de ocasiones Axel pensó que había acorralado a Flavia con la lógica, solo para ver cómo se revolvía y escapaba airosa a base de bromas o frases trilladas. Ella era incapaz de mostrar más de una emoción a la vez, y en esta ocasión era la displicencia. Vera también se esforzó por convencerla, pero estaba claro que tendrían que abordar a Flavia cuando estuviera de otro humor.

Según el último chiste que circulaba, la guerra se pondría seria cuando se pudiera ir al frente en metro. Antes o después, Flavia tendría que entrar en razón.

Durante seis semanas el avance del Ejército Rojo se estancó en el río Oder, a unos sesenta kilómetros al este de Berlín, concediendo a la capital un inesperado respiro. La Wehrmacht presentaba una dura resistencia a los soviéticos, mientras que en el oeste las tropas se rendían en masa, reavivando las esperanzas de Axel de que los aliados occidentales fueran los primeros en entrar en Berlín, aunque no hubiesen cruzado todavía la frontera alemana. Por el momento estaba dispuesto a esperar y confiar, y en cualquier caso la huida al oeste tendría que ser cosa de última hora, ya que los pases de salida eran difíciles de conseguir.

El domingo 18 de marzo, a media mañana, un escuadrón de fortalezas volantes bombardeó la capital durante dos horas. Axel se refugió con Vera en la torre-búnker, y cuando por fin salieron se pasaron el resto del día sofocando incendios y rematando animales heridos, lo que le trajo a la memoria el recuerdo de noviembre de 1943.

Cuando llegaron esa noche al 412 de Reichenbergerstrasse, encontraron reducida a escombros la parte posterior del bloque de apartamentos. Nadie había resultado herido, pero más de la mitad de la *Stamm* —el conductor de autobús y su familia, las chicas de la fábrica, la familia de Ucrania, así como el ingeniero y la taquígrafa— se había quedado sin hogar. La mayoría había buscado refugio en casas de amigos o familiares, mientras que la madre y los cinco pequeños habían sido evacuados por fin al oeste. Esa noche, durante un ataque de seguimiento, el refugio del sótano parecía espectralmente espacioso: aparte de ellos, las únicas personas que quedaban allí eran Erna Eckhardt y su madre, Schiefer y los Ritter. Para levantar la moral de los presentes, el Blockleiter les obsequió con jardineras plantadas con bulbos de primavera.

A la mañana siguiente, Axel se paró ante una columna publicitaria empapelada con carteles toscamente impresos:

¡Berlineses!
Cada edificio
Cada piso
Cada seto
Cada cráter
Cada alcantarilla
¡Serán defendidos a toda costa!

Debajo del mensaje había un mapa de Berlín con varios círculos concéntricos superpuestos que trataban de sugerir la imagen de una fortaleza, pero que recordaban mucho más a una diana. El punto central estaba rotulado como «ZONA Z», *die Zitadelle*, y Axel vio que en ella se incluía el zoo. Miró a su alrededor, arrancó el cartel y se lo guardó en un bolsillo.

Encontró a Flavia en el Rose. El pequeño teatro había sobrevivido, aunque los únicos actores que quedaban eran todos ancianos, lo que había dado a Flavia la oportunidad de interpretar, sin apenas tiempo para ensayar, el papel de Moor en *Los bandidos* de Schiller. Estaba muy animada.

Axel hizo que se quitara la barba postiza y lo acompañara a la parte de atrás del teatro. Allí le mostró el cartel.

—Parece ser que Adolf ha incluido tu barrio y mi zoo en los preparativos para una resistencia final.

Flavia miró el mapa y dejó escapar un silbido.

—Seguro que van a machacarnos —comentó.

—Flavia, quedarse es una locura. Por favor, cambia de idea.

Ella consultó distraídamente su reloj.

—La obra estará en cartel dos semanas más. No puedo marcharme antes.

Era el primer indicio de una concesión, y Axel se apresuró a asentir.

—Muy bien, dos semanas.

Flavia sonrió.

—Después de todo, alguien va a tener que cuidar de vosotros dos.

Era como si acabara de acceder a ir de excursión al Wannsee.

Durante los días que siguieron, Axel se dedicó a planear la huida. Vera estaba ya reuniendo víveres y empaquetando lo imprescindible, pero los permisos de salida serían el requisito básico para poder viajar, así que Axel se dirigió al puesto de mando militar de Wilmersdorf, donde tuvo que hacer una larga cola que recorría dos manzanas. Tras presentar su solicitud, le dijeron que volviera al lunes siguiente.

A lo largo de esa semana, los bombardeos fueron incesantes: norteamericanos durante el día, británicos de noche, aunque de momento la ciudad se había librado de sufrir una devastadora tormenta de fuego como la que había arrasado la ciudad de Dresde. En el refugio del sótano, Schiefer ya no apelaba a las *Wunderwaffen*. Su fábrica era un montón de ruinas. Incluso frau Ritter admitía que, en caso necesario, huiría al oeste con su hija y su yerno. Los boletines de la Deutschlandsender sonaban cada vez más histéricos y aludían con frecuencia a la «inflexible voluntad» del dictador.

Axel volvió a Wilmersdorf el día convenido y allí le dijeron que, en su calidad de «propietarios establecidos», ni a él ni a Vera ni a Flavia se les podía conceder una autorización para salir de la capital. Regresó al zoo y le comunicó a Vera la mala noticia.

Ella no pareció arredrarse.

—Entonces tendremos que encontrar otra manera.

Esa noche estudiaron un mapa de Berlín en busca de una ruta segura para salir de la ciudad a pie. Pero lo que el mapa no mostraba eran las barreras que ancianos, niños y trabajadores extranjeros como sus antiguos *Ostarbeiter* estaban levantando en las afueras de Berlín. Y las estaciones de tren y las carreteras que iban hacia el oeste estaban controladas por la policía.

—Es inútil —dijo Vera al fin—. Nos harían volver, o algo peor. Tendremos que viajar con permisos, y a ser posible a lo grande: la confianza hace a su portador invisible.

—Pero ¿cómo? —Por primera vez afrontaba la posibilidad de que pudieran hallarse atrapados—. ¿Volviendo a solicitar los permisos?

—No —dijo Vera—. Falsificándolos.

Vera pasó el mensaje a través de uno de los *Ostarbeiter* que seguían aún en el zoo, comprando su discreción con cigarrillos. En los últimos cuatro meses había preguntado en varias ocasiones por los antiguos trabajadores, pero era poco lo que había sabido de ellos, salvo que estaban vivos. No tenía ni idea de si Martin estaría en condiciones de responder, ni si querría hacerlo, pero al día siguiente el *Ostarbeiter* regresó con el mensaje de que Martin Krypic estaría esperándola junto a la torre-búnker el domingo a las once. Vera asintió, reprimiendo una sonrisa.

El domingo llegó al búnker a la hora acordada, y vio bajo los árboles a un hombre al que no reconoció. Este le hizo una seña con la mano y Vera se acercó un poco más. Tenía la cabeza rapada.

Vera había adorado aquellos rizos. Le señaló el cuero cabelludo y Martin le explicó que se había cortado el pelo él mismo.

—Para parecer menos saludable.

Con todo, era un mal disfraz: irradiaba vigor. Sus mejillas brillaban donde se las había afeitado, y llevaba puesto un pesado abrigo con la soltura con que un hombre luciría una fina camisa de algodón, haciéndola recordar los duros pliegues de los músculos de su caja torácica. Además del abrigo, llevaba una bufanda, unos pantalones de sarga y sus botas tachonadas de clavos. Vera confió en que no se fijara en el lamentable estado de sus zapatos.

Se adentraron más en el parque entre cráteres de bombas y árboles ennegrecidos cubiertos de brotes nuevos.

Vera le preguntó cómo le iba. El trabajo era duro, respondió, y la comida horrible.

—Pero tiene su lado bueno: muchos de los guardias han sido reclutados por la Wehrmacht o el Volkssturm, y otros aceptan sobornos. Las grietas se van ensanchando. Muchos no lo consiguen, pero si eres listo puedes tener una oportunidad. Y unos pocos incluso prosperan.

Le preguntó por su salud, y hasta por la de Axel. Luego se interesó por la situación del zoo y pareció apenado por lo que le contaba.

Llegó el momento de exponerle sus intenciones.

—Necesito documentos —le dijo—. Permisos de salida. Para mí, para Axel y para Flavia.

Martin la miró con expresión calculadora.

—La tarifa actual son quince mil reichsmark. Mejor si es en oro o en joyas.

Aquel fue un golpe inesperado.

—Podríamos reunir tal vez la mitad. Tengo unos pendientes. Y mi anillo de boda —añadió, levantando la mano izquierda.

Martin sacudió la cabeza.

—Unos cuantos cigarrillos bastarán para cubrir los costes. —Su sonrisa era abiertamente pícara—. Dejar Berlín es la decisión correcta. Me alegra que hayas acudido a mí.

Sacó un cuaderno del bolsillo y anotó en él los detalles: nombres, fechas de nacimiento y números de las tarjetas de identificación.

—Si necesitáis ganaros la compasión de los aliados, puedo conseguiros estrellas judías auténticas.

—Nos arreglaremos con los permisos.

Martin cerró el cuaderno.

—Nos encontraremos aquí dentro de una semana a la misma hora.

—¿Toda una semana?

Intentaba disimular su decepción.

—Solo puedo escaparme los domingos. Oficialmente trabajo todos los días, turnos de doce horas, pero uno de los guardias es muy piadoso y los domingos acepta sobornos.

Vera respondió que el domingo estaba bien.

Era la hora de irse, y Vera tuvo que reprimir un beso. Cuando Martin se daba la vuelta para marcharse, tropezó con una piedra y se despidió haciendo mofa de su torpeza. Vera agitó la mano y se alejó caminando entre los cráteres.

Al día siguiente llegó un ruido atronador procedente del este, y en cuestión de horas corrió la voz de que los soviéticos habían lanzado una gran ofensiva desde el Oder. Vera pensó en posibles maneras de contactar con Martin antes de lo previsto, pero decidió que no podía hacer otra cosa que esperar.

En Sidney había conocido a algunos comunistas —no en la universidad, sino más tarde, en los pubs de Pyrmont y Leichhardt—, e incluso había sopesado la posibilidad de unirse al Partido, solo para sentirse repelida por las férreas convicciones de los camaradas. Aun así, continuó considerando la Unión Soviética como un noble experimento, y aunque sus resultados no se parecieran en nada a su propia idea de utopía, resultaba reconfortador que al menos alguien siguiera intentándolo.

Su aprobación había durado hasta que Hitler y Stalin se habían repartido Polonia; y más tarde, cuando la Wehrmacht sufrió sus primeros reveses en Rusia, se había sentido aliviada al pensar que exisía un país que oponía resistencia al avance del Reich por tierra; pero el militarismo jamás había sido una parte de lo que ella había admirado de la Unión Soviética, y ahora el avance del Ejército Rojo la asustaba.

En el segundo día de la ofensiva soviética, la hija y el yerno de los Ritter partieron rumbo al oeste en un coche privado, dejando a frau Ritter presa de la congoja y la incredulidad. Vera casi sentía pena por ella. En el refugio del sótano fulminaba a todos con la mirada, haciendo que Vera, aunque alegre por disponer de mayor espacio, se sintiera más ansiosa que nunca por escapar de allí. Schiefer hizo venir a unos trabajadores de su fábrica de cacerolas para reforzar la puerta de su piso con barras de acero.

En las calles y las tiendas, la gente se mostraba quejumbrosa, como niños al borde de las lágrimas. Los únicos militares que se dejaban ver eran desgarbados milicianos del Volkssturm, así como miembros de los consejos de guerra itinerantes de las SS, autorizados para ejecutar a los desertores. A lo lejos, el rumor sordo de la artillería redoblaba su intensidad. Los carteles de propaganda se multiplicaban. En la Lützow-platz, bajo el eslogan «TODOS TIRAMOS DE LA MISMA SOGA», alguien había garabateado «¡COLGAD AL FÜHRER!», y el viernes por la mañana Vera encontró el eslogan con la palabra «NEIN», no, pintado en los muros y aceras de alrededor del zoo. Fue a visitar a Flavia y la encontró toda manchada de pintura y exultante.

—¡La respuesta es *nein*! —declaró.

—¿Y cuál es la pregunta?

—Elige tú misma.

—Que no corras más riesgos —dijo Vera—. Estamos muy cerca del final.

Por tercera o cuarta vez repasaron el plan. El sábado, ella y Axel llevarían su equipaje a la Meinekestrasse, donde los tres pasarían la noche después de la última función de Flavia en el Rose; a la mañana siguiente, Vera acudiría a su cita con Martin y volvería después con los permisos al piso de Flavia, desde donde saldrían directamente hacia la estación de Anhalter para tomar el tren de la tarde. Irían muy justos de tiempo, pero no podían hacer otra cosa. Habían hecho todo lo posible. Ahora solo era cuestión de esperar.

Con herr Winzens a su lado, Axel fue despidiéndose del zoo, recinto tras recinto. Habían dado los últimos alimentos a los animales supervivientes y habían colocado a los herbívoros en corrales donde pudiera crecer la hierba. Herr Winzens se había ofrecido a mantener el zoológico en marcha, pero solo un milagro podría salvar a los animales. La artillería retumbaba a lo lejos, un sonido que Axel recordaba con demasiada claridad: alguien que había estado en el frente lo sentía en la garganta.

En el recinto del ualabí le pidió perdón a herr Winzens por abandonar el zoo. El viejo se apresuró a interrumpirlo.

—Si yo tuviera esposa, herr direktor, también me marcharía.

—¿Qué hay de su sobrina?

—¡Mi sobrina...! Esa es una bruta, y sabe cuidar de sí misma. Ya me habría echado de casa si hubiese podido. Marca la comida que no me deja comer, y la semana pasada metió mi mejor camisa azul en lejía.

—¿Cuál es su posición con respecto al Volkssturm?

Herr Winzens lo miró de soslayo.

—Venga... conmigo puede hablar con franqueza.

—Era demasiado viejo para la pasada guerra, y ahora dicen que me necesitan para un segundo reclutamiento. Si al menos hubiera armas de por medio, me lo pensaría. O uniformes... ¿qué le harán los rusos a un hombre sin uniforme? Ahorcarlo como a un partisano, eso es lo que harán. No, eso no es para mí. Es un juego estúpido.

Axel le preguntó qué pensaba hacer.

—Volver a Kreuzberg y encerrarme allí. El mundo va a cambiar.

Se estrecharon las manos, y después Axel le dio un abrazo, recordando que nadie lo conocía desde hacía tanto tiempo como aquel anciano. Su cuerpo permaneció rígido. Axel lo dejó ir y herr Winzens dio un paso atrás, carraspeó y se pasó la mano por el cabello gris acerado.

Cuando Vera llegó al lugar acordado, no vio a nadie bajo los árboles. Se detuvo. No había ningún plan alternativo.

Respiró profundamente para tranquilizarse. Faltaban aún un par de minutos para la hora. Deambuló un rato, pero empezó a sentir que tal vez estaba llamando demasiado la atención y decidió sentarse en un banco del parque. Aquel rincón del Tiergarten estaba desierto, pero si alguien pasaba por allí no podría darle ninguna explicación de por qué había ido a sentarse en aquel lugar tan frío, con el ruido de la artillería retumbando en la distancia.

Pasados veinte minutos sin señal alguna de Martin, Vera comenzó a asustarse. Aunque el tren no salía hasta la tarde, la estación sería un hervidero de gente. Después de cuarenta y cinco minutos de espera, se sintió invadida por una sensación de calma. Martin no iba a venir. La idea era asumible, siempre que no pensara en lo que vendría después.

Estaba ya formulando mentalmente las excusas que les daría a Axel y Flavia cuando Martin apareció por fin, cruzando el parque desde la Charlottenburger Chausee. Vera podría haber salido corriendo para echarse en sus brazos.

Cuando llegó junto a ella le pidió disculpas: había tenido que sobornar a un guardia distinto. Del interior de su abrigo sacó un grueso sobre de color marrón y se lo entregó a Vera. Ella le ofreció medio cartón de cigarrillos, pero Martin negó con la cabeza.

—Para cubrir el soborno —insistió Vera.

Martin se encogió de hombros y se guardó el paquete en el abrigo.

—Espero que lo consigáis —le dijo.

Debatiéndose entre la necesidad de partir y el deseo de quedarse un poco más, Vera le preguntó cómo pensaba sobrevivir a la inminente batalla.

—Salvo en lo tocante a nuestras raciones —le respondió—, nosotros somos ahora los privilegiados: los únicos hombres de Berlín que no se espera que luchemos, porque saben que volveríamos nuestras armas contra ellos. Con un poco de suerte, conseguiré salir de esta.

—Ven a verme después de la guerra.

—Dudo que alguna vez vuelva a Berlín.

—Entonces iré yo a Praga.

La miró con aire escéptico.

—¿Para hablar de los viejos tiempos? ¿Tú, yo y herr Frey?

—Tal vez. ¿Quién sabe?

—Quién sabe —respondió él. Señaló el sobre—. Esto lo he hecho por ti, Vera. Recuérdalo: solo por ti.

No por Flavia y, por supuesto, no por Axel. Era un regalo de despedida solo para ella. Vera le dio las gracias, se inclinó hacia delante y le dio un beso en la mejilla.

—Adiós, Martin Krypic.

Martin murmuró unas palabras de despedida. Ella le estrechó la mano, se dio media vuelta y echó a andar. Apenas había dado unos pasos cuando oyó que él la llamaba por su nombre. Miró hacia atrás. Martin no se había movido.

—¿Qué echabas de menos de tu padre? No te dejé que me lo contaras.

Vera vaciló, tratando de encontrar la palabra justa.

—Consejo —respondió—. Si tenía que surcar las olas por encima o por debajo.

Él asintió.

—Por debajo, diría yo. En esta ocasión, al menos.

Levantó una mano y luego se alejó, y a Vera la asaltó de pronto la idea de que tal vez no volvería a verlo nunca. Dio media vuelta y echó a andar en dirección opuesta.

Sentía la presencia de los permisos en el interior de su bolso, y le hubiera gustado sacarlos y verlos de inmediato, pero estaba demasiado asustada para abrir el sobre en público. Con tantos refugiados en la ciudad, la policía no paraba de detener a civiles al azar para pedirles su documentación.

Y quedaba poco tiempo. Fue corriendo la mitad del camino hasta la Meinekestrasse y llegó casi sin aliento. Flavia parecía tener los nervios a flor de piel. Axel estaba tenso, mientras apretaba las correas de la mochila de Vera y de la solitaria maleta de ambos. Vera sacó el sobre del bolso y lo dejó caer sobre la mesa.

Más tarde se preguntaría si fue por descuido o por su costumbre de ayudar por lo que se colocó al lado de Axel cuando este empezó a forcejear con la hebilla de una de las correas. Se dio cuenta demasiado tarde de que Flavia desgarraba la solapa del sobre, pero ni siquiera entonces sintió ningún temor.

Flavia extendió los permisos sobre la mesa.

—¡Espléndidos! —exclamó—. Ese hombre tuyo es un artista. Son de lo más convincentes.

Flavia rebuscó en el interior del sobre y extrajo de él un pedazo de papel doblado, lo desenvolvió y sacó de él una moneda con una cadena.

Su brazo se paralizó. Fue como si la moneda la hipnotizara. Axel guardaba silencio.

Vera se acercó a la mesa justo cuando Flavia guardaba de nuevo la moneda en el sobre. Su expresión mortificada resultaba casi grotesca. Vera volvió a coger la moneda y se la abrochó alrededor del cuello.

—Me preguntaba dónde habría ido a parar.

Incluso a ella misma, la excusa le pareció débil. Levantó los permisos en alto y fingió admirarlos. Al momento, Axel estaba a su lado. Flavia se excusó y salió del piso.

Axel aguardaba sin decir palabra. Vera intentó frenéticamente pensar en toda clase de explicaciones... cuentos sobre pérdida y recuperación.

—¿Tienes una aventura con él? —preguntó Axel.

Vera se aferró al borde de la mesa, dolida de que hubiera llegado tan cerca de la verdad a partir de una prueba tan mínima. ¿Era ese el concepto que tenía de ella?

—No, no la tengo —respondió.

—Y esto... ¿por qué? —preguntó Axel, señalando la moneda.

—Yo se la di.

Axel parecía perplejo, y de repente Vera perdió toda voluntad de mentir.

—Tuvimos una aventura, pero acabó hace meses.

Vera observó cómo sus palabras parecían deformarle el rostro.

—Lo siento muchísimo —dijo.

Axel bajó la vista al suelo y ella se disculpó de nuevo.

—Nunca había ocurrido antes y jamás volverá a suceder.

Se vio a sí misma pidiendo perdón eternamente. Había pasado menos de un minuto y ya se sentía cansada.

Él alzó la vista y comenzaron las preguntas. ¿Cómo había empezado? ¿Dónde? ¿Cuándo? La expresión de su rostro era calmada, y de algún modo aquel autodominio la hacía sentirse peor. Sintió la atracción del tren en la estación de Anhalter.

Las preguntas de Axel eran cada vez más concretas. ¿Estaban todavía liados cuando ella intentó que Martin Krypic se quedara en el zoo? ¿Había ido alguna vez al piso de Reichenbergerstrasse? Ella titubeó ante la pregunta, y Axel la miró con dureza. Una vez, admitió, pero se había presentado sin que ella lo invitara y lo obligó a marcharse de inmediato. Axel frunció el ceño, pero dio la impresión de aceptar su respuesta.

Finalmente le preguntó por qué.

Vera cerró los ojos un instante.

—No lo sé, Axel. No puedo explicarlo. Tal vez te resulte difícil creerlo, pero te amo.

Él ahogó una exclamación burlona, y se dio la vuelta.

—Vamos tarde —dijo—. Voy a buscar a Flavia.

Cruzó la estancia y salió del piso, dejando la puerta sin cerrar.

Vera se sentó, sintiendo el calor de la moneda sobre el pecho. Por ti, solo por ti, le había dicho Martin. El papel en el que había envuelto la moneda seguía aún sobre la mesa, y Vera vio que se trataba de una nota, una sola línea en inglés: «QUERIDA VERA, PARA QUE VUELVAS A CASA SANA Y SALVA».

Caminaron directamente hasta la estación, con Axel cojeando a un lado por el peso de la maleta. Vera no se sentía capaz de mirarlo a la cara, e incluso Flavia guardaba silencio. Llevaba el pelo recogido bajo un pañuelo escarlata y se había puesto gafas de sol, aunque el cielo estaba bastante nublado. El ruido de la artillería había cesado, dejando a la ciudad sumida en una extraña calma.

Bajo la destrozada fachada de la estación de Anhalter, se unieron a una horda de refugiados que se apiñaba en las escaleras. El vestíbulo era un hervidero de gente hablando y gritando. La bóveda acristalada del techo hacía tiempo que había sido reducida a añicos, dejando solo frondas de acero colgando de su marco. Había cráteres en el suelo de mármol y lo impregnaba todo un olor a carbón y grasa de motor. Una niña lloraba sentada encima de un montón de equipaje, mientras un anciano se aferraba a un pilar apretujado entre la muchedumbre.

En la entrada a los andenes, varios policías comprobaban los papeles. Más allá de la barrera, una serie de vías venían a morir entre los dientes de los andenes. En ellas solo se veía un único tren arrojando vapor.

Axel iba abriéndoles paso, adentrándose en medio de la muchedumbre, y durante la media hora siguiente avanzaron lentamente hacia la puerta de acceso. El corazón de Vera se angustiaba pensando en los papeles que llevaba en el bolsillo. Los policías examinaban todos los documentos y rechazaban a la mayoría. Flavia miraba por encima del gentío, aparentemente relajada tras sus gafas oscuras.

Axel fue el primero en llegar a la barrera y entregó los tres pases y sus documentos de identidad. El policía los leyó uno por uno minuciosamente, como si examinara cada letra de la caligrafía gótica. Vera sentía cómo su cuerpo empezaba a temblar cuando, con un ademán brusco, el hombre les devolvió los papeles y les hizo señas de que pasaran.

Vera podría haber gritado de alivio, y mientras daba los primeros pasos por el andén tuvo la sensación de estar trazando una línea entre su antigua vida y la nueva: tras haber estado tan cerca de perder a Axel, nunca más volvería a poner en peligro su matrimonio.

Los vagones de atrás estaban llenos, y Flavia echó a correr por el andén hacia la cabeza del tren. Vera y Axel la siguieron hasta llegar a un vagón perforado por agujeros de metralla. Subieron y recorrieron el pasillo hasta encontrar un compartimento vacío. A una de las ventanillas le faltaba el cristal. Flavia se abalanzó sobre uno de los asientos y Axel colocó su equipaje en la rejilla, mientras un nutrido grupo familiar se agolpaba para entrar detrás de ellos. Desde el pasillo, la gente miraba con envidia el compartimento lleno, hasta que la presión de los que subían obligó a entrar dentro de la cabina a una pareja de ancianos, seguida por tres mujeres jóvenes cargadas con maletas.

Quince personas se apiñaban ahora en el compartimento. Llegar al lavabo sería prácticamente imposible. Vera se puso en pie y le ofreció su asiento a la anciana y Axel hizo lo mismo con el hombre. Ninguno de ellos podría resistir de pie todo el trayecto hasta Frankfurt.

Vera intentó coger la mano de Axel y, aunque él la retiró, lo hizo con suavidad: en su lenguaje privado del tacto, un rechazo vacilante. Se inclinó para asomarse por la ventanilla sin cristal y miró cómo seguían subiendo más pasajeros.

Pasó una hora.

—¿Por qué no arrancamos? —gimoteó Flavia.

A Vera se le ocurrió pensar que los soviéticos llevaban horas callados.

Pocos minutos después observó que unos mecánicos trajinaban con la locomotora. Flavia se puso entonces a despotricar contra los ferrocarriles, haciéndole temer a Vera que no tardaría en hacer lo mismo en contra del régimen. La cara de Axel era la de un hombre abstraído y dolido.

De repente Vera oyó un ruido de acero golpeando contra cemento procedente del vestíbulo, y al volver la cabeza vio cómo la muchedumbre se abalanzaba por encima de la barrera. Hubo sonido de silbatos y luego disparos, pero la multitud seguía avanzando. Flavia preguntó qué ocurría, pero Vera solo podía contemplar atónita cómo la oleada de refugiados se desbordaba por el andén y asediaba las ventanillas y las puertas. Un hombre se colgó con una mano del costado de un vagón, mientras con la otra recogía el equipaje de alguien que había debajo. Cajas y después un chiquillo lloroso eran empujados a través de las ventanillas abiertas. Los ojos de una mujer con un bebé se encontraron con los de Vera, la miró fijamente, y luego se abalanzó y arrojó la criatura en sus brazos. Vera se inclinó, cogió el pequeño fardo y después se echó hacia atrás, golpeándose en la cabeza. Gritó llamando a la mujer, pero esta ya estaba forcejeando con los otros que intentaban subir al tren. El pequeño chillaba.

Vera volvió a asomarse y vio a la mujer aferrada a una portezuela, donde un hombre le asestó un puñetazo que le hizo girar violentamente la cabeza, pero como si nada hubiera ocurrido ella siguió subiendo por la escalerilla, dirigió a Vera una mirada implorante y desapareció en el interior del vagón.

Tres personas más habían logrado meterse en el atestado compartimento, y Vera se acurrucaba como podía para proteger a la criatura berreante, que no tendría más de seis meses. Desde el pasillo, un hombre le transmitió un mensaje de la madre del bebé, y Vera, agradecida, le pasó la criatura a través de un río de manos.

A los pocos minutos, una voz por megafonía ordenó que todo el mundo bajara del tren, y la policía empezó a despejar los vagones de atrás. Nadie se movió en el compartimento hasta que por el altavoz se anunció que quien permaneciera a bordo sería fusilado. Solo entonces los pasajeros empezaron a llenar de nuevo el andén. Flavia no paraba de maldecir. Axel tenía una expresión sombría.

Fueron de los últimos en apearse, y luego se vieron conducidos de nuevo hacia la puerta de acceso y de vuelta al vestíbulo. Junto a la barrera, tres cuerpos yacían en medio de charcos de sangre.

La policía montó dos nuevos puestos de control y volvió a comenzar la criba de pasajeros. Vera se agarró al brazo de Axel y esta vez él no la rechazó. Sentía un nudo en el estómago. Estaban cerca de los controles, y en cuestión de unos diez minutos llegaron al principio de la cola y mostraron sus documentos. El policía dedicó a los papeles una escueta mirada.

—No.

—¿Qué quiere decir con «no»? —preguntó Flavia.

—Estos documentos son falsos. Largo de aquí.

Axel metió el hombro hasta colocarse al lado de Flavia.

—Oficial, antes nos han dejado pasar. Su colega de ahí no puso ningún reparo a estos documentos.

—Me trae sin cuidado lo que haya podido ocurrir antes.

La gente que esperaba detrás empezó a pedir que se apartaran.

—Estos documentos son auténticos —insistió Axel.

—Dígale a su falsificador que es demasiado concienzudo. Hace más de una semana que en Wilmersdorf ya no usan papel de esta calidad.

Y, bruscamente, rompió los documentos por la mitad.

—¡Animal! —gritó Flavia—. ¿Quién es su oficial superior?

El policía desabrochó la funda de su pistola. Vera se inclinó entonces hacia él.

—Mire, ¿qué interés puede tener para usted que pasemos o no? ¡Déjenos pasar, por el amor de Dios!

Fue a abrir el cierre de su bolso, pero el policía sacó su arma.

—Escuche, frau, no quiero sus cochinos marcos. O se mueve o le meto una bala.

Vera observó el rostro inexpresivo del hombre.

—¡Imbécil! —masculló Flavia—. ¡Cretino!

Axel la echó hacia atrás por los hombros.

—¡Siguiente! —gritó el policía.

Los que venían detrás los apartaron a un lado.

Se alejaron abriéndose paso entre la multitud, mientras Flavia seguía renegando furiosa.

—¡Bastardo! ¡Cabrón! Ya le llegará la hora... ¡y pronto!

Una mujer chocó con ella sin querer, y Flavia le dio un empujón.

Ya en la entrada, Axel dejó la maleta en el suelo, se sentó en los escalones y comenzó a masajearse la pierna mala sin decir palabra. Vera oyó un bramido, como el inicio de una sirena, y al alzar la vista vio a dos soldados que conducían ganado por la Stresemannstrasse: un intento, supuso, de evitar que las reses cayeran en manos de los soviéticos. Sintió que su mente se aligeraba, como si la confusión de la calle pudiera desvanecerse en un instante y se viera de pronto transportada a una playa, contemplando el mar.

El sol se estaba poniendo.

—¿Y ahora qué? —preguntó Axel.

Vera recobró la calma.

—A casa —dijo. Se volvió hacia Flavia—. Será mejor que vengas con nosotros. La Ku'damm y el Mitte serán mucho más peligrosos ahora.

Flavia se encogió de hombros.

—Cualquier puerto es bueno en una tormenta de fuego.

Habían caminado unos cientos de metros cuando Axel se arrojó al suelo y les hizo gestos de que se echaran; al momento Vera escuchó un silbido, mucho más agudo que el de una bomba, se echó de bruces y notó que la tierra temblaba. La explosión fue ensordecedora. Fragmentos de metralla volaron sobre sus cabezas,

—¡Artillería! —gritó Axel—. ¡Al bordillo, al bordillo!

Se arrastró hasta bajar de la acera y Vera avanzó reptando tras él. El cemento estaba húmedo y olía a orines y estiércol. Notó en sus tobillos las manos de Flavia y ella se agarró a los de Axel. Durante unos minutos permanecieron los tres formando una cadena en el suelo hasta que la cortina de fuego cruzó las vías del ferrocarril, levantando a su paso una nube de humo y polvo.

Axel se incorporó y apremió a las mujeres a que echaran a correr, arrastrando consigo la pesada maleta. La mochila de Vera daba sacudidas en su espalda.

No habían recorrido mucho trecho cuando otra descarga de artillería llegó desde el este, como un rugido que avanzaba surcando barrios enteros. Se refugiaron en el cráter de una bomba, los proyectiles volando a su alrededor.

—¿Volvemos a la estación? —preguntó Flavia.

—No servirá de nada —gritó Axel—. Todo el Mitte está bajo el fuego artillero.

Aguardaron hasta que amainó el bombardeo, y Axel echó a andar otra vez, cojeando. Vera y Flavia lo siguieron hasta la Mehringplatz, donde se refugiaron en una marquesina de autobús y se agazaparon bajo sus asientos mientras la calzada reventaba en géiseres de tierra.

Hacia el norte, la Cancillería del Reich se alzaba sobre un pedestal de polvo, entre una columna de humo y una columna de fuego. De nuevo amainaba la lluvia de proyectiles. Vera se levantó de un salto, se giró en dirección a casa y echó a correr.

10

La puerta blindada se cerró de golpe. Axel echó un vistazo a lo que quedaba de la *Stamm*: Erna y su madre, Reinhardt Schiefer, frau Ritter y el Blockleiter, los tres últimos, como de costumbre, jugando una partida de skat.

Frau Ritter dejó sus cartas boca abajo sobre la mesa y señaló a Flavia.

—¿Por qué está ella aquí?

—Para relajarme —respondió Flavia con sarcasmo—. Tal vez me quede un rato, para que pueda hacerme más preguntas en persona.

Arrojó su mochila sobre un camastro vacío.

Frau Ritter soltó una carcajada, sacudió la cabeza y se volvió hacia Vera.

—¿Una agradable excursión?

—Encantadora —respondió ella, en el mismo tono de sarcasmo que Flavia.

—Demos gracias al buen Dios por que haya vuelto sana y salva, *nicht*?

Axel avanzó cojeando hacia las camas, demasiado cansado para participar en el teatrillo. Le dolía todo el cuerpo, especialmente la pierna. Dejó caer la maleta sobre el suelo adoquinado. A partir de ahora, Vera tendría que luchar sus propias batallas. Durante más de un año había hecho cuanto había podido para protegerla, solo para acabar descubriendo que había estado caminando sobre arenas movedizas.

—Vamos —intervino Schiefer—, esa no es manera de hablarse unos a otros. Ahora somos una familia.

En la superficie, el fuego de artillería había cesado.

Axel se sentó en su camastro, mientras a su lado Vera empezó a rebuscar en la mochila. Sacó una toallita, la humedeció y se limpió el rostro, y luego se la ofreció a Axel por el lado sin usar. De forma mecánica, Axel tomó el pañito húmedo y rugoso y se lo pasó por la cara y el cuello, notando cómo el aire gélido del sótano recorría su espalda con un escalofrío.

Durante meses Vera lo había prevenido contra frau Ritter, aunque ahora sabía que era de ella de quien debería haber tenido más motivos para desconfiar.

A las seis se reanudó el bombardeo: explosiones y el silbido agudo de los proyectiles. El suelo se estremecía, y fragmentos de yeso caían sobre las mantas, las almohadas y la ropa de los camastros. Vera sintió deseos de pasar sus manos por los cabellos de Axel, pero no podría soportar verse rechazada delante de la *Stamm*.

Como las incursiones de los bombarderos británicos se habían producido siempre de noche, el sótano había sido solo un lugar para dormir y en ocasiones charlar, pero ahora la *Stamm* se enfrentaba a su primera comida juntos. Frau Ritter sacó algunas provisiones y Erna hizo lo mismo: pan de centeno, col y queso. Las reservas de Vera cabían en una única mochila. Junto al resto de los alimentos colocó una lata de arenques y algunos rábanos, y luego fue a sentarse al lado de Axel y Flavia. Schiefer se situó en el otro extremo de la mesa, entre frau Ritter y el Blockleiter, mientras que Erna se sentó en el centro frente a su madre, haciendo torpes ofrecimientos para compartir la comida con todos. Vera daba el primer bocado justo en el momento en que Erna inclinó la cabeza para bendecir los alimentos, obligando a los demás a quedarse quietos. La caída de un proyectil muy cerca sacudió la lámpara, haciendo oscilar las sombras de las cuatro columnas de ladrillo.

Empezaron a comer, hablando muy poco entre ellos: el bombardeo era atronador y, en cualquier caso, había pocos temas a los que fuera prudente aludir. Schiefer se mostraba taciturno. Vera intuía que su entusiasmo por el nacionalsocialismo había sido producto más del pragmatismo que de la ideología, y como el seguidor de un equipo de fútbol en horas bajas, había perdido todo interés por el destino de su nación. Frau Ritter mordisqueaba una salchicha, mientras su marido parecía ensimismado. También Axel daba muestras de abatimiento. Por debajo de la mesa, Vera apoyó una mano en la rodilla de su marido, y se sintió esperanzada al ver que este no la rechazaba.

Estaban aún comiendo cuando cesó el bombardeo, sumiéndolos a todos en un silencio tal que parecía que hubieran perdido el último vínculo con el resto del mundo. Al otro lado de la puerta blindada, Vera imaginó el vacío del espacio y las galaxias girando.

Schiefer fue a buscar una botella de schnapps, llenó los vasos y fue pasándolos al resto de la *Stamm*. No propuso ningún brindis. Para Schiefer no había nada por lo que mereciera la pena beber salvo la supervivencia. Se llevó el vaso a los labios y echó la cabeza atrás como si hubiera recibido un disparo.

—He estado considerando nuestra posición, nuestra ubicación —dijo Schiefer. Su voz sonaba áspera y entrecortada—. Como nuestro edificio queda retirado de la calle, no tiene mucho valor estratégico. Así se lo haré ver a cualquier soldado que se presente por aquí.

Frau Ritter asintió enérgicamente con la cabeza y Schiefer se recostó en la silla. Frau Eckhardt puso mala cara y escupió algún trozo de ternilla, y su hija le limpió la boca con un pañuelo. La nariz de Erna estaba tan enrojecida por culpa de un resfriado, que parecía no encajar con la palidez de su rostro. Sacudió la cabeza.

—Nuestros pobres soldados...

Sus palabras apenas llegaron a la otra punta de la mesa.

—¡Nada de nuestros «pobres» soldados! —espetó frau Ritter—. ¡Valientes!

—Estúpidos, diría yo más bien —replicó Flavia—. Luchando hasta la muerte... ¿y para qué? La guerra está perdida.

Vera contuvo la respiración, y toda la mesa permaneció en silencio. Frau Ritter le lanzó una mirada de odio. A esas alturas le resultaría difícil presentar una denuncia, pero si lo lograra las consecuencias serían funestas. Su marido miraba de un lado a otro, nervioso ante tan franca declaración de derrotismo. Schiefer se agachó para ajustarse bien los cordones de sus zapatos.

Frau Ritter irguió sus estrechos hombros.

—Me molesta oír eso. ¿Quiénes somos nosotros para dudar del Führer?

—¿Que quiénes somos nosotros? —replicó Flavia, en un dulce tono burlón—. Somos a los que nos caen las bombas y los proyectiles sobre la cabeza.

Se produjo otra pausa, y entonces se oyó una especie de rebuzno al otro extremo de la mesa. Estupefactos, los componentes de la *Stamm* se volvieron para ver al Blockleiter desternillándose entre espasmos de risa, que lo dejaron jadeando encima de su plato. Tenía el rostro grana como una guinda.

Frau Ritter se abalanzó y golpeó a su marido en el pecho.

—¡Ya te daré yo risas, payaso! No te reirás tanto cuando los rusos te estén colgando de una farola.

La cicatriz de la frente del Blockleiter se contrajo, y el hombre se enderezó en la silla. Un proyectil explotó cerca, y el suelo tembló.

La vieja frau Eckhardt levantó la vista de su plato y dejó por un momento de intentar atrapar guisantes con el tenedor.

—Es un chiste.

—¡Eso es lo que yo digo! —exclamó Flavia. Se volvió hacia frau Ritter—. Escuche lo que le dice esta anciana.

Frau Ritter respondió con una mirada de odio. Vera nunca había esperado que las dos mujeres llegaran a encontrarse, y se arrepintió de haberle contado la historia de frau Ritter a Flavia, quien se estaba volviendo cada vez más temeraria a medida que la guerra se acercaba a su fin.

Sintió ganas de arrastrarse hasta un rincón y echarse a llorar. Nada de esto era lo que ella había deseado: ni para Flavia, ni para Axel, ni tampoco para ella misma. El miedo no debería enturbiar la alegría de la liberación.

Más tarde Flavia y ella hicieron planes para subir a la superficie en busca de comida. Lo más sensato era que los hombres permanecieran ocultos. Ahora que había empezado el enfrentamiento directo, podrían reclutar a Axel en cualquier momento para el Volkssturm, e incluso Schiefer y el Blockleiter, ambos exentos del servicio, decidieron prudentemente seguir dentro del refugio.

Frau Ritter alegó que podían arreglárselas bien con lo que tenían, pero Erna se mostró valiente y accedió a ir con ellas para buscar agua. Daban las ocho cuando Vera condujo a Erna y Flavia escaleras arriba hasta el vestíbulo. Erna llevaba cuatro cubos y Flavia una bolsa de la compra. Fuera hacía viento y llovía. Un proyectil había abierto un gran boquete en el patio, horadando con su metralla los escalones de piedra, y en el charco enfangado que se había formado en el fondo del cráter dos tuberías rotas se retorcían hacia el cielo. Los edificios parecían a punto de desmoronarse contra el fondo de las nubes deslizándose raudas.

En el siguiente patio, las bombas habían derribado por completo un muro, dejando a la vista las habitaciones como un laberinto de termitas. En el último piso sobresalía un horno apuntando hacia el aire. Cualquiera que quedara vivo allí habría ido a reunirse bajo tierra con los muertos.

Las tres mujeres salieron a la Reichenbergestrasse, donde edificios enteros se habían derrumbado sobre el suelo adoquinado. Junto a un roble que crecía en una franja de hierba, unas treinta mujeres hacían cola ante la bomba de agua. Erna le rogó a Vera que volvieran lo antes posible, y luego, arrastrando los pies como si sus cubos ya estuvieran llenos, se puso en la cola.

Vera y Flavia se encaminaron a la tienda de comestibles sorteando montañas de escombros. Vigas, ladrillos, tejas, cañerías, cables del tendido eléctrico y barandillas de hierro forjado de los balcones; vidrios rotos y enseres esparcidos: una tetera, una lámpara, sartenes y libros, trozos de macetas de terracota. El yeso y el mortero se mezclaban con el agua de lluvia, salpicando de mugre despojos y cascotes. Un olor a gas flotaba en el aire. Las nubes corrían bajas, escupiendo dardos de lluvia.

Se cruzaron con dos mujeres cargadas con bolsas de la compra, y a mitad de la calle vieron aparecer a dos soldados. El primero empujaba un cochecito lleno hasta arriba de cajas y trapos. Era bajo y regordete, y caminaba con la cabeza calva tan agachada que semejaba un toro a punto de embestir. El otro era más joven y sobresalía por encima de su compañero. Llevaba una gorra gris calada en la coronilla, gafas de montura metálica fina y una bufanda color azafrán, y cargaba con un gato de pelaje rojizo. El soldado regordete pasó con el cochecito por mitad de un charco, mientras que el más alto lo rodeó caminando de puntillas. Flavia contempló con franca alegría cómo se alejaban. Ninguno de los dos iba armado.

La panadería se hallaba cerrada con tablones, pero la tienda de comestibles estaba abierta, y una cola de gente aguardaba al abrigo de los edificios vecinos. Todos los que esperaban eran mujeres, y sus conversaciones versaban sobre la comida y el bombardeo. Nadie mencionaba a los soviéticos.

Flavia se volvió hacia su amiga con cara de arrepentimiento, y Vera intuyó lo que iba a decirle.

—Lo siento, ayer me comporté como una estúpida.

—No fue culpa tuya. Ni siquiera de Martin. En esta ocasión solo puedo culparme a mí misma.

En algún lugar al norte explotó un proyectil, y una bandada de palomas salió volando de un edificio al otro lado de la calle. A través de la lluvia llegaba el estruendo sordo de un bombardeo, pero el fragor era lejano y la cola no se movió de su sitio. En estrecha formación, las palomas sobrevolaron en círculo y aletearon hasta regresar a sus posiciones.

—Lo que me preocupa ahora es qué voy a hacer con Axel —continuó Vera—. Esa fría corrección suya es peor que si se mostrara furioso. Me sentiría mejor si me gritase. No sé... supongo que me lo merezco.

—Por supuesto que te lo mereces, pero la bronca no es el estilo de Axel. Tal vez debería hablar con él en tu favor. Digas lo que digas, me siento responsable.

La alarmó pensar en Flavia intentando salvar su matrimonio, por lo que tuvo mucho cuidado en elegir sus siguientes palabras.

—Quizá más adelante. Déjame que yo lo intente primero.

Y había otros problemas más acuciantes.

—Flavia, respecto a Ritter... Tienes que dejar de provocarla, al menos hasta que ya no pueda hacernos ningún daño.

—¡Ja! ¡Que lo intente y verá!

—Por favor, hazlo por mí. La guerra está a punto de terminar.

Flavia resopló y profirió más amenazas, pero Vera consiguió su promesa de que se contendría mientras estuvieran en el sótano.

Al cabo de diez minutos entraron en la tienda. Con las ventanas tapadas por tablas de madera, Vera apenas podía distinguir los escasos productos desperdigados detrás del mostrador.

—Espero que tengan jabón.

—No te preocupes —respondió Flavia—. Cuando lleguen los rusos, nos lavaremos las manos en inocencia.

—No son mis manos las que están sucias —respondió Vera—, sino mis ropas.

Delante de ellas, una mujer reclamó cinco pfennigs de cambio. El tendero abrió los brazos.

—Lo siento, *gnädige Frau*, pero me he quedado sin monedas.

—¡Yo no me voy de aquí sin mis cinco pfennigs!

El tendero se colocó el lápiz en la oreja, abrió la caja registradora y le entregó un billete de un reichsmark. Luego se volvió a mirar a Flavia.

—¿Qué puedo ofrecerle?

La mujer embutió el billete en su monedero y se marchó ofendida. Flavia deslizó sobre el mostrador un fajo de cupones de racionamiento.

—Lo que tenga.

—Se contenta con poco, ¿eh?

El hombre forzó una sonrisa, tomó la bolsa de Flavia y la llenó con patatas y cebollas medio podridas. Añadió una bolsa de papel con sucedáneo de café.

—¿No hay leche?

—No desde que empezó el fuego de artillería.

El tendero dirigió luego una sonrisa cansada a Vera y procedió a reunir sus provisiones. Ella le preguntó si había jabón y el hombre negó con la cabeza, pero cuando le devolvió el cambio notó en la mano una pequeña pastilla reseca entre las monedas. El dependiente se inclinó sobre el mostrador.

—Tal como yo lo veo, usted es la última culpable.

Vera le dio las gracias, sintiendo un fuerte deseo de echarse a llorar.

Una vez fuera, el bombardeo creció en intensidad. Se reunió con Flavia y se apresuraron a buscar a Erna, que esperaba apoyada contra un muro cerca de la bomba de agua, juntando y separando las manos como una autómata. Vera y Flavia recogieron sus correspondientes cubos, y las tres mujeres regresaron al subterráneo.

La *Stamm* esperaba, con un Axel agradecido por la moratoria que el bombardeo había impuesto a la conversación. En la mesa, los jugadores de skat reordenaban las cartas en lo que seguramente era un abanico finito de combinaciones. Erna quitaba el polvo, una tarea inútil, mientras su madre examinaba cómo temblaba la lámpara del techo. Sobre una litera, Flavia leía las noticias de emergencia publicadas la semana anterior en *El oso blindado*, el periódico de la capital, protestando a ratos de indignación o repugnancia.

Y Vera... Vera, cuyo nombre significaba «verdad». Desde su camastro, Axel la observaba mientras lavaba su ropa en un cubo junto a la bañera, utilizando un jabón que se disolvía y dejaba un reborde de espuma sucia. Solo con mirarla, Axel sentía un dolor físico, un nudo en el estómago y en el pecho.

Hizo un examen de sus propias culpas, buscando en sí mismo el defecto que podría haberla empujado al adulterio. Tal vez el hecho de que no estuviera dispuesto, a diferencia de Vera, a salvar hasta al último de los animales. O su tardanza en darse cuenta del verdadero rostro abominable del régimen. En el pasado, Vera siempre había perdonado sus errores.

Como él había perdonado los suyos.

Vera escurrió la colada y a continuación dispuso una cuerda de tender sobre la bañera. Mientras colgaba la ropa, dirigió a Axel un par de miradas como para comprobar que se percataba de sus esfuerzos. El fuego de artillería había cesado y, ya fuera por pura coincidencia o por otro motivo, las tripas de Axel comenzaron a clamar para aliviarse. Se levantó a regañadientes y salió del sótano, sintiendo una fugaz complacencia en que Vera no supiera el porqué.

El retrete consistía en un tablón agujereado y un bidón debajo, colocados dentro de un armario al final del pasillo. El hedor de su propia deposición le pareció ajeno, una variante de la hediondez que despedía el bidón comunitario. Se limpió con una hoja de *El oso blindado* y después, sujetando una botella entre las rodillas, se echó agua en las manos.

Vera lo esperaba fuera del sótano.

—Tengo que hablar contigo —le dijo.

Para no revelar la expresión de su rostro, Axel miró hacia otro lado.

—¿Qué puedo decir para arreglar las cosas? —preguntó Vera.

—No hay nada que puedas decir.

Vera alargó el brazo para tocarle la cara y, al intentar esquivarla para volver al refugio, su mano le rozó la frente. Sintiendo como si se le erizara la piel, Axel avanzó hacia la puerta blindada, la empujó y entró en el sótano. La *Stamm* levantó la vista, Flavia con mayor atención que el resto. Axel se tumbó en la cama.

Algo tan intrascendente como un roce casi había conseguido desarbolarlo. Bajo la euforia que sentía por haberla evitado experimentó una sensación nauseabunda por haberle infligido daño. El mero hecho de imaginar a Vera sola en mitad del pasillo le resultaba doloroso.

Sentía asco de sí mismo. El histrionismo nunca se le había dado bien, y ahora más que nunca necesitaba pensar con claridad. Vera había tratado de pedirle perdón e incluso aseguraba que aún lo amaba, y la respuesta más lógica era intentar pasar página y dejar atrás el pasado. Una señal, un roce, sería suficiente para empezar de nuevo.

La puerta del refugio se abrió y volvió a cerrarse, pero Axel, como si estuviera atrapado en un bloque de hormigón, mantuvo la mirada fija en el techo. Sentía su cuerpo paralizado y, enfurecido por su propia irracionalidad, buscó en su interior una explicación, poniendo cada conjetura a prueba con una punzada de dolor. Consideró el carácter intrigante de Vera. Su duplicidad. Cuando un pensamiento en particular le dolía más que otro, volvía una y otra vez sobre él, hurgando en su propia herida. Vio a su esposa en brazos del checo: sus labios contra los de él, sus lenguas entrelazándose. Imaginó —¿habría sucedido realmente?— a los dos juntos, desnudos, y sintió que la angustia aumentaba en su pecho.

Siguió adelante, olvidado ya todo propósito de perseverancia. Si estaban desnudos, entonces se habían unido... ella había puesto su cuerpo a disposición de otro hombre.

Pero incluso esa era una representación demasiado cobarde. Lo que Vera había hecho era recibir a otro hombre dentro de sí. Su pene. Su polla. Y al fin, en el crisol del dolor, la respuesta. Sus labios y su vagina, y el líquido allí. Como un fuego intolerable.

Por eso no podría perdonarla nunca.

Flavia regresó del lavabo con noticias que le habían comunicado a voces los vecinos: cigarrillos, comida y bebida para llevarse a manos llenas. Los miembros de la *Stamm* agarraron bolsas y salieron en tromba hacia la puerta.

Vera subió los escalones hasta el patio y, al volverse a mirar a Axel, vio que este le hacía señas para que se adelantara. Flavia y ella corrieron hacia la calle y se dirigieron al oeste, cruzándose con saqueadores cargados hasta arriba, y al llegar frente a la tienda de comestibles vieron en la entrada montones de pisadas harinosas. En ese instante salía de ella un hombre, que les sonrió agitando dos carteras de colegial repletas y se alejó al trote.

Vera siguió a Flavia al interior del establecimiento y se detuvo para que sus ojos se acostumbraran a la penumbra. Las estanterías, que nunca habían estado llenas, ahora se encontraban totalmente vacías, y sobre el suelo entarimado un rastro de lodo y harina rodeaba el mostrador y se adentraba por una puerta con cortina al fondo de la tienda. De allí surgió tambaleándose una *Hausfrau* cargada con una pesada bolsa. Flavia la dejó pasar y luego entró echando a un lado la cortina.

Vera se disponía a seguirla cuando vio una figura inmóvil junto a la caja registradora. Los dedos del tendero descansaban sobre las teclas como si estuviera en medio de una transacción. La saludó con la cabeza, nada sorprendido. Ella le sostuvo la mirada un momento, al menos le debía eso, y luego se volvió y corrió la cortina a un lado.

Un pequeño rellano se adentraba en la oscuridad, y más allá una escalera descendía hacia un sótano de una negrura absoluta. Se oía estrépito de cristales, madera y metal, y los gritos de saqueadores espectrales. Vera agarró con fuerza la mano de Flavia y empezaron a bajar juntas, teniendo que arrimarse a la pared cuando alguien se abrió paso a empellones escaleras arriba.

El sótano estaba totalmente a oscuras. A Vera le llegó el olor a col, a polvo, a schnapps. Se atragantó con algo que flotaba en el ambiente con sabor a harina, y resbaló sobre lo que le parecieron guisantes. Al intentar llegar a una pared, chocó contra el brazo desnudo de alguien y lo apartó como si fuera un alga marina. Después se agarró a una estantería e intentó tranquilizarse, pero algo la golpeó en las costillas, obligándola a doblarse sobre sí misma, y la estantería se derrumbó provocando que un aluvión de manzanas cayera sobre su cuerpo. Cerca de ella, una mujer soltó una maldición. Vera sentía un dolor punzante en las costillas. Flavia se acercó, llamándola por su nombre, y la ayudó a levantarse.

Mientras Vera recuperaba el aliento, Flavia consiguió abrir la bolsa y llenarla de manzanas hasta la mitad. Después, cuidadosamente, empezó a indagar por las estanterías y, al no encontrar nada en ellas, probó en el suelo. Descubrió allí varias bolsas del tamaño de sacos de arena y cogió dos.

Arriba en las escaleras se oían pisadas y maldiciones. Entonces Schiefer gritó y Flavia le respondió que estaban allí abajo. Vera escuchó la voz de Axel y lo llamó por su nombre, y al cabo de unos momentos estaba a su lado. Impulsivamente le cogió los dedos y se los pasó por las costillas. Solo magulladuras, le explicó, pero el roce la hizo sentir bien. Axel no dijo nada, y ella le soltó la mano.

Mientras Schiefer vociferaba órdenes, la *Stamm* se había apoderado de un rincón del sótano y peinaba las estanterías. Vera encontró botellas y un morcón de salchicha, y los metió en la bolsa.

Cuando hubieron acabado, Vera y los demás subieron hacia el relativo resplandor de la tienda. El tendero ya no estaba ante la caja registradora. Vera confió en que se hubiera unido al pillaje y hubiese logrado recuperar para sí una pequeña parte de los víveres.

En la calle se había formado un improvisado mercado de intercambio. Vera abrió la mochila y descubrió con decepción que las botellas contenían vinagre. Una mujer mayor la agarró del codo y le suplicó que se las cambiara por tres botellas de riesling. Vera cerró el trato antes de que la mujer se lo pensara mejor.

Schiefer pronosticaba que el asunto acabaría mal si no se marchaban cuanto antes, pero el resto de la *Stamm* estaba exultante. Flavia rebuscaba entre los paquetes de curtidos mientras Erna sonreía, con los brazos en jarras y una mochila sobre los hombros. Frau Ritter inspeccionaba un par de cestas llenas de pan negro y cebollas. Estaba muy blanca y no tenía buen aspecto. Vera no la había visto salir a la superficie desde hacía días.

Vieron al Blockleiter en el instante mismo de su muerte: su cuerpo adquirió una rigidez antinatural y cayó de bruces sobre una alcantarilla. Su cráneo golpeó contra los adoquines como un martillo contra el yunque, y de la maleta que había estado arrastrando salió despedido un torrente de latas. Los transeúntes se estremecieron, pero no se había producido ningún disparo.

Erna fue la primera en llegar hasta él, seguida de Schiefer. Axel se acercó y volvió su cuerpo boca arriba, con lo que sin querer le cruzó las piernas dejándoselas como si estuviera aguantándose la vejiga, y entonces una mancha se extendió por la entrepierna de sus pantalones y su cuerpo dejó escapar una flatulencia gutural. Schiefer se apresuró a retroceder justo en el momento en que el hedor alcanzaba a Vera. El infeliz Blockleiter tenía todo un lado del rostro enrojecido y cayendo como flácido. No cabía ninguna duda de que estaba muerto.

Los transeúntes se congregaron alrededor de la *Stamm*. Frau Ritter permanecía más quieta que nadie. Flavia le cogió las bolsas de las manos y la condujo hacia el cadáver, pero tras solo dar dos pasos frau Ritter se detuvo, gimiendo con un llanto débil y entrecortado.

Las latas continuaban esparcidas junto al difunto, como provisiones para un viaje por los grises campos de ultratumba.

Al caer la noche se reunieron en el patio para enterrar al Blockleiter. La artillería retumbaba a lo lejos. Junto al cráter atravesado por las dos tuberías metálicas retorcidas había un armario escobero, y en su interior yacía el cadáver.

Aunque Vera hubiese preferido no salir de nuevo al exterior, la pena por la muerte del hombre la había llevado a subir junto al resto de la *Stamm*. Formaban todos un cuadro lastimoso. Los esfuerzos por vestirse de forma respetable solo habían conseguido resaltar el desastrado aspecto del grupo. Schiefer, con un traje arrugado y una corbata azul marino, leyó un pequeño discurso que extrajo de un sobre, en el que loaba el bondadoso corazón del Blockleiter. Aunque normalmente era un buen conversador, esta vez su voz sonó entrecortada. Axel estaba de pie junto al escobero, con una cresta de pelo rebelde levantándose en la parte posterior de su cabeza. Frau Ritter era la única que se las había arreglado para vestir completamente de negro: un velo sobre un sombrero de ala ancha y un vestido de seda bajo el abrigo de marta cibelina. Llevaba la raya de los ojos delicadamente pintada con khol.

Schiefer terminó su plegaria. Arrugó el sobre y se lo metió en el bolsillo, y le indicó a Axel que levantara el otro extremo del escobero. A continuación siguió una farragosa maniobra para hacerlo descender entre las tuberías arrancadas, pero cuando Vera hizo ademán de acercarse Schiefer sacudió la cabeza con vehemencia. Este hizo bajar un extremo del improvisado ataúd hasta el interior del cráter, y luego rodeó el boquete para acudir en ayuda de Axel, que estaba inclinado sobre la fosa con el escobero como único apoyo, y entre ambos lo hicieron descender hasta lograr que permaneciera nivelado. Por debajo quedaba un hueco en el que se había formado una charca de agua sucia. A ambos lados se alzaban retorcidas las tuberías.

Rellenar el cráter de tierra les llevaría un par de horas. A Vera no le hacía ninguna gracia que Axel permaneciera tanto tiempo fuera. La muerte del Blockleiter, aunque debida a causas naturales, había destruido sus últimas esperanzas de orden. Ya no habría más pesquisas, exequias ni certificados de defunción con que empapelar el vacío bajo los pies de nadie.

Erna se acercó al cráter con un puñado de lilas en la mano, se detuvo en el borde y arrojó el ramo como si lanzara un aro. Las flores cayeron sobre el escobero, pero resbalaron y fueron a parar al agua entre escoria y cenizas.

La *Stamm* observó expectante a frau Ritter, que avanzó unos pasos con la afilada barbilla bien alta. Se inclinó hasta hundir las uñas de sus dedos en el barro, se enderezó y arrojó la tierra fangosa, que se esparció sobre el escobero.

En ese momento, se oyó el silbido de cohetes sobrevolando por encima de sus cabezas, haciendo que Vera y el resto de la *Stamm* salieran corriendo en dirección al vestíbulo. Desde una calle cercana les llegó el estruendo de las explosiones. Frau Ritter se ajustó el velo y entró en el edificio.

La tarea de rellenar el cráter debería esperar. Desde la fosa abierta, las tuberías parecían agitarse como los brazos de un hombre ahogándose en una sima más allá de la rompiente de las olas.

El botín conseguido en la tienda, parte del cual había sido obtenido por el propio Blockleiter, constituyó el menú principal de su velatorio. Mientras Axel contemplaba a la *Stamm*, no pudo evitar pensar que ninguno de ellos, ni siquiera la mujer del muerto, parecía especialmente destrozado por el dolor. Contenidos quizá, pero no afligidos. Vera y Flavia prepararon unos platos de patata y col, cada uno de ellos coronado milagrosamente con un huevo frito. Schiefer sirvió vino y schnapps. A frau Eckhardt se le caía la sopa por las comisuras, que su hija recogía con una cuchara y volvía a meterle en la boca. Frau Ritter era más pulida. Los bocados que pinchaba con el tenedor parecían más grandes que la abertura de su boca, pero aun así, sin que ni siquiera se le corriera el pintalabios, conseguía seguir el ritmo de los demás.

Schiefer sirvió otra ronda, y Axel, tras excusarse, se levantó de la mesa. Meditar en la intimidad le parecía mejor tributo para un hombre con el que había compartido la fraternidad de la batalla, aunque supieran tan poco el uno del otro.

Observó que en la mesa empezaba a reinar el buen humor. Frau Ritter comentó que todo lo que necesitaban era tabaco, a lo que Schiefer replicó con un chiste sobre un iracundo general, su ordenanza y una colilla arrojada al suelo: «Es suya, herr general, usted la vio primero». Axel apartó la mirada de la alegría general, así que le pilló por sorpresa cuando Flavia se sentó a su lado en el camastro. En la mesa, la expresión de Vera era una clara advertencia hacia Flavia de que no siguiera adelante, pero esta no estaba mirando, así que Vera dirigió una sonrisa lastimera a Axel, como compartiendo su exasperación con las cosas de la Stahl.

Flavia agarró a Axel del brazo y le dio una suave sacudida.

—He venido para decirte que dejes de comportarte como un zopenco y vuelvas a hablarle a Vera.

Siempre tan diplomática...

—¿Me equivoco si digo que estás aquí sin autorización?

—Vera me pidió que no me metiera, pero me siento responsable.

—No lo hagas. De una u otra manera, esto habría salido a la luz.

«Esto»... la infidelidad del cuerpo de Vera. En la mesa, Vera hablaba en voz alta, sin duda deseando desviar la atención general de una conversación que no podía impedir.

—Posiblemente —concedió Flavia.

A Axel lo asaltó una nueva sospecha.

—¿Tú sabías lo que estaba ocurriendo?

Flavia titubeó.

—Al principio, no. —Continuó decidida—: Más adelante, sí, por supuesto. Y no me mires de esa manera. ¿Qué elección tenía? Vera es mi mejor amiga.

—Entonces tal vez deberías seguir su consejo y dejarme solo.

—¿Por qué no la escuchas? Vera quiere volver contigo y, en mi opinión, estarías mal de la cabeza si la dejaras. Tu mujer es excepcional. Y también fiel.

Aquello era una exageración, tanto como llamar elefante a una jirafa.

—¿Cómo puedes decir eso, Flavia?

—Todavía está aquí, ¿no?

—No veo que tenga muchas más opciones.

—¿Qué sabes tú de sus opciones? Mira, Axel, para que lo sepas, en ningún momento estuve de acuerdo con lo que Vera estaba haciendo, y se lo dejé muy claro, pero una de las razones por las que no te fui con el cuento era que sabía que no duraría. Créeme, soy una experta. Hay dos tipos de infidelidades: una que es un puente hacia alguien nuevo, y otra que te hace volver a ti misma. La de Vera fue del segundo tipo. Tuvo un desliz, eso es todo, pero al final te ha elegido a ti. En todo caso, tendrías que sentirte halagado.

Como defensora de lo indefendible, no había quien la ganara.

—Flavia, deberías haberte dedicado a la propaganda.

—Gracias, pero aún no he acabado contigo. —Hizo un gesto abarcando el techo—. Por si aún no te habías dado cuenta, estamos en mitad de una guerra. Esto es un velatorio, ¿recuerdas? No importa que ese hombre haya muerto por causas naturales: pueden matarnos en cualquier momento. Arregla las cosas con Vera. Cuando pienso en Freddie, me digo a mí misma que, por lo menos, él fue amado. —Se le entrecortó la voz—. Y él murió sabiéndolo. —Hizo una pausa—. Pero si eso no es suficiente para ti, y si eres demasiado orgulloso como para ayudarte a ti mismo, por el amor de Dios, piensa en mí: no quiero que una torpeza mía provoque el final de vuestro matrimonio. Después de todo —esbozó una triste sonrisa—, esta vez ni siquiera lo había intentado.

Por un momento se quedó desconcertado, y luego recordó a Flavia de rodillas, sus manos forcejeando torpemente con su bragueta mientras lloraba por Motz-Wilden. En aquel momento sabía que estaba desorientada y no había querido aprovecharse de ella, pero ahora se preguntó si eso había constituido una verdadera prueba de virtud. ¿Qué habría ocurrido si ella lo hubiera intentado estando en otro estado de ánimo, en diferentes circunstancias? De tanto en tanto, a lo largo de los años, él había sido sensible a sus encantos y, por mecánicas que hubieran sido sus reacciones al vislumbrar una liga o el contorno de un pecho, era innegable que ocasionalmente había deseado a la mejor amiga de su esposa, una mujer, por lo demás, lo bastante joven para ser su hija.

Axel advirtió que en la mesa había cesado la conversación. Flavia también se había dado cuenta y se volvió, para descubrir que el silencio no se había hecho por ellos dos, sino por frau Ritter, que tenía la vista clavada en el fondo de su taza.

—¡Un hombre tan bueno...! —exclamó.

Incluso Schiefer parecía contrito.

—¡Tan bueno...! —repitió Frau Ritter, y, cubriéndose el rostro con un pañuelo, empezó a sollozar.

Schiefer hizo ademán de pasarle un brazo por los hombros, pero su mano se quedó suspendida en el aire, como la de un montañero que busca un punto de apoyo más sólido. Miró suplicante a Erna, quien se levantó y rodeó con los brazos a la llorosa mujer. Schiefer se quitó la servilleta del cuello y empezó a doblarla sobre la mesa.

—¿Dónde estaría yo ahora si no hubiera sido por él? —sollozó frau Ritter—. Que alguien me lo diga.

Nadie respondió. De golpe se soltó del abrazo de Erna y apuró otro trago de schnapps. Dejó bruscamente la taza sobre la mesa y respondió ella misma a su pregunta.

—En ningún sitio. En la lavandería. O peor.

Erna, de la que Axel sabía que antes se había encargado de hacer la colada para otros, parecía desconcertada. Frau Ritter se secó los ojos y el kohl se le corrió por la cara. Se cruzó de brazos y empezó a mecerse.

—Y ahora ahí arriba —gimoteó—. Encima de nosotros. Encima de nosotros y sin enterrar...

Ni siquiera Erna parecía saber cómo consolarla.

A la mañana siguiente, Flavia anunció que era miércoles... para Vera, una afirmación que parecía sacada de una mareante letanía. La clasificación de los días en grupos de siete había perdido todo su sentido. Desde aquel húmedo agujero era imposible diferenciar el día y la noche.

Unas horas después cesó el bombardeo, y Vera acordó con Erna y Flavia salir a buscar más agua. Estaba lloviendo. En el patio humeaba un nuevo cráter, y Vera se imaginó el agua de las cañerías y las alcantarillas con sabor a nitroglicerina. Desde la distancia llegó el tableteo de las armas ligeras, un sonido nuevo y espeluznante.

Al principio la Reichenbergerstrasse parecía desierta, pero ante la bomba de agua aguardaba la cola habitual y Vera vio allí cerca a dos hombres de las SS, uno de pie y el otro doblado por la cintura. Los dos llevaban metralletas, las primeras armas que Vera veía desde el comienzo de los bombardeos, pero, en lugar de vestir los uniformes de combate habituales, lucían los negros de gala. Las metralletas eran del mismo tono gris que las nubes: un color que se repetía en los adoquines, en los cubos de las *Hausfrauen* que hacían cola ante la bomba de agua, y en sus bufandas, sus medias y sus abrigos. Solo los uniformes negros destacaban con inequívoca rotundidad.

El que estaba de pie era un hombre de mediana edad y tenía más aspecto de estibador que de miembro de una élite militar. El segundo estaba encorvado sobre un charco de vómito mientras su camarada lo consolaba y le masajeaba la nuca. Se incorporó lentamente. Era joven y en otras circunstancias podría haber resultado atractivo, pero sus ojos azules estaban inyectados en sangre y tenía el rostro enrojecido.

Las mujeres que aguardaban en la cola no miraban a los soldados, sino a la acera o a la franja de parque que quedaba fuera del campo de visión de Vera. Cuando se acercó, pudo ver el roble y a un hombre ahorcado colgando de una rama.

Se puso al final de la cola, dejó los cubos en el suelo y se cogió del brazo de sus amigas, consolando a una y conteniendo a la otra. El soldado más joven estaba pálido y apoyaba los antebrazos en su arma, que colgaba de una correa alrededor de sus hombros. El mayor extrajo un papel de fumar que dejó colgando de su labio inferior. Abrió una petaca de cuero, se quitó el papel de la boca y echó el tabaco. Después enrolló un cilindro con los dedos, lo selló con la lengua y lo compactó dándole unos golpecitos en la palma. Le pasó el cigarrillo a su camarada, que lo aceptó y lo encendió sin mirarse las manos.

Parecían no tener prisa en marcharse, lo que tal vez fuera intencionado. Vera intentaba no mirar al hombre ahorcado, y en su lugar se puso a examinar la hierba sin cortar, y luego el mordisco de tiburón en el cristal de una ventana más allá. La copa del roble estaba cubierta de brotes nuevos.

El hombre pendía de un cable eléctrico raído, mirando hacia el otro lado. Del nudo del dogal salía un enchufe, y la piel del cuello por encima del cable tenía un tono azulado. Vera dio gracias por no poder verle el rostro.

Era un hombre delgado, vestido con pantalones marrones, un jersey sin mangas y una camisa antaño blanca y ahora azulada por el continuo lavado. Tenía los cabellos grises. De su espalda colgaba un trozo cuadrado de conglomerado con la inscripción en carboncillo: «YO ME NEGUÉ A LUCHAR». La frase, con su precisa construcción en pasado, había sido garabateada por unos dedos temblorosos.

Aunque el aire estaba en calma, el cuerpo del ahorcado se balanceaba.

Axel intuía que era el único que quedaba en la *Stamm* capaz de imaginar con cierta nitidez el desarrollo actual de la contienda. Los disparos de las metralletas y fusiles eran ahora constantes. A diferencia de lo que sucedía con los bombardeos aéreos, existía cierta intimidad en el combate terrestre, donde un hombre podía matar con sus dientes, o seguir corriendo como un pollo después de que le hubieran cortado la cabeza.

Todos en el refugio mostraban una actitud apática, con excepción de Erna, que se afanaba barriendo el yeso desprendido del techo. Luego ordenó las palas por tamaños, y después merodeó nerviosa en torno a la mesa donde estaban sentados los jugadores de skat. Un salero abandonado pareció captar su atención, pero cuando fue a cogerlo frau Ritter le dio un cachete en la mano.

—¡Estese quieta, por el amor de Dios!

Erna se frotó la mano.

—Solo quería ayudar.

—Ocúpese de sus asuntos.

En la otra punta de la mesa, Flavia se removió en su asiento, y por la forma de echar los hombros hacia delante Axel adivinó lo que iba a ocurrir.

—¿Por qué no se ocupa usted de los suyos? —le espetó—. Empiece a prepararse para la vida después del nacionalsocialismo.

La expresión de frau Ritter fue primero de incredulidad y luego de indignación, e incluso a Axel le pareció cruel provocarla así cuando hacía tan poco que había muerto el Blockleiter.

Frau Ritter se volvió hacia Flavia.

—Están deseando que ocurra, ¿verdad? —Señaló a Vera—. Porque saben que esa de ahí les ayudará. Un enemigo infiltrado. Probablemente una espía. Deberían haberla enviado hace años a un *Lager*.

Era la primera vez que Axel oía a alguien atacar a Vera de forma tan directa y, aunque preocupado, se sintió extrañamente distante. Así era como debía de sentirse un fantasma: mudo, pero temblando de emoción. Vera parecía furibunda y a la vez serena.

—¿Solo a un *Lager*? —preguntó Flavia—. ¿Qué tiene de gracia eso? Tengo entendido que usted prefiere algo más fuerte... como la guillotina.

Frau Ritter vaciló, pero después respondió con firmeza:

—Todo lo que he hecho en el pasado lo he hecho por la patria. La lástima es que no haya más gente como yo.

Flavia soltó un bufido burlón y la voz de frau Ritter se hizo más estridente.

—¡Sois vosotros, intelectuales de pacotilla, los que nos habéis hundido! Sois todos una panda de espías y traidores. Os habéis dedicado a socavar al Reich desde dentro, y cuando hubierais acabado con vuestro sucio trabajo pensabais largaros al oeste. Pues bien, solo puedo dar gracias al buen Dios por haber hecho que fracasarais.

—No como su hija —replicó Flavia.

Frau Ritter se puso muy rígida, pero se recobró enseguida.

—Eso no tiene nada que ver. Mi hija dejó Berlín para ayudar a su marido. Mi yerno se ha marchado al Reducto Alpino para continuar allí con la guerra.

—*Gluwein* —dijo frau Eckhardt, aparcada en su silla de ruedas junto a los camastros.

Toda la *Stamm* se volvió hacia ella y la anciana sonrió.

Axel volvió a mirar hacia la mesa y vio que frau Ritter tenía los ojos fijos en él.

—¿Y tú qué haces aquí, escondiéndote bajo tierra? ¡Deberías estar allá arriba hace días, luchando por la patria! ¡Defendiéndonos a todos! —Su voz se volvió sarcásticamente entusiasta—. No te equivoques, amigo, todos conocemos la ley. Y podemos ver lo que eres. Lo peor, la *merde de la merde*. La mierda que manchará tus calzoncillos cuando veas llegar a nuestras tropas.

Axel bajó la mirada al suelo. La mujer tenía razón: era mucho más apto que la mayoría de los pobres diablos reclutados en el Volkssturm.

Se aclaró la garganta, y en ese momento Vera se puso en pie.

—¡Tú, bruja! ¿Cómo te atreves a hablarle así a mi marido?

Frases de un melodrama, pensó Axel. ¿Por qué enfurecerse tanto ante la verdad?

—¡Un veterano! ¡Y herido de guerra! ¡Puede estar bien segura de que él no va a morir por su causa perdida!

Para su asombro, Vera estaba llorando. Flavia la rodeó con el brazo.

—Esto no es asunto tuyo —le espetó frau Ritter—. Aquí no eres más que una extranjera. ¿Usted qué piensa, Reinhardt?

Schiefer se sobresaltó, pero se recompuso y frunció el ceño. Como Axel esperaba, su expresión volvía a ser de distanciamiento, como si sus deliberaciones correspondiesen a alguien totalmente distinto. Más extraña aún fue la repentina convicción que tuvo Axel de que Schiefer iba a decir la verdad: no hablando por él mismo, sino como la voz del hombre alemán. Su corpulencia, su calvicie, su bigote alado... la pura ridiculez del hombre parecía convertirlo en un oráculo bastante creíble.

—Bueno —dijo Schiefer—, no cabe duda de que hay otros más lisiados que están combatiendo ahí fuera.

—¡Exacto! —remachó Frau Ritter.

—Y tampoco es un viejo, ¿no? No como yo —añadió.

Autojustificación, falsa gravedad: el estilo era puro Schiefer; pero aun así Axel no podía evitar la impresión de que su juicio era totalmente objetivo.

—Entonces, ¿por qué no? —prosiguió Schiefer—. ¿Por qué no responder al llamamiento?

—¡Eso! —gritó exultante frau Ritter.

Así pues, un veredicto. O eso parecía. Como sorprendido de que le hubieran tomado la palabra, Schiefer parecía ansioso por seguir explicándose.

—En cualquier caso, es solo una opinión. También cabría argumentar que herr Frey tiene todo el derecho de elegir. Después de todo, se trata de una decisión importante.

—Muy importante —subrayó frau Ritter.

Axel se fijó en los penetrantes ojos de la mujer, y recordó que hacía unos meses se había burlado de Vera por hacerle la misma observación.

—Esto es absurdo —respondió Flavia—. No les hagas caso, Axel.

Frau Ritter tenía la mirada clavada en él.

—Así que dígame, herr Frey, ¿cuándo piensa cumplir con su deber?

Axel vislumbró al fondo a Vera, cuya expresión era una mezcla de súplica y alarma. Parecía que, después de todo, tendría que escoger. La *Stamm* estaba esperando, pero tuvo la impresión de que la respuesta que saldría de su boca no sería un sonido, sino simple vaho.

—Ya has oído a esa mujer —dijo Vera—. Si puede, te denunciará.

—Quizá tenga razón. Ya combatí antes... ¿por qué no debería hacerlo ahora?

El fatalismo de Axel era exasperante, aunque si la apatía lo hacía más dócil, entonces puede que fuera para bien.

Habían llegado al rellano de la tercera planta y Axel sacó las llaves.

—Demasiado obvio —dijo Vera, y lo condujo escaleras arriba.

Entre el tercer y el cuarto nivel había desaparecido un muro, dejando ver un panorama de tejados y agujas que se unían a las nubes por columnas de humo. Se apartó cuanto pudo del borde, moviéndose con prudencia a cada paso. Al igual que el Blockleiter, al final acabaría muriendo mucha gente.

El piso del conductor de autobús había hecho las paces con el cielo. Una brecha en el tejado invitaba al sol y la lluvia a colarse en el interior, y los estorninos habían anidado en la loza rota de la cocina. El ruido de disparos reverberaba en las paredes. Aparte de algunos muebles destrozados, apenas quedaban indicios de la presencia de la familia del conductor. Un penetrante olor a moho impregnaba el aire. El papel de flores de lis se desprendía de las paredes en tiras, como llevado por alguna fallida voluntad de reunirse con la basura del suelo.

En la mitad del piso que todavía conservaba el techo, los escombros bloqueaban la puerta del dormitorio. Axel se disponía ya a volver escaleras abajo, cuando Vera encontró un paso a la habitación a través de un agujero en el rellano.

En el dormitorio hallaron una estructura de cama con la rejilla metálica del somier retorcida. Vera la empujó hasta situarla debajo del altillo que servía de trastero. Señaló el cabezal y le pidió a Axel que subiera.

—Esto es ridículo —dijo él.

—Mejor ridículo que muerto.

Él soltó un gruñido escéptico.

—Solo te pido que no me dejes aquí más tiempo del necesario.

Empleando el cabezal como escalera, Axel trepó hasta la trampilla, la abrió y se deslizó dentro del altillo. Vera le pasó un par de sábanas, una de las cuales colocó doblada bajo sus caderas a modo de cojín. También le pasó una bolsa con agua y comida.

Allí estaba expuesto a los bombardeos, y como escondite no era demasiado bueno, pero tendría que servir.

—¿Está tan mal? —preguntó ella.

—He dormido en sitios peores.

—Me refiero a lo de protegerte.

—Tú lo has elegido.

Vera se detuvo un momento para calibrar el tono de Axel, pero luego lo dejó estar y se dio media vuelta. La trampilla se cerró detrás de ella, y sintió como un alivio el sonido de la madera sobre madera. Se abrió paso por encima de los escombros hasta el descansillo.

Su propio apartamento era una ruina, aunque no estaba tan mal como el de arriba. El marco de la ventana se había desprendido de la pared. Jirones de papel de oscurecimiento se mecían por la brisa. Láminas de yeso habían caído del techo, y los rasguños en el suelo entarimado marcaban el lugar donde había ido a parar la metralla. La batalla se estaba librando a cierta distancia y, movida por un súbito impulso, Vera se sentó en el solitario sillón.

Sentía la necesidad de pensar un plan, pero no podía concentrarse. En la jardinera los narcisos ondeaban como banderas, y notó en el pecho la agitación de los pétalos. Ahora que Axel estaba tan a salvo como era posible, era consciente del miedo de que le sucediese algo a ella, y su mayor temor no era que la matasen, sino que la violaran.

Dar nombre al peligro solo hizo que se sintiera peor, pero lo que tenía que hacer ahora era vivir, y la supervivencia podía significar tener que enfrentarse a las más horribles posibilidades. Lloró un rato, luego se levantó e inspeccionó el espacio que durante más o menos un año había sido su casa. Cerró con llave y bajó por las escaleras.

Una vez en el exterior del sótano, llamó a la puerta y se anunció. Schiefer abrió, miró por encima del hombro de Vera y preguntó por Axel. Ella le respondió que estaba a salvo. Frau Ritter la miró fijamente por encima del recinto fortificado de sus cartas.

Los golpes en la puerta blindada cesaron y un hombre exigió en alemán que le dejaran entrar. Antes de que Vera pudiera detenerla, frau Ritter había salido disparada hacia la puerta y había abierto, dejando ver a varios soldados con uniformes grises, aunque la perspectiva de la escena parecía extrañamente errónea, como si los hombres se hallaran mucho más lejos de lo que permitía la longitud del pasillo. El que estaba más próximo dio unos pasos hasta situarse bajo la luz de la lámpara.

Debía de tener unos catorce años, con una mandíbula cuadrada pero mejillas suaves. Sus labios eran tan finos que apenas se distinguían. La visera de la gorra le hacía sombra en los ojos, y la luz de la lámpara resaltaba la nuez de su garganta. Portaba una ametralladora ligera con un bípode, y un cinturón de municiones alrededor del pecho. Ceñida al muslo llevaba una Luger. Sendas granadas de mano a la altura de las caderas, y sobre el uniforme la insignia de Leutnant de las Juventudes Hitlerianas. Mientras echaba un vistazo por el sótano, se oía el entrechocar de sus armas.

Tres de sus jóvenes compañeros lo siguieron adentro, mientras que un cuarto, con la cara marcada por el acné, se quedó en la puerta sosteniendo una metralleta. Uno de los muchachos que entraron, alto, torpón, encorvado, era al menos dos años mayor que los demás, pero observaba al Leutnant con una expresión a medio camino entre el miedo y la devoción. Empuñaba un fusil.

Los otros dos eran apenas pubescentes. El primero tenía un pelo muy revuelto que le caía sobre un vendaje costroso y sanguinolento. Restos de sangre salpicaban el rostro, el cuello y el uniforme, que estaba tan arrugado como el traje de un payaso. Sobre una de sus botas descansaba la boca del cañón de un lanzacohetes, cuyo otro extremo le llegaba hasta el cuello.

Su compañero cargaba también con un Panzerfaust. Tenía los ojos de un azul intenso, mejillas rubicundas y unos labios rosados que resplandecían delicadamente. Un casco que le iba demasiado grande enmarcaba su rostro. Un amplio gabán le cubría el cuerpo hasta los tobillos.

Frau Ritter avanzó un paso hacia el Leutnant.

—Quisiera informarle de que hay un desertor en este edificio.

—Zorra —le espetó Flavia.

Vera no dijo nada, pensando fríamente que si algo le ocurría a Axel mataría a frau Ritter.

El Leutnant preguntó por los detalles, con una voz que se quebraba de forma irregular y caprichosa. Su acento era refinado, prusiano, de alguien privilegiado.

—Axel Frey —respondió frau Ritter—, un desertor del Volkssturm. Cincuenta años, más o menos. Se oculta en alguna parte de este edificio.

Un cuchillo sería lo más fácil. Se acercaría a donde guardaban las cosas, sacaría el cuchillo de trinchar de Erna y, cogiendo a frau Ritter desprevenida, le hundiría la hoja en el pecho.

El teniente la miró con aire desdeñoso.

—¿Cincuenta años? No estamos aquí para jugar al escondite con viejos.

Vera agarró a Flavia del brazo, como si apretando con fuerza pudiera impedir que el muchacho cambiara de idea. Frau Ritter puso cara de incredulidad.

—Mi pelotón necesita víveres —dijo el chico.

Su tono no admitía objeciones. Aunque un pelotón debería haber sido más numeroso.

—No tenemos mucho —replicó Schiefer.

—No he preguntado cuánto tienen.

Se produjo una breve pausa mientras Schiefer se hacía cargo de la situación. Los ojos del joven permanecían todavía en la sombra. Schiefer miró al resto de la *Stamm* y señaló con la cabeza hacia sus pertenencias. Erna abrió un saco de arpillera y sacó dos hogazas de pan, mientras que Flavia cogió patatas y una col y las metió en una bolsa. Vera les dio manzanas, algunas de las cuales se desparramaron por el suelo en su afán de que los muchachos se marcharan cuanto antes. Frau Ritter se sentó a la mesa, sola y muy rígida.

El Leutnant pidió agua, y Vera comprendió entonces que el grupo tenía la intención de quedarse, al menos el tiempo suficiente para dar buena cuenta de la comida. El Leutnant y el guardia de la puerta comieron de pie, mientras que los otros, sentados en cuclillas sobre los adoquines, devoraron las manzanas, la col y los trozos de pan. Tenían los ojos vidriosos. El Leutnant masticaba de forma constante, sus ojos escudriñando la habitación. Vera jamás había visto un grupo tan fuertemente armado. Armados... como si las armas fueran extremidades de su cuerpo.

El chaval larguirucho ofreció un mendrugo de pan a frau Eckhardt pero cuando ella trató de cogerlo lo apartó de su alcance. Frau Eckhardt clavó la mirada en los ojos del chico.

—Tienes que crecer —le dijo.

El chaval se rió por lo bajo.

Uno a uno los muchachos fueron acabando de comer, y el Leutnant hizo un gesto con la cabeza y se levantaron para marcharse. Estaban a punto de salir cuando Flavia los detuvo.

—¿Adónde vais? ¡Esto es una locura! —Se dirigió a la *Stamm*—. No podemos dejar que se vayan. Son unos niños.

—Pueden decidir por sí mismos —dijo Schiefer.

—¿Pueden...? —Flavia señaló al muchacho de la venda—. ¡Eh, tú! ¿Tú te quieres ir?

El chico miró a los otros.

—Es mi deber —dijo con voz aflautada.

Por su acento parecía de clase media, y por primera vez Vera se preguntó de dónde habrían salido aquellos chicos. Habían aparecido tan de repente... Haciendo un esfuerzo, se imaginó a sus padres agazapados en un agujero como aquel.

Flavia se dirigió al muchacho del casco.

—¿Tú qué quieres hacer?

—Lo mismo que los demás.

Al igual que el otro chico, aún no había cambiado la voz, y Flavia, como si hubiera terminado su alegato, se volvió hacia la *Stamm*.

El Leutnant agitó su Luger como si fuera un bastón de mando.

—Ya es suficiente. Nos vamos.

—¿No es ya hora de dejar la guerra? —le preguntó Flavia—. ¿Por qué no quieres envejecer? Vuelve a visitarnos algún día y beberemos *Weissbier* en una *Kneipe*.

Vera vio que el muchacho vacilaba, y el esbirro con la cara marcada por el acné lo miraba desconcertado. Los demás muchachos también observaban. El Leutnant sopesó a Flavia con la mirada. La luz le iluminó los ojos. Un iris era de color verde, el otro marrón.

—Olvida que no tenemos ropas para ellos —objetó Schiefer—. No pueden estar aquí de uniforme.

—Entonces présteles sus ropas —dijo Flavia.

Schiefer tenía sus dudas.

—Para el chico más alto, tal vez. Para los otros, no.

Todos miraron al chaval larguirucho, que parecía asustado, pero el Leutnant había perdido interés y se dirigía ya hacia el pasillo. Flavia soltó una maldición, pero Vera se sintió aliviada. El joven del acné agitó su arma y los otros chicos salieron del refugio. Parecían más resignados que decepcionados, y su fatalismo reavivó la compasión de Vera. Sin duda había un instinto que te impulsaba a no poner en peligro la vida de unos chicos demasiado jóvenes para ser padres. Aún podía intentar convencerles, rogarles que no se fueran.

Pero el tiempo apremiaba demasiado. No había oportunidad de prepararse, de disipar la confusa amalgama del miedo. Flavia, al menos, había intentado hacer algo.

Por un momento, los cinco chicos fueron visibles a través de la puerta. Formaban un grupo extraño, inconexo. Huesos larguiruchos y carne floreciente. Los mechones de pelo en los cogotes de los mayores eran como melenas de cachorros de león. Sus armas destellaban a la luz de la lámpara y entrechocaban con sonido metálico al moverse. Al cabo de unos segundos habían desaparecido.

El ruido de los disparos y las explosiones se intensificó. Vera visualizó el avance soviético como una ola, como una de las que rompían en la playa de Manly tras el paso de los ciclones del norte. En días como aquellos, con el sol cayendo a plomo y el agua cristalina entre cada embate, de niña le había encantado desafiar al océano, al principio con su padre y después por sí misma. Nadaba sola hasta más allá de la rompiente y miraba de frente hacia donde empezaba a formarse una ola, cabalgándola antes de romper y dejándose deslizar hasta la orilla, aunque siempre había olas mayores que rompían más allá, o aquellas que te atrapaban en un banco de arena y devoraban toda el agua entre tus hombros y tus muslos, hasta que su espumosa boca te engullía y te sumergía hasta el fondo. El secreto era no resistirse. Oponerse solo servía para vaciar los pulmones. Lo más fácil era girar en el vientre del agua hasta que el remolino perdiera fuerza, y luego nadar hacia arriba y salir disparada hacia el aire.

La *Stamm* estaba tensa, incluso se había suspendido el skat. Erna lavaba ropa en la bañera, mientras Vera aguardaba cerca su turno de utilizar el agua. De repente frau Ritter dejó su lugar en la mesa, cruzó el sótano y fue a sentarse junto a ellas. Vera se quedó atónita. Erna siguió aporreando su colada, y desde su camastro Flavia miraba fríamente a frau Ritter, quien sonreía como si estuviera rodeada de grandes amigas.

—Ya va siendo hora de ser sinceras —musitó frau Ritter—. Ninguna de nosotras es virgen, ¿*nicht*? Aquí no hay doncellas inocentes.

Vera se estremeció. La cara de frau Ritter le recordaba la mueca de terror de un chimpancé.

—Es mejor tener a un ruso sobre la barriga que un balazo en la cabeza, ¡eso es lo que quiero decir!

Echó la cabeza hacia atrás y soltó una carcajada estridente, parpadeando como una de esas muñecas que mueven los ojos. En la mesa, Schiefer fingía no oír una conversación de la que se sentía excluido.

—Tal como yo lo veo —añadió frau Ritter—, de nada sirve preocuparse. Si pasa, pasa.

Nadie más dijo nada.

11

Los ojos de Vera se abrieron bruscamente al resplandor de la lámpara, y se sentó en la cama. Schiefer gritó. Algunos ladrillos cayeron con estrépito sobre los adoquines, una mano emergió del túnel de escape y el muro regurgitó un soldado del Ejército Rojo.

El ruso, un oficial, se incorporó rápidamente y paseó el haz de una linterna por la *Stamm*, iluminando las sombras de detrás de las columnas. La luz deslumbró los ojos de Vera, dejando en ellos una imprecisa imagen residual. El ruso bajó la linterna y les dio las buenas noches en un alemán con marcado acento. Era un hombre de tez clara, delgado, ni alto ni bajo, que debía de tener unos treinta años. Llevaba una gorra con visera del ancho de un plato llano y su uniforme era de un color marrón tirando a mostaza. Junto con la linterna, sostenía una metralleta de cargador circular, como las de los gángsters.

La *Stamm* se quedó boquiabierta ante el conquistador, quien se volvió en dirección al túnel. Las palabras en ruso golpearon a Vera como agua a presión. Aparte de algunos fragmentos en la radio, había oído muy poco de aquella lengua desde los años de preguerra, cuando era habitual escucharlo en las calles y cafés de la capital.

Salió otro hombre del túnel, al que pronto siguieron más soldados, armados todos con las mismas metralletas de aspecto anticuado. Vera no quería que la encontraran en la cama y se levantó muy deprisa, profundamente agradecida por ir vestida con ropas de calle. Siguieron entrando más soldados y se desplegaron por el sótano, hasta superar ampliamente en número a los integrantes de la *Stamm*.

Un joven pecoso dio un empellón a Schiefer en el pecho, obligándolo a meterse entre los catres, y después sus compañeros comenzaron a revolver entre las pertenencias de la *Stamm*, charlando y riendo mientras lo hacían. Llevaban pantalones bombachos y guerreras de color marrón mostaza que se ceñían a la cintura y caían sueltas sobre las caderas y, salvo el oficial, se cubrían con gorras de faena. Tipos fornidos, escuálidos, jóvenes, curtidos, morenos, asiáticos, rubios... Si aquella unidad procedió alguna vez de un único distrito, hacía mucho tiempo que había reclutado a gente de otros lugares.

Flavia estaba inmóvil como un lagarto. Erna tenía los ojos cerrados, mientras que su madre seguía dormida y roncando, su boca una cordillera de encías. Los ojos de frau Ritter estaban abiertos como platos. Mantenía su aguijón sacado y a punto, y a Vera se le ocurrió que sus diferencias eran ahora menores que lo que tenían en común.

Delante de ella, un soldado tiró de las mantas y las lanzó a un lado. De las mochilas sacó casi todos los alimentos que les quedaban y, después, en un alemán chapurreado, le exigió a Vera su reloj. Ella se lo dio y él se lo abrochó por debajo de la docena de relojes que llevaba en el antebrazo. Era joven, no mayor que los chicos de las Juventudes Hitlerianas. De debajo de la gorra, que llevaba algo ladeada, se escapaba un remolino de cabellos y, aunque intentaba aparentar fiereza, en sus labios bailaba una sonrisa.

El oficial ordenó a sus hombres que registraran el muro de detrás de Schiefer, quien carraspeó y, en tono respetuoso, explicó que no había ningún otro túnel. Después señaló la pared y sacudió la cabeza. Dijo «No» en alemán y repitió la palabra en ruso. El oficial le dio las gracias, pero los soldados inspeccionaron los muros uno por uno, pasando por encima del cuerpo de la anciana dormida.

El oficial señaló luego el techo y enarcó las cejas.

—¿Wehrmacht?

Schiefer le explicó que las tropas alemanas no habían tomado posiciones en el interior del edificio, pero luego hizo un gesto vacilante con la mano para dar a entender que no podía estar seguro. Vera jamás lo había visto tan deseoso de complacer. El oficial le dio las gracias y se acercó a la puerta blindada, que un soldado agarraba ya por la maneta. La abrió y el oficial atisbó por el resquicio abierto entre la hoja y la jamba, exploró la oscuridad con su linterna y luego se deslizó por el pasillo. Salió detrás otro soldado, al que después siguieron todos uno tras otro.

El soldado que le había robado a Vera el reloj fue de los últimos en salir. Abrió una talega y sacó de dentro un martillo con la misma cabeza oblonga que la que aparecía en la bandera de la Unión Soviética, y por un instante Vera esperó que en cualquier momento sacara una hoz y representara algún tipo de pantomima ideológica. En lugar de ello, asestó un golpe seco en la cerradura de la puerta que arrancó de cuajo el cilindro y lo hizo rodar ruidosamente por el pasillo. Después se volvió hacia la *Stamm*, se quitó la gorra y saludó con una reverencia, haciendo una floritura al aire con su gorra hasta tocarse los pies. Sus camaradas rieron y lo sacaron a empujones por la puerta.

Durante un rato la *Stamm* permaneció inmóvil, y después Schiefer cerró la puerta. Fue poco más que un gesto simbólico, pero el aire pareció más cálido y el corazón de Vera se aceleró. Frau Eckhardt seguía roncando, y desde el túnel que comunicaba con el sótano contiguo llegaba ruido apremiante de voces. La liberación había llegado y al parecer ya se había marchado, dejando a los miembros de la *Stamm* como peces arrojados en la cubierta de un barco.

Después de un sueño intermitente que se prolongó durante lo que quedaba de noche, Vera se levantó temprano junto con los demás. Estaba deseando tomarse un té, pero solo tenían agua. Los muchachos de las Juventudes Hitlerianas les habían dejado sin apenas provisiones.

Schiefer recogió las cartas de la mesa y las guardó en su caja, después se acercó a su camastro y empezó a hacer la maleta.

—Entonces, ya está —dijo cuando hubo acabado.

—¿Es que se marcha? —preguntó frau Ritter.

—Si no hay peligro... —respondió—. Ya no oigo disparos.

—Pero ¿tan pronto?

Por una vez, Vera sintió que frau Ritter también hablaba por ella, y se avergonzó de su propia cobardía. Como Flavia había predicho hacía mucho, vivir como gusanos había llegado a sentirse como algo normal, y la idea de un cielo libre de acero parecía algo inimaginable.

Schiefer señaló hacia la cerradura inutilizada.

—No tiene objeto seguir aquí.

—¿Y qué pasará con los que quedamos? —preguntó frau Ritter. Le temblaba la voz—. ¿Qué haremos?

Vera visualizó la puerta reforzada del piso de Schiefer. Era lógico que un hombre que tuviera la llave de una puerta así fuera el primero en abandonar la *Stamm*.

Frau Ritter comenzó a gimotear, y luego rompió a llorar cuando Schiefer hizo ademán de dirigirse a la puerta. El hombre se detuvo y escudriñó el rostro de la llorosa mujer, y luego, entrecerrando los ojos, le propuso que se fuera con él. Frau Ritter empezó a dar palmas, pero enseguida recobró la compostura, se alisó la falda y le agradeció su hospitalidad. El resto de la *Stamm* observaba la escena en silencio. La mujer recogió sus pertenencias, Schiefer abrió la puerta y, haciendo gala de una total indiferencia, frau Ritter lo siguió al pasillo.

Vera se volvió hacia Flavia.

—Es hora de ir a buscar a Axel —le dijo.

—Será mejor que vaya contigo —dijo Flavia.

—¿Se quedarán en su piso? —preguntó Erna, con aire desamparado.

—No lo sé —admitió Vera—. Veré qué piensa Axel. ¿Les gustaría a su madre y a usted quedarse con nosotros unos días?

Erna consideró el ofrecimiento y lo rechazó sacudiendo la cabeza.

—Será mejor que nos quedemos en nuestra casa, ¿no cree? Además, su piso es demasiado pequeño para cinco personas.

Vera le hizo saber que podía cambiar de opinión, consciente de que se había apresurado un tanto a aceptar su negativa, aunque Erna tenía razón en cuanto al tamaño del piso. Pero por debajo subyacía otro pensamiento, más calculador e insensible: quería disfrutar de la mayor discreción posible.

Vera le prometió que enviaría a Axel para ayudar a frau Eckhardt a subir las escaleras, y después salió del sótano con Flavia. Los ruidos de la batalla se oían ahora difusos y lejanos, muy distintos del fragor del día anterior. Echaron un vistazo por el patio sin advertir señal alguna de movimiento. El cielo estaba cubierto de nubes. Aunque intentaba pisar con suavidad, sus zapatos sonaban como si fueran pezuñas.

En el descansillo del segundo piso, vieron aparecer a Schiefer cargado con un montón de sábanas.

—¿Sucias ya? —le preguntó Flavia.

—Son para colgar en las ventanas —respondió Schiefer, fingiendo no haberla oído. Después le tendió a Vera algunas de las sábanas—. No queremos que nadie dispare contra nosotros.

Vera aceptó encargarse de cubrir las ventanas del piso de arriba, y luego Flavia y ella subieron por las escaleras hasta el apartamento del conductor de autobús. Axel había salido del desván y estaba sentado en el borde de la pared derruida de la sala.

—¿Se han ido los nuestros? —preguntó.

—Sí. Y han llegado los otros.

—¿Estáis las dos... bien?

—Estamos bien, sí.

Le explicó que la *Stamm* estaba abandonando el sótano, y Axel estuvo de acuerdo en que Flavia debía instalarse con ellos en el piso.

Señaló las sábanas y preguntó para qué eran.

—Para recordarles a los soviéticos que nos hemos rendido. Una idea de Schiefer.

Con la ayuda de Flavia, desplegó una sábana por encima del patio y la sujetó con pedazos de mampostería rotos. La tela apenas ondeaba sobre los ladrillos. Desde aquella altura se podía ecuchar el ruido del combate procedente del norte y el oeste... Mitte, el zoo.

—Me siento como una novia medieval después de su noche de bodas —observó Flavia.

—Confiemos en que los soviéticos la vean —dijo Axel.

Vera se volvió y pudo ver que el rostro de Axel se sonrojaba. Él abrió la boca como si fuera a explicarse, pero pareció pensárselo mejor y no dijo nada.

La sábana colgaba lánguidamente en el aire estancado.

Cuando se les acabó el agua, Vera anunció que iría a buscar más.

—Iré yo —dijo Axel.

Vera ya estaba preparada para eso.

—Deberías quedarte aquí hasta que sepamos qué está pasando. Podrían detenerte en una redada.

—Eso es pura especulación —dijo Axel.

—Quizá. Pero no te he librado de la Wehrmacht para ver cómo te condenan a trabajos forzados en la Unión Soviética.

—No puedo permitirlo

—¡Por favor, Axel!

Él miró a Flavia.

—¿Tú quieres ir? —preguntó.

Flavia se encogió de hombros.

—Yo me apunto a todo.

Él dejó de discutir. Vera lo entendía. De una manera u otra Axel se había sentido impotente desde el momento en que se había enterado de su aventura, pero, después de haber conseguido retenerlo, estaba decidida a no perderlo ahora por un acto irreflexivo. Al final Axel transigió, aunque prometiendo que la próxima vez no le haría ningún caso. Schiefer y frau Ritter se negaron a aventurarse al exterior, pero Erna aceptó y cogió dos cubos.

En el patio, la luz del sol coronaba la mitad superior del muro septentrional, aunque en la sombra los adoquines seguían resbaladizos y fríos. De varias ventanas colgaban sábanas, y por encima de sus cabezas el cielo era un cuadrado azul pálido.

Vera se dio cuenta de que, aparte de sus pisadas, apenas se oían otros sonidos: el ruido de los disparos había cesado y, cuando momentos después se hizo claro el significado de aquel silencio, casi no pudo evitar que se le saltaran lágrimas de júbilo y se puso a bailar el vals con Flavia sobre los adoquines. La alta franja de luz en el muro septentrional serviría como un símbolo de radiante paz.

Desde el patio contiguo, Vera pudo ver que la Reichenbergerstrasse bullía con la presencia de tropas y caballos, y sintió que el estómago se le encogía. Erna le pisó el talón del zapato, farfulló una disculpa y luego le pisó el otro, con lo que Vera entró en la calle pisando con fuerza para volver a ponerse bien los zapatos. Se sintió despojada, expuesta. Dos soldados que estaban junto a un tiro de caballos enganchado a una pieza de artillería levantaron la cabeza, la miraron fijamente durante unos segundos y después volvieron a su tarea. El retablo de caballos y cañón tenía un aire napoleónico, y sin embargo era el ejército que había aplastado a los carros blindados alemanes.

Los conquistadores habían convertido la calle en un vivac. Docenas de soldados dormían tendidos sobre los adoquines o haraganeaban a la luz del sol embutidos en sus camisetas, y varios de ellos miraron a las mujeres con franca curiosidad. Capotes y guerreras marrones colgaban de las maderas que sobresalían de los escombros. Tras varios días de fuego artillero, el cielo sin ruido parecía irreal.

Cerca de la bomba de agua había una veintena de soldados sentados en cajas de munición alrededor de una hoguera. Botellas de schnapps pasaban de mano en mano entre gritos y risas. Un gigantón como un toro que llevaba un chaquetón acolchado le bramaba a un amigo mientras los dos arrojaban muebles a las llamas, añadiendo los efluvios de barniz quemado a los olores a bosta de caballo y petróleo. Tras el velo del fuego, la carne del gigante parecía retorcerse.

La gente del lugar se apiñaba en una cola ante la bomba. El cuerpo del ahorcado había desaparecido del roble, aunque el cable eléctrico, ahora cortado, todavía pendía de la rama. La cola era más corta de lo habitual y Vera observó que en ella había hombres de la edad de Axel, cuya presencia no parecía atraer la atención de los soviéticos. Algunos vecinos llevaban toscos brazaletes blancos en señal de rendición.

Vera dirigió algunas miradas furtivas a los soldados soviéticos y vio que entre ellos había dos mujeres. Ambas vestían gruesas faldas marrones y medias, así como guerreras y gorras idénticas a las de sus camaradas. Llevaban el pelo recogido en un moño. Mejillas carnosas y sonrosadas. Le daban al schnapps con la misma frecuencia que los hombres y gritaban igual de fuerte, y Vera sintió envidia de aquellas mujeres risueñas y jocosas. Con sus uniformes marrón mostaza deberían haber resultado anónimas, y sin embargo era ella quien se sentía anodina, una cabeza más en el rebaño de civiles. Su vestido de algodón era un simple trapo en comparación con las guerreras de las mujeres. Llevaban los zapatos gastados pero lustrados, y Vera se sentía llena de admiración ante aquel calzado curtido en tantos viajes y batallas.

La bomba de agua había resultado dañada, y se habría caído en pedazos si alguien no la hubiese asegurado con alambre. Aun así, la mitad del agua se desparramaba por la acera. La *Hausfrau* del principio de la cola le pidió al anciano que iba detrás que le sujetara la bomba mientras ella le daba a la palanca. El hombre se agachó, agarró la columna de la bomba y se arrodilló. El agua le empapaba las manos y las mangas. Sus rodillas se hincaban sobre la acera, con lo cual se le humedecía la tela de los pantalones.

La juerga alrededor de la hoguera se iba animando cada vez más. Un soldado empezó a alejarse de la fogata, se detuvo y luego salió corriendo a toda velocidad hacia el fuego, saltando en el último momento entre las dos mujeres, rozando las llamas y aterrizando de pie sobre los adoquines. Luego se incorporó de un brinco, vitoreado por sus camaradas. Al momento varios soldados empezaron a retroceder en distintas direcciones, haciendo señas con los brazos para que despejaran su camino hacia la hoguera, solo para lanzar alaridos de protesta cuando el gigantón se acercó al fuego y arrojó una librería, cuyos libros ardieron haciendo revolotear pavesas en el aire sobrecalentado.

A Vera el salto le parecía imposible ahora, pero uno tras otro los soldados corrieron hacia las llamas hasta que, con pequeños intervalos, todos ellos pasaron volando por encima del fuego en todo su apogeo. Algunos de ellos llegaron saltando hasta la bomba y, ante las aclamaciones de sus camaradas, alzaron los brazos por encima de sus cabezas antes de girarse y volver a pisar el suelo adoquinado.

Junto al fuego, un soldado con un gran mostacho, que le daba el aspecto de oficial de caballería, retó al gigantón a que saltara, y este, aunque claramente bebido, se dio unos golpes en el pecho y retrocedió para tomar carrerilla. Sus camaradas se desternillaban de risa mientras los demás saltadores permanecían a la espera. El gigantón se detuvo bastante lejos, se balanceó sobre uno de sus talones, soltó un bramido y echó a correr sobre los adoquines, ganando velocidad hasta que empezó a perder fuelle cuando se acercaba a la hoguera. Se elevó en el aire con las piernas torcidas, pasó por en medio de la hoguera destrozándola y aterrizó sobre su panza, deslizándose sobre el suelo hasta detenerse. Sus amigos corrieron hacia él y le sacudieron las brasas de los bombachos antes de ayudarlo a ponerse en pie. El gigantón parecía aturdido pero ileso, e incluso esbozó una tímida sonrisa.

El soldado del mostacho le dio una palmada en la espalda, lo agarró por la muñeca y le levantó el brazo. Los dos se volvieron hacia la bomba de agua y sonrieron a los que allí estaban. Con exagerada meticulosidad, Mostacho sacudió el polvo del uniforme del gigantón, le atusó el flequillo y empezó a alabar sus excelencias en ruso ante las mujeres que estaban en la cola, señalando el contorno de sus bíceps y muslos. El gigantón parecía avergonzado y ridículamente halagado.

La *Hausfrau* de la bomba agarró sus cubos y se apresuró a marcharse, con lo cual le tocó el turno al anciano. Vera le sujetó la bomba, pero como el hombre era incapaz de sacar apenas un hilillo de agua, Flavia lo apartó a un lado y le llenó el cubo. La palanca de la bomba gemía.

Flavia le entregó al hombre su cubo y se puso a llenar el primero de los de la *Stamm*. El agua fría que escapaba de la bomba entumecía los dedos de Vera. Vio por el rabillo del ojo que el soldado del mostacho se acercaba, farfullaba algo a la cara de Flavia y se ponía a remedar sus movimientos, provocando alaridos de risa en los que se hallaban alrededor de la hoguera. Mostacho colocó su brazo alineado ante la entrepierna del gigante, lo que dio lugar a nuevas risotadas.

Dos o tres *Hausfrauen* que estaban al final de la cola se marcharon. Vera escrutó la cara de Flavia en busca de alguna señal de que también ella quería irse, pero, a pesar de su rostro ceñudo, siguió bombeando agua.

Una mano tocó el brazo de Vera, haciendo que se sobresaltara. Se volvió y levantó la vista. Su atormentador era mayor de lo que Vera había pensado: debía de tener la edad del siglo, aunque el bigote lo retrotrajera a una época bastante anterior. Tenía los ojos inyectados en sangre. Se tambaleaba pesadamente, y entonces tomó la mano del gigantón y la pasó por el rostro de Vera. Olió el hollín, el sudor, el hedor a borracho, y trató de retroceder, pero entonces se dio cuenta de que la tenía agarrada por la garganta y se veía forzada a seguir mirando. Mostacho volvió la zarpa del gigantón hacia arriba, en un gesto burlón de cortejo, y después la introdujo entre los pechos de Vera, quien trató de cubrise con los brazos. Al momento Mostacho la hundió aún más en el busto de Vera, pero entonces se dio cuenta de que la mano estaba flácida, como muerta, y la soltó. El gigantón se restregó la muñeca con aire cohibido. Sus camaradas se rieron.

Vera logró borrar de su rostro cualquier emoción. Tomó un cubo y se lo pasó a Erna, que parecía aterrorizada. Vera le dirigió una mirada tranquilizadora y luego volvió a manejar la palanca de la bomba, aunque lo que más deseaba era marcharse de allí.

Cuando los cubos estuvieron llenos, las mujeres empezaron a alejarse en cerrada formación. Algunos silbidos y aullidos hendieron el aire. Vera miró a su alrededor cuando Mostacho hizo ademán de perseguirlas, espoleado por sus camaradas. Las más escandalosas de todos eran las dos mujeres soldado, y Vera se sintió extrañamente traicionada. De no haber sido por Flavia y Erna, habría echado a correr: era consciente de que, como grupo, no eran más que tres mujeres torpes e indefensas. Las asas de los cubos se le clavaban en los dedos.

Mostacho y el gigantón las seguían a cierta distancia, y entonces un tercer soldado los alcanzó y les entregó dos metralletas antes de regresar a la hoguera.

Vera giró sobre sus talones para entrar bajo la arcada del primer bloque, y luego metió prisa a las otras para cruzar el patio exterior.

—¿Qué vamos a hacer? —preguntó Erna con voz jadeante—. ¿Qué vamos a hacer?

—Avivar el paso —dijo Flavia—, y no separarnos.

—¿Y si dejáramos el agua? —sugirió Vera—. ¿Y si volviéramos a por ella más tarde?

—¿Y perder los cubos? —resopló Flavia.

Vera miró hacia atrás y vio que los dos soldados se acercaban al trote por el patio. Erna comenzó a sollozar y Flavia le dijo que se callara. El agua se agitaba en los cubos de Vera, salpicándole la falda y haciendo que la tela se pegara a sus pantorrillas.

Ya delante de su bloque, Vera miró a su espalda y vio a los soviéticos a una docena de pasos de distancia. El gigantón miraba hacia las ventanas de los apartamentos y se veía claramente que preferiría no estar allí, pero Mostacho avanzaba con movimientos desgarbados y decididos.

Vera cruzó el umbral tambaleándose bajo el peso muerto del agua, y mientras las otras dos se apresuraban a entrar en el edificio, ella bajó los cubos al suelo y se detuvo. Flavia le hizo gestos furiosos para que las siguiera, pero ella sacudió la cabeza.

—Iré por aquí —dijo señalando afuera, y luego, con menos convicción—: Estaré bien.

Llegaron los soldados y Vera sonrió. Al momento, Flavia estaba a su lado.

—¿Qué demonios pasa ahora? —preguntó.

Vera no estaba muy segura, pero sabía que no podría soportar ser vejada en presencia de Axel.

—Sonríe —le dijo, confiando en que los soldados no entendieran el alemán—. Sígueme y prepárate para correr.

Tomó a Flavia de la mano, pasaron entre los dos hombres y volvieron a salir al patio, saltando por entre los cráteres. Los soldados las siguieron. Desde el vestíbulo del bloque opuesto los condujo a otro patio, un lugar en el que no había estado antes, pero muy parecido al resto en su desolación. Mostacho protestó. Quería saber adónde iban. Vera le sonrió, indicándole el bloque siguiente, y después, siempre con Flavia de la mano, se adentró en el oscuro interior. El trazado del edificio era idéntico al suyo, y los techos desplomados lo convertían también en un laberinto.

—¿Qué te parece? —le preguntó a Flavia, sin dejar de sonreír a los hombres—. ¿Vamos por la escalera?

—Por mí bien —asintió Flavia—. Tú ve delante.

No era momento para discutir aquel acto de valor y, tras dirigir una provocativa mirada a los hombres, condujo a Flavia por las escaleras. Mostacho miró con ojos lascivos y le dio un codazo al gigantón, quien sacudió la cabeza. Su camarada soltó una risita y le espetó algo con brusquedad, y el otro, picado, lo siguió por las escaleras sin dejar de mirar alrededor con la metralleta en alto.

La respiración de Vera era rápida y entrecortada. Llegó al segundo tramo de escalera, dio un golpe a Flavia en el brazo y echó a correr, subiendo los escalones de dos en dos y agarrándose a la balaustrada, con Flavia pisándole los talones. Mostacho lanzó un grito y salió tras ellas, profiriendo amenazas. Vera agachaba la cabeza temiendo las balas, pero entonces se dio cuenta que el gigantón no estaba ya a la vista y que la metralleta de Mostacho colgaba aún de su espalda. Se lanzó hacia el siguiente tramo de escalera y oyó un fuerte estrépito de metal, y al mirar más allá de Flavia, vio a Mostacho espatarrado en los escalones. El gigantón se había parado un trecho más abajo. En el rellano del quinto piso, Flavia pasó corriendo por su lado y Vera atisbó fugazmente, a través de los balaustres, que Mostacho les decía adiós agitando la mano, con una sonrisa de admiración aflorando en sus labios.

Se dirigieron después a su bloque por un dédalo de pasillos y escaleras, deteniéndose de vez en cuando para explorar el camino que tenían delante y dando un amplio rodeo para evitar a unos soldados que avistaron en un patio. Todas las puertas de los apartamentos ante los que pasaron estaban cerradas.

Llegaron finalmente a su edificio y, nada más entrar en el vestíbulo, vieron a Axel frente a la puerta de Erna. Su expresión era sombría. La jamba estaba astillada y la puerta ligeramente entreabierta. Se llevó un dedo a los labios e hizo una seña indicando las escaleras; sacudió enérgicamente la cabeza cuando vio que Flavia se disponía a cargar con los cubos. Al otro lado de la puerta de Erna, Vera oyó risas de hombres.

Obedeciendo a los gestos apremiantes de Axel, cruzaron el vestíbulo y las condujo escaleras arriba. En el tercer piso se detuvieron, pero Axel las instó a que siguieran y las llevó hasta el apartamento del conductor de autobús.

—Hay dos hombres —susurró—. Hice lo que pude.

—¿Qué me estás diciendo? —preguntó Vera.

—Les pedí que pararan.

—¿Se lo pediste? —murmuró Vera, espantada por que hubiese corrido semejante peligro.

—Tenían armas —replicó él, malinterpretando sus palabras—. No había nada que pudiera hacer.

—¿Y Erna?

—Me pidió que me fuera.

Vera intentó imaginarse la escena, pero no pudo.

—¿Le han hecho daño?

—Creo que no. Volveré a su piso cuando se hayan ido.

—¿Y frau Eckhardt?

—Estaba allí también.

Axel se veía muy abatido y Vera imaginó lo duro que habría sido para él presenciar aquello sin poder hacer nada.

—¿Qué aspecto tenían los soldados? —le preguntó Vera.

La pregunta le resultó extraña, pero Axel procedió a describir a los dos soldados soviéticos, que evidentemente no eran los mismos hombres de los que Flavia y ella habían conseguido escapar.

—Tenemos que ocultaros a vosotras dos —dijo Axel.

Flavia levantó las palmas de las manos.

—A mí no —replicó Flavia.

—¿Qué quieres decir? —preguntó Vera.

—Que me voy a casa.

Vera la agarró por el brazo.

—No es seguro.

—Me arriesgaré. Por favor, Vera... no me mires con esa cara. Volveré pronto. Alguno de nosotros tiene que conseguir alimentos, entiéndelo.

Vera se volvió hacia Axel:

—Dile que no puede irse.

—No puedes irte —dijo Axel—. Y Vera está en lo cierto... ¿por qué arriesgarte?

—Ya sabes que no puedo estarme quieta. Ocultarme aquí sería una tortura.

Su tono de ligereza resultaba ominoso.

—Mira, no puedes hablar en serio —insistió Vera. Señaló hacia las escaleras—. Ya has visto lo que está ocurriendo.

Flavia la abrazó.

—Vera, querida, hay más de una manera de escapar de algo así. Esto es Berlín: ya te darás cuenta de que somos las personas más acogedoras del mundo. Estaré de vuelta en unos días, te lo prometo.

—¿Piensas irte así, en pleno día?

—Es muy probable que haya toque de queda después de que oscurezca.

Flavia se volvió y abrazó a Axel.

—¿Cuidarás de Vera?

—Estará tan segura como sea posible.

El desván era un espacio polvoriento no más amplio que un ataúd y, a pesar de haber puesto una manta a modo de colchón, a Vera le dolía todo el cuerpo solo unas horas después de que Axel cerrara la trampilla.

Durante el día, la luz se filtraba por los bordes de la trampilla, pero de noche la oscuridad era absoluta, provocando a la vista a detectar algo más que las proyecciones de los propios ojos, las flotantes amebas de menor negrura. A la cápsula de oscuridad total llegaban también ruidos del exterior: crujir de vigas, ratas correteando, ráfagas de viento que se colaban por los tejados, algún disparo ocasional, vertiginosas melodías de una lejana armónica...

Axel le traía agua y algo para comer: cebada hervida, caldo de patatas, una cebolla con guarnición de hojas de diente de león. Vaciaba el cubo en el que Vera aliviaba sus necesidades, la única función que le permitía realizar fuera del altillo. Hasta entonces los soviéticos no habían manifestado el menor indicio de que fueran a distribuir comida entre la población, y a Vera la preocupaba que dejaran a los berlineses morirse de hambre, aunque Axel profesaba una fe inexplicable en que los alimentos acabarían llegando. Bien es cierto que no era capaz de explicar por qué los conquistadores deberían mostrarse generosos tras la devastación provocada por la Wehrmacht en la Unión Soviética. Más comunicativo ahora que cuando se hallaban en el sótano, en ocasiones su actitud era incluso animosa, aunque se sentía frustrado por el hecho de que los puestos de control hubiesen impedido sus intentos de llegar al zoo.

Vera le preguntó por Erna y Axel le dijo que lo iba sobrellevando como podía. Dos días más tarde le mencionó como de pasada que los soviéticos estaban por todas partes y, al ver su expresión de intranquilidad, se apresuró a explicarle que su piso estaba fuera, o por encima, del alcance de los soldados.

—Supongo que no lo tienen tan fácil como al nivel de la calle.

—O sea que estaría segura si abandonara el altillo.

Él la miró alarmado.

—No, no. Todavía no.

Pronto Vera empezó a sentir hambre de verdad, como si su estómago se retorciera por los ácidos expectantes. Su ombligo era como el agujero de un estrecho pozo sin fondo. Dormida o despierta, sus piernas se agitaban inquietas, y el dolor de cabeza se extendía en lentas y viscosas ondas desde los ojos hasta la zona posterior del cráneo. Tenía pesadillas en duermevela de que moriría allí, cuatro pisos por encima del suelo, y que su piel se curtiría y se transformaría lentamente en cuero.

En la tercera noche Axel se presentó con un pedazo de carne en un plato, que sostenía en equilibrio sobre las yemas de los dedos.

—Conejo de azotea —le dijo, y levantó el plato para pasárselo por la trampilla abierta. Ella no podía apartar la mirada de la carne—. En *Berlinisch*, gato —explicó.

—¡Dios santo! No lo dirás en serio, ¿verdad?

—Tú cómetelo. Los demás lo hacen. Es todo lo que queda.

Vera inhaló la fragancia de la carne y su estómago se dilató. La saliva empapó su lengua.

—Adelante. Usa los dedos.

Mordisqueó un poco al principio, y luego masticó a conciencia. La carne era dura y fibrosa, y tenía cierto gusto a conejo, aunque su fuerte sabor recordaba más bien la carne de un carnívoro. Mientras comía, devoraba también la imagen de la carne, como si el gusto, el tacto y el olfato no bastaran para disfrutar de aquella experiencia... hasta que al final olvidó pestañear y los ojos se le empañaron de lágrimas.

Axel sonreía, encantado por la fiera avidez que descubría en ella. Vera le preguntó si él ya había comido bastante, y se alegró cuando vio que respondía que sí. Masticó un poco más y después se detuvo.

—¿De dónde ha salido? El gato.

—De los escombros. Estaba vivo, eso sí. Vivo. Tomando el sol sobre los cascotes en medio del patio.

Deseó que él no le hubiera dicho aquello, o no habérselo preguntado. Al momento le vino a la cabeza la imagen de Axel ganándose la confianza del gato, su mano acariciándole el lomo hasta llegar al cuello... Era demasiado tarde para ignorarlo: le preguntó cómo lo había matado.

—No he sido yo —respondió Axel—. No hubiera podido acercarme.

—Entonces, ¿quién?

—Le pedí a un ruso que le disparara.

Vera hizo una pausa para asimilar aquello.

—¿Un amigo tuyo?

No había pretendido que su frase tuviera un tono tan acusatorio.

—Un amigo no, pero con algunos de ellos se puede hablar.

—¿Es seguro?

—Eso creo. No me causan ningún problema.

Vera siguió masticando lo que quedaba de la carne: como Erna había dicho en cierta ocasión, demasiado poca para sobrevivir, demasiada para morir.

Lo que ahora la conmocionaba era la facilidad con que Axel era capaz de confraternizar con unos hombres a los que ella trataba de evitar a toda costa. No se lo censuraba en absoluto, no, más bien admiraba su audacia, pero aquello hizo que sintiera con aguda percepción la diferencia entre ambos, la tiranía de lo físico.

—Uno de los rusos me contó que Hitler ha muerto —le dijo Axel—. Que se suicidó, si entendí bien el lenguaje de signos.

Vera parpadeó, preparando su mente para encajar el enorme impacto de aquella muerte, aunque al final la dejó con un sentimiento de vacío. Solo uno más entre una inmensidad de muertos. La noticia le resultaba familiar, un simple dato histórico más... tal vez porque llevaba meses oyendo chistes y especulaciones acerca de cómo sería el final del dictador. Pero no: lo que más la sorprendía era que Axel hubiera convencido a un ruso para que matara a un gato.

12

Cuando llegó la noticia de que Alemania se había rendido, Axel accedió a que Vera abandonara el altillo. Le dijo que había disminuido el riesgo de violación, pronunciando por primera vez la palabra que los dos habían reprimido hasta entonces, porque las horas en que se presentaban los soldados resultaban ahora más predecibles: a mediodía y al anochecer, las horas de las comidas. Las cerraduras no servían de nada, así que a esas horas tendría que volver a esconderse en el altillo.

Aunque su encierro había durado menos de una semana, Vera se sentía como si hubiera estado años ausente. Axel le había contado muy pocas cosas de la *Stamm*.

Vera se detuvo frente al piso de Erna. Llamó a la puerta, saludando en voz alta, y la puerta se abrió sola hacia dentro.

Erna estaba en mitad de la sala. Daba pena verla. Tenía el ojo izquierdo tumefacto, la cara demacrada, y el cabello le caía lacio. Con una sonrisa cansina, invitó a Vera a entrar y anunció a su madre que tenían una visita. La anciana levantó la mirada de la colcha de ganchillo que envolvía sus piernas.

—¿Otra vez perdida? —preguntó.

—Eso parece —respondió Vera, no muy segura de si frau Eckhardt se refería a ella o a la guerra.

La anciana sonrió.

Erna invitó a Vera a que se sentara y sirvió tres vasos de agua, salpicándose el vestido al hacerlo.

—¿Y bien? —preguntó.

—Y bien... ¿qué?

—¿Le han dado?

Al principio la pregunta parecía no tener sentido, y luego Vera se quedó sin palabras. Para ganar tiempo, fingió no haberla entendido.

—Los ivanes —explicó Erna—. ¿Le han dado los ivanes?

Vera apartó la vista: frau Eckhardt miraba fijamente al techo.

—Me escondí en un altillo —dijo Vera—, en el piso de encima del nuestro. Axel me ha cuidado. Estoy bien.

El rostro de Erna se crispó en una mueca.

—Entonces como frau Ritter, detrás de su puerta de acero. Me imagino que su marido le habrá dicho que yo no tuve tanta suerte. —Su voz sonaba desafiante, en guardia contra cualquier muestra de compasión—. Y no fue solo la primera vez.

Vera sintió una punzada de vergüenza.

—Otras lo han pasado peor —prosiguió Erna—. No se andan con bromas, los ivanes, los muy asquerosos. Ni la más mínima broma.

Vera asintió impotente. Era como si su amiga se tuteara con sus agresores.

—Cuando quieren tenerte... ¿sabe lo que te dicen?

Vera solo pudo negar la cabeza.

—*Kommen.* Te dicen: «Ven...». *Frau, kommen.*

—Debe de haber sido horrible.

—Y aún he tenido suerte —dijo Erna, bajando el tono de voz—. Podía haber sido peor. El buen Dios es misericordioso.

Vera prefirió no imaginarse uno peor.

—Ya sé que las palabras no sirven de mucho —dijo—, pero, Erna... lo siento.

Erna se dio la vuelta.

—No lo sienta. Eso es lo que hay. Una piensa que es lo peor, el final de todo, pero después se da cuenta de que no lo es.

—Aun así... —dijo Vera.

Pero Erna ya no la escuchaba.

—Por qué lo hacen sigue siendo un misterio para mí, pero ¿quiere que le diga una cosa? Dudo que nuestros hombres se comportaran mucho mejor allí.

El ruido de un motor en el patio rompió la calma de última hora de la mañana. Vera salió corriendo hacia la ventana, miró abajo y vio a un motorista larguirucho, con gafas y casco de cuero marrón, sorteando los cráteres. Cuando la moto giraba hacía un ruido como de disparos, pero luego aceleraba hasta convertirse en un rugido que atronaba entre los muros.

Axel se reunió con ella en el alféizar, y en las ventanas que daban al patio vieron aparecer a más gente. Resultaba difícil creer que hubiera tantos supervivientes.

La moto derrapó y se detuvo ante la tumba del Blocklei-ter. El piloto desmontó, se quitó las gafas y los guantes, y liberó del interior del casco una cabeza con la melena a la altura del cuello.

—¡Dios mío! —exclamó Axel—. ¡Es Flavia!

Vera no podía hablar. Flavia echó la cabeza hacia atrás, arreglándose las afiladas puntas de la melena sobre las mejillas. Luego levantó la mirada y vio a Vera saludándola con la mano.

—¡Baja! —le gritó Flavia, sin hacer caso de los que miraban.

Vera le indicó por señas que esperara y se apartó de la ventana.

—¡Menudo equipo! —comentó Axel, claramente impresionado—. ¿Y de dónde habrá sacado la moto?

Corrieron escaleras abajo hasta el patio, donde Flavia aguardaba junto a la moto, vestida con lo que parecían ser unos bombachos del Ejército Rojo.

—No puedo quedarme mucho —dijo, señalando con un pulgar a la moto—. En estos momentos hay mucha gente que te rebanaría la garganta por menos. Tu mejor defensa es la velocidad.

Vera dio un paso hacia ella y la abrazó, pero Flavia se soltó enseguida.

—¡No hay tiempo para eso! —Después indicó dos voluminosas cestas que llevaba en la parte de atrás—. Provisiones. Van bien envueltas, pero será mejor que las llevéis adentro.

Bajo la cazadora llevaba una blusa de satén rojo. El resto de sus ropas eran de procedencia soviética. Abrió las cestas y les entregó dos sacos de arpillera.

—Harina, manzanas, patatas, pan, cerdo curado, cigarrillos y vodka.

Vera estaba abrumada.

—¿Te puedes permitir todo esto? ¿Ya tienes suficiente para ti?

—De sobra. Cortesía de un comandante ruso muy amable.

—¿Y la moto? —preguntó Axel.

—Una BMW liberada, un préstamo del comandante. Me matará si la pierdo. En sentido figurado, claro: en realidad es bastante agradable.

Dos adolescentes salieron del edificio de enfrente y cruzaron el patio para ver de cerca la motocicleta. Axel se plantó delante de ella y montó guardia, fingiendo estar interesado en la máquina.

—Ese comandante... —empezó Vera—. ¿Cómo decirlo...? ¿Estás con él voluntariamente? ¿De verdad estás bien?

Flavia hizo un mohín con los labios.

—Toda chica necesita un protector. ¿Y tú? ¿Ha velado Axel por tu honor?

—En todo momento.

—¡Ahí lo tienes! Las dos tenemos a nuestro caballero andante.

—Yo estoy casada con el mío.

Una sombra de enojo cruzó el rostro de Flavia.

—Vera, estoy bien. En serio, no tienes por qué preocuparte.

—Muy bien, pero... ¿y antes? ¿Los primeros días, cuando llegaron?

—¿Si me violaron? No. Aunque violaron a mis vecinas, incluso a las más jóvenes. Algo indescriptible... después de todo, tenías razón en eso. Pero yo tuve suerte: conocí antes al comandante.

—¿Y todo eso? —preguntó Vera, señalando las ropas de Flavia.

—La última moda.

A los dos chicos que contemplaban la motocicleta se sumaron dos hombres: aficionados, probablemente, pero Flavia se puso nerviosa.

—Tengo que irme ya.

Le dio a Vera un beso en la frente y volvió junto a la moto, haciendo que los chicos y los hombres se apartaran. Con la punta de los dedos depositó un beso en la mejilla de Axel, se sentó a horcajadas en la máquina, se puso el casco y las gafas y se enfundó los guantes, estirando cada dedo para ajustarlos bien. Vera pensó al verla, y no por primera vez, que Flavia no estaba hecha para la escena: el marco más adecuado para su sobreactuación era la realidad.

Le dio al pedal de arranque, plegó el estribo y el motor rugió entre los muros del edificio. Después soltó el manillar y ahuecó las manos en torno a la boca.

—¡Hasta pronto!

Vera la despidió agitando la mano y Flavia dio gas girando el manillar, haciendo que la rueda trasera despidiera un reguero de gravilla hasta que el neumático se agarró a los adoquines y la moto salió disparada en medio de una nube de gases de escape. Se dirigió hacia el arco de entrada, sorteando los cascotes, y en el último momento viró bruscamente para dar otra vuelta al patio, haciendo rugir el motor cuando frenaba en las esquinas. Luego, con un giro final, enderezó la moto, soltó completamente el gas y aceleró, inclinada sobre el depósito de combustible como una valquiria en pleno vuelo. La motocicleta cruzó el arco de entrada y desapareció de la vista.

Después del almuerzo, como de costumbre, Axel fue a buscarla al altillo.

—Había rusos —le dijo—. Tres, en el rellano de Schiefer.

—¿Están todos bien?

Axel la ayudó a salir por entre los escombros.

—La puerta de Schiefer estaba abierta, y los soldados la empujaron y entraron.

—¡Dios santo!

—Iban armados.

—¿Cómo está frau Ritter?

Habían llegado ya al descansillo de la tercera planta, y Vera oyó voces, entre ellas la de frau Ritter, provenientes del nivel inferior. Axel sonrió.

—Schiefer los envió a paseo.

—¿A los soldados?

—Los echó.

—¿Que los echó? ¿Cómo?

—Se puso como una fiera y los espantó.

Axel la condujo escaleras abajo, donde Erna, Schiefer y frau Ritter estaban reunidos en el rellano del segundo piso. Frau Ritter había pasado de la charla a las risas. Se estiró para pasar la mano por la cúpula calva de la cabeza de Schiefer, y en cuanto vio a Vera lo rodeó por completo con el brazo.

—¡Debería haber visto a este hombre! Se comportó como un tigre. ¡Como un león!

—Eso he oído.

—Cuando los ivanes irrumpieron, pensé: ya está. Tenían armas. Pero entonces estalló... ¡Dios...!, como se lo cuento. Extendió los brazos. Cargó contra ellos. Y no precisamente como un jovencito... ¡Aullando como un demonio! —Miró a Erna—. ¿Oyó el ruido que hacía? Jamás he oído nada igual. En cualquier caso, demasiado para los ivanes. Salieron por piernas, todos.

Schiefer parecía muy alterado. Estaba empapado en sudor y, entre sonrisas nerviosas, no dejaba de mirar por encima de la barandilla.

—Yo no me preocuparía —le dijo Vera—. Por lo que cuentan, aún seguirán corriendo hasta llegar a la frontera de Rusia.

Frau Ritter la fulminó con la mirada.

—Búrlese todo lo que quiera, pero si tuviéramos más hombres como este, el Reich no se encontraría en esta situación. —Se volvió hacia Schiefer—. No le haga caso, Reinhardt. Si de mí dependiera, yo le concedería una medalla.

Frau Ritter se metió en el piso y esperó junto a la puerta. Schiefer vaciló, como si fuera a decir algo, pero luego se volvió y siguió a la mujer, dejando a su paso un rastro de olor corporal. En cuanto traspasó el umbral, frau Ritter cerró la puerta, haciendo estremecerse la plancha de acero.

—Se arrimaba a él como si fuera un chal —comentó Erna—. ¡Y su marido no hace ni dos semanas que está enterrado!

Vera tomó otra cucharada de sopa. Desde el día anterior se había preguntado más de una vez si Axel la habría defendido con la misma ferocidad con que Schiefer había protegido a frau Ritter.

Durante varios minutos, Erna estuvo dándole vueltas al escándalo de sus vecinos, pero cuando vio que Vera se negaba a seguirle el juego, cambió de tema y empezó a hablar de Hitler. El pobre hombre, dijo, debía de estar desesperado para quitarse la vida.

Vera se quedó atónita.

—¿Siente lástima por él?

—¿Por qué no? —respondió Erna.

—Pero... ¿un hombre así? ¿Se compadece de él?

—Oh, supongo que era malo. Todos lo son, todos esos políticos. Tienen que serlo. Pero ¿significa eso que se lo mereciera? A mí ese hombre nunca me hizo nada.

Vera consideró la posibilidad de recordarle a Erna que el dictador había sido el causante de la muerte de su hijo, pero no tenía ninguna gana de mostrarse cruel y prefirió seguir con su sopa, volviendo a recordar que estaba hecha con carne de caballo. Le preguntó a Erna dónde la había conseguido.

—Unos hombres estaban sacrificándolo en la calle. Me puse allí a su lado, hasta que uno se compadeció y me dio la cabeza. Casi me cuesta la vida traerla hasta casa. —Se echó a reír—. Y luego mi madre, que es de lo que no hay. No me dejó que cogiera un cuchillo hasta no haberle cepillado los dientes... ¡Dios la bendiga! Con pasta dental y todo. Y con mi propio cepillo, claro. Imagínese: la cabeza del animal en una fuente, con la boca llena de espuma, y yo cepillando con todas mis fuerzas.

Tomó varias cucharadas de sopa y su sonrisa desapareció.

—Vera, el otro día, cuando le conté lo que había ocurrido, usted dijo: «Debe de haber sido horrible».

Frunció el ceño. Su ojo ennegrecido había adquirido un color violáceo. Del dormitorio seguían llegando los ronquidos de frau Eckhardt.

—Lo recuerdo —dijo Vera, instándola a seguir.

—¿Sabe por qué le estoy diciendo esto?

Vera sacudió la cabeza. ¿Se habría trastornado un poco Erna? De pronto, pareció dispuesta a hablar.

—Los soldados no solo me lo hicieron a mí. También se lo hicieron a mi madre. ¿Se lo ha contado su marido?

Vera volvió a negar con la cabeza, luchando por controlar la expresión de su rostro. Erna necesitaría calma ahora, una muestra de normalidad. ¿Por qué si no habría decidido hacerle aquella confidencia? Vera estrechó las manos de su amiga. Aunque por fuera parecía tranquila, su propio aplomo era tan inestable como una peonza.

—¿Cómo se lo tomó?

Se oyó pronunciar aquellas palabras demasiado tarde, pero Erna no pareció reparar en su torpeza.

—Por lo que yo diría, creo que no se dio cuenta, sino que estuvo... ¿cómo decirlo...?, ausente. No ha hablado de ello ni una sola vez.

—Tal vez no fuera consciente de lo que le estaba ocurriendo —dijo Vera—. O quizá no sea capaz de recordarlo.

Hizo una pausa para dejar que la idea arraigara. Si a la madre de Erna se le escatimaba el recuerdo, tal vez su sufrimiento fuese solo algo fugaz.

Erna asintió con un brío furioso.

—Eso es lo que yo pensaba. Sabía que usted también lo vería así. Quizá ni se enteró.

Vera se relajó en su silla.

—Sí, es muy probable.

—Estuvo ausente, ¿*nicht*?

—Ausente.

—Es la misercordia de Dios.

Vera se limitó a asentir.

—Su amor y su bondad —añadió Erna.

—Creo que ha hecho muy bien en contarme esto —dijo Vera—. Por su propia paz de espíritu.

Una sombra de irritación cruzó por el rostro de Erna.

—Cuando los soldados... eran cuatro... cuando los soldados estuvieron aquí la primera vez, yo miré de soslayo por la sala. Así. —Torció el cuello a un lado—. El que estaba sobre mi madre, aquel soldado, me sonrió. Me sonrió, y luego escupió, pero muy despacio. No a mí. Un hilillo, ¿*nicht*? —Erna se inclinó hacia delante y frunció los labios, sin dejar escapar la saliva—. No a mí, sino hacia abajo, en la boca de mi madre. Dejó caer el hilillo. Colgando como una cuerda, en la boca de mi madre.

El comandante de Flavia era un hombre fornido, de unos treinta años, pelo oscuro, rostro ancho y mejillas rasuradas con un tono azulado. Sus cejas caían hacia ambos lados, dando a su expresión un aire expectante pero también franco. Era un rostro agradable, lo cual, junto con sus educados modales y su generosidad, había pillado a Flavia desprevenida: aquello le hacía más difícil aborrecer a un hombre perteneciente al ejército que ahora ocupaba Berlín.

La gorra de visera colgaba de la percha de detrás de la puerta, donde el camarada comandante la había dejado nada más llegar. No se había prestado tan fácilmente a desprenderse de su pistola, pero ni a Axel ni a Flavia parecía importarles, y el comandante no solo había traído la comida y las velas que ardían sobre la mesa, sino que se pasó gran parte del tiempo haciéndoles preguntas sobre animales. Hablaba un alemán excelente, ya que lo había estudiado de niño y más adelante había recibido más formación para, como reconoció, monitorizar las comunicaciones de radio del enemigo. Su tono era sincero, casi algo torpe a veces, y parecía mucho más interesado en el cuidado del zoo que en la política, lo que descartó los recelos de Vera de que pudiera tratarse de un oficial de los servicios de inteligencia soviéticos a la búsqueda de nuevos agentes.

Cuando no escrutaba al comandante, Vera observaba a Flavia en busca de indicios de angustia causados por un arreglo que le había evitado ser violada, pero que se parecía mucho a la prostitución con un hombre que le ofrecía a la vez protección y dinero. Sin embargo, y a pesar de cierta expresión de cansancio en sus ojos, Flavia parecía animada. La interminable guerra había acabado, y aunque el comportamiento del Ejército Rojo había resultado decepcionante, ella estaba más que dispuesta a aprovechar cualquier oportunidad de libertad que pudiera ofrecerle: de hecho, ya había provocado que el comandante alzara las cejas al pedirle ayuda para montar una obra de Brecht en el Rose. Al igual que la mayor parte del Mitte, el teatro había sido destruido, pero Flavia argumentaba que sus ruinas constituían un marco muy elocuente.

Después de la cena, el comandante sacó café de su talega, lo que le trajo a Vera el recuerdo de una comida muy parecida celebrada hacía un año, en la que Friedrich Motz-Wilden había ejercido como proveedor. El camarada comandante, en su calidad de enemigo del enemigo de Friedrich, era por definición un amigo. Ya se había ganado las simpatías de Axel y, mientras Vera preparaba el café y Flavia fumaba, los dos hombres ensayaban frases elementales de ruso, con Axel totalmente concentrado. Llevaba el cabello castaño más largo de lo habitual, con un toque de desaliño encantador. Aunque más delgado que antes, su robusta constitución parecía intacta.

Otra cuestión era lo que pudiera estar ocurriendo en su interior. Vera suponía que tarde o temprano volverían a sacar el tema de Martin Krypic, pero ahora no era el momento. El silencio había actuado como un torniquete, y le preocupaba pensar lo que pasaría cuando volvieran a hablar. Por muy exasperante que hubiera sido el comportamiento de Martin hacia el final, Vera no podía decir que se arrepintiera por completo de su aventura, y sentía el extraño impulso de explicárselo así a Axel, no por crueldad, sino por el ansia de compartirlo todo con él.

Los hombres se habían embarcado en el uso del verbo «ser», con unos recitados que sonaban como cantos gregorianos, y a Vera la asaltó de nuevo la extrañeza de tener a un oficial soviético sentado a su mesa.

Cuando el agua empezó a hervir, cesaron las conjugaciones y Vera sirvió el café. Intercambió con el comandante unas palabras de agradecimiento, se sentó a la mesa y bebieron. El sabor era áspero y amargo, desagradable para Axel, quien sin duda echaría de menos el azúcar. Pero Vera podía pasar sin el sabor dulzón. Con cada sorbo, le parecía escuchar cómo se tensaba su garganta.

Axel le preguntó al comandante a qué se dedicaba antes de la guerra, y este le contó que era de Leningrado, el antiguo San Petersburgo, donde enseñaba matemáticas en una escuela. Tenía dos hermanas mayores, explicó, ambas viudas de guerra, así como varios sobrinos y sobrinas, los cuales habían sobrevivido todos. A la edad de cinco años había perdido a su padre en la guerra civil que siguió a la Revolución —no precisó en qué bando luchaba—, lo que había obligado a su madre a ganarse la vida lavando botellas en una fábrica. Hizo una pausa y sonrió ante su propia solemnidad. También había habido buenos tiempos, dijo.

Se reclinó en la silla y pasó distraídamente la mano por el muslo de Flavia, lo cual hizo que el corazón de Vera empezara a latir con fuerza: en la naturalidad de aquel gesto le había parecido percibir la arrogancia del conquistador. La cara de Flavia no se había alterado, pero eso no significaba nada. El hombre sentado al otro lado de la mesa podría ser inocente de los terribles abusos que se producían a diario en Berlín, y como oficial parecía estar intentando crear una atmósfera de impunidad, pero ¿quién si no él debería responder por unos crímenes que, como Vera sabía muy bien, eran cometidos por algunos de los hombres que estaban bajo sus órdenes?

Las venas de las sienes de Vera comenzaron a palpitar. El comandante comenzó a describir cómo había pasado los veranos de su infancia nadando en lagos rodeados de pinos, y cómo en invierno patinaba por los canales de Leningrado. Gracias a su padre había aprendido a jugar al ajedrez antes de saber leer, y en su adolescencia había pasado miles de horas sentado frente a frente con amigos ante tableros de ajedrez. Axel le preguntó cómo había llegado a ser profesor de matemáticas y el comandante respondió, sonriendo, que su ineptitud le había impedido convertirse en físico.

Vera se tranquilizó. Aquel hombre no era el portavoz de un ejército, sino otro ser humano más, un hombre que soñaba en una lengua que ella desconocía. Sobre el armazón de su historia ella podía añadir detalles imaginados: el olor del agua del lago y el lodo rezumando entre los dedos de los pies; los trozos de hielo que entrechocaban en primavera y bajaban por el Neva; el sacrificio de peones con base de fieltro... aunque esto escapara muy lejos de su comprensión. Y él era solo un hombre. No podía esperar entender a las decenas de miles de camaradas suyos que se hallaban ahora dispersos por la ciudad.

Axel preguntó por la unidad del comandante y este le respondió que mandaba un batallón.

—Mis hombres están acampados al sur y al oeste del zoo.

Al oír la mención a sus soldados, Vera sintió que perdía toda su compostura.

—Sus hombres... —repitió—. ¿Qué medidas ha tomado para controlarlos?

—¿Controlarlos? —dijo el comandante.

—¿Qué hace usted para evitar que hostiguen a los civiles? A las mujeres, me refiero.

Los ojos de Flavia destellaron en señal de advertencia.

—No pretendo ser desagradable —añadió Vera, nerviosa. Se obligó a mirar al comandante a la cara—. Ha sido usted muy amable con nosotros, y por supuesto le agradecemos que...

—Cambiemos de tema —dijo Flavia.

El comandante hizo un gesto tranquilizador, y después, como un policía dirigiendo el tráfico, invitó a Vera a proseguir. Su actitud era cortés, pero aun así Vera titubeó. ¿No sería una ingenuidad pensar que un hombre tan tolerante hubiese alcanzado los rangos medios del escalafón militar?

—Me parece que es tener muy poca visión —continuó Vera—. Una gran ineptitud política.

Esta última frase pareción poner a prueba el alemán del comandante.

—Quiere decir torpeza —explicó Axel.

Vera probó de nuevo, adoptando un tono de exasperación y reproche.

—Es como si estuvieran desperdiciando cualquier disposición de buena voluntad que hayan podido encontrar aquí.

El comandante reflexionó, y después habló muy despacio.

—En nuestro camino hasta aquí no hemos encontrado mucha buena voluntad.

—Pero eso era la guerra —contraatacó Vera—, de soldado a soldado. Esto es la paz y, como vencedores, tienen un deber para con los civiles.

Vera no había planeado que sus palabras sonaran tan tajantes, pero el comandante se limitó a asentir, mientras que Flavia parecía más preocupada que enojada. En el pasado era ella la que montaba ese tipo de escenas, y ahora alguien tenía que hablar en nombre de Erna.

—Estoy de acuerdo con usted —dijo por fin el comandante—. Pero, frau Frey, con todo respeto, espera usted demasiado. La guerra es nuestra maestra —añadió, y al momento pareció un poco avergonzado, ya que al volver a hablar su voz sonó más brusca—. Durante los últimos cuatro años mi gente se ha concentrado en una única tarea: matar alemanes... o, más exactamente, combatientes alemanes. Lo que ve usted ahora es el desagradable resultado de esa pasión. Puede que lo de matar haya acabado, pero para algunos de mis camaradas ha llegado el momento de humillar al enemigo. Y, lamentablemente, eligen hacerlo a través de sus mujeres.

—La guerra por otros medios —dijo Axel en voz baja.

—¡Bobadas! —exclamó Vera—. Se trata solo de hombres contra mujeres. La guerra es la excusa. Son unos muchachos en un país de las maravillas donde pueden vengarse de la chica que en su pasado no les dejó que le sobaran los pechos.

El comandante pareció dudar.

—No soy psicólogo... —dijo.

—Y, lo que es más, apostaría a que hay muchos hombres alemanes ahí fuera que también se están aprovechando de ello.

—No puedo hablar por los civiles —dijo el comandante—, pero sí puedo decirle una cosa: el orden se restaurará.

Vera no estaba muy segura de que le gustaran las implicaciones de la palabra «restaurar». Fue Flavia la que intervino.

—¿Puedes decirnos cuándo?

El comandante se volvió hacia ella.

—¿La verdad?

—Siempre —dijo Flavia.

—Cuando Moscú lo decida.

Flavia frunció el ceño. Axel fue el primero en hablar.

—¿Hay órdenes de violar a las mujeres?

El comandante sacudió la cabeza.

—No, solo que no hay órdenes de no hacerlo. Pero llegarán pronto. Deben hacerlo. Estoy seguro de ello.

El tono de su voz reflejaba cualquier cosa menos seguridad, pero Vera notó que su predisposición era auténtica.

—Usted es oficial —dijo, sorprendida de su propia persistencia—. Dicte esas órdenes usted mismo.

El comandante sonrió compungido.

—Las mejores órdenes son las que los hombres obedecerán.

Vera solo pudo reaccionar en ese instante con una mirada de desdén, pero cuando el comandante la captó respondió de nuevo, buscando en el techo las palabras más adecuadas.

—Yo solo soy un subordinado, entiéndalo, una partícula. Una mota.

Pareció complacido ante la idea de su propia insignificancia, pero eso provocó aún más la ira de Vera.

—Es una postura muy cómoda.

Axel apoyó una mano en su brazo.

—Ya hemos hostigado demasiado al pobre muchacho, ¿no crees?

Pero el comandante no dio muestras de tener prisa en que lo rescataran.

—Quizá tenga usted razón, frau Frey, y yo solo esté buscando excusas. Tal vez sería más sencillo si le contara lo que he visto.

—Dejémoslo estar —dijo Flavia, agotada ya toda su energía para seguir con el tema.

—No —dijo el comandante—. La acusación de frau Frey merece una respuesta.

Su voz sonaba tensa y tenía el ceño muy hundido, pero también había una expresión abstraída en sus ojos, como si la ira que ella hubiese podido causarle hubiera penetrado muy dentro de él.

—No pretendo minimizar nada —empezó—. Hace cuatro meses, cerca de Breslau, vi a una chica alemana, que tendría unos quince años, con los pechos y los muslos llenos de mordeduras humanas. Aquello fue después de que nuestras tropas hubieran pasado por allí. Uno de mis médicos afirmó que las mordeduras pertenecían a más de un hombre.

Hizo una pausa.

—Pensará que somos unos salvajes, por eso le diré también que hace dos semanas, en Hellersdorf, vi a uno de mis hombres arrojarse a un canal bajo el fuego enemigo para rescatar a un bebé que lloraba junto al cadáver de su madre. Puede que nosotros la hubiéramos matado... no estoy seguro, porque había habido un fuerte intercambio de fuego cruzado.

»Pero debería remontarme más atrás. Hace un año vi una aldea cerca de Minsk de la que acababan de retirarse los alemanes. Cenizas, algunas chimeneas. Mis hombres estaban sedientos y en la aldea había un pozo, pero por el pretil asomaban brazos y piernas humanos.

La voz del comandante conjuraba la escena, como si los difuntos murmuraran a su espalda desde las sombras, y Vera tuvo la sensación de que si intentaba interrumpirlo, si protestaba para decir que aquellas historias, aquel testimonio, eran innecesarios, él no tendría más remedio que ignorarla y seguir hablando.

—Vi a un prisionero de guerra liberado cuyas rodillas eran más gruesas que sus piernas, y vi a otro que se enzarzaba con un camarada que le quitó la rata que había estado royendo. Vi cómo a esos hombres les daban armas y les dijeron que pelearan. Aquello fue en Polonia y, después, en la frontera alemana, vi un letrero garabateado con aceite de motor en el que se leía: «ESTÁ USTED AHORA EN LA MALDITA ALEMANIA».

»Podría seguir —dijo, y luego se detuvo, con aire casi avergonzado—. Sabe que podría hacerlo.

Vera no lo dudaba, y de algún modo la intimidad de su comentario sonó natural y apropiada.

—También podría hablarle de Stalingrado —prosiguió—, donde tuve la suerte de no combatir, o de Leningrado, asediada durante novecientos días. Aunque las historias que me han contado mis hermanas no fueran ciertas, el hecho de que ellas las crean es todo cuanto necesito saber.

Contempló el interior de su taza y guardó silencio un momento. Luego, como asaltado por una idea repentina, volvió a alzar la mirada.

—Y, por supuesto, están los campos de exterminio —dijo.

—¿Los campos de exterminio? —preguntó Flavia.

El comandante la miró con cara de extrañeza.

—¿No has oído hablar de ellos?

Flavia admitió que no, y Axel dijo lo mismo, y cuando el comandante se volvió hacia Vera, la garganta de ella ya estaba atenazada por un angustiado presentimiento. Su negativa sonó ahogada.

—¿Ninguno de ustedes? —insistió el comandante.

Como escolares amilanados ante una pregunta difícil, todos negaron con la cabeza.

Y entonces el comandante les habló de los campos.

El sol estaba ya alto y la temperatura era agradable, un anticipo del verano. Axel siguió a Vera y a Flavia hasta el patio, donde el comandante y un chófer esperaban junto a un todoterreno militar: pequeño y descubierto, con manchas de camuflaje y neumáticos con relieve como de pezuña. A Axel se le ocurrió pensar en lo útil que resultaría un vehículo así en África: como un efecto pictórico de los tonos ocres de la sabana, tal vez, o del calor del sol.

El comandante les presentó al chófer, un hombre bajito y regordete de mediana edad, y luego subió al vehículo a través de una abertura que servía de puerta. Axel se encaramó al asiento tras él, apoyándose en el volante para dejar espacio para Vera y Flavia. El chófer ocupó su puesto y se pusieron en camino, pasando bajo el arco del patio y girando al llegar a la calle.

A lo largo de la Reichenbergerstrasse la marcha fue lenta, pero la carretera se despejó tras pasar junto al ferrocarril elevado, y el chófer aceleró. A la derecha, las vías se retorcían y combaban allí donde se habían derrumbado los pilones que las sostenían, y mientras Axel las seguía con la mirada se imaginó a sí mismo como en una montaña rusa. A aquella velocidad llegarían al zoo en unos veinte minutos, aunque una parte de él habría preferido abandonar la ciudad en ruinas y seguir hacia el campo para no volver nunca más.

Miró de soslayo a las mujeres. Las dos llevaban vestidos de verano, pero ni el colorido ni la luz del sol habían sido suficientes para disipar el horror de la noche anterior. Ahora se daba cuenta de que nada sería capaz de lograrlo, al menos no por completo. Durante el resto de sus días llevaría posado sobre su hombro un inquietante cuervo negro.

Lo que veían al pasar bastaba para sofocar la conversación. La mayoría de los edificios que seguían en pie eran meros esqueletos y las calles tenían un aire somnoliento que le recordaba a Pompeya. Aquí y allá había supervivientes escarbando entre los montones de escombros, y a la sombra de una escalera de caracol atisbó a una mujer en cuclillas con la falda remangada y las piernas abiertas.

El puente sobre el canal en Lindenstrasse se había desplomado en el agua, y en los accesos, a la sombra del ferrocarril, pasaron ante varias hileras de tumbas excavadas en el pavimento levantado, marcada cada una con una pequeña estrella blanca en una estaca: tumbas de soldados soviéticos, sin duda, aunque el comandante no dijo nada, tal vez porque sintiera acertadamente que no hacía falta ningún comentario.

En las cercanías del puente de Potsdamer se veía más movimiento en las calles, y, aunque la estructura se había derrumbado, había camiones y civiles cruzando el canal a través de un puente de pontones, vigilado por soldados en cada uno de sus extremos. El chófer se adentró en el flujo de tráfico y después enfiló por la superficie de plancha de acero del pontón, que retumbó con estruendo. Los peatones se apiñaban a lo largo del borde sin barandilla. Más tarde, después de oírse un ruido de maquinaria y chirrido de engranajes, el vehículo alcanzó el nivel de la calle en la orilla opuesta, antes de continuar hacia el oeste siguiendo el canal. En Lützowplatz pasaron junto a otro campo de estrellas, las tumbas tan ordenadas como surcos de arado, y más allá Axel vislumbró, en el extremo oriental del zoo, la parte superior de la sala de conciertos quemada.

Cinco minutos más tarde llegaban a la puerta del águila y bajaban del coche. La reja estaba cerrada, pero había varias brechas en el muro. El mayor dio instrucciones al chófer y después invitó a Axel a encabezar el grupo.

Más allá del muro el suelo estaba cubierto aquí y allá de excrementos humanos, algunos de ellos todavía frescos y rodeados de moscas. Reinaba un hedor a carne descompuesta, y de un montón de ladrillos sobresalía un cuerno retorcido, sin lugar a dudas de un kudú. El animal había muerto a medio kilómetro de la cuadra. Axel se apresuró a avanzar, ansioso por alejarse de allí, pero entonces miró hacia atrás y vio que Vera se había detenido. Detrás de ella, Flavia entró por la brecha del muro y en su cara se dibujó una mueca de asco. Apartó a Vera con el hombro, provocando un gesto de irritación en su rostro.

Los cuatro pasaron junto a Neptuno y su escolta de delfines, y luego junto a la glorieta incendiada y el acuario. El combate y el fuego de artillería habían acabado el trabajo iniciado por los ataques aéreos, dejando el zoológico convertido en ruinas. La estructura cupular del aviario había sido reducida a un montón de aros. La pajarera también había sido arrasada. Axel se había preparado para esperar lo peor, pero allá donde mirara solo veía un espectáculo aterrador.

En la roca de los simios vieron los primeros animales vivos: los babuinos hamadryas. La tribu estaba haraganeando y espulgándose unos a otros bajo el sol. Uno de sus vigías los avistó, y la tribu entera se precipitó hasta el borde, pero Axel solo pudo extender sus manos vacías, lo que hizo que sus chillidos arreciaran. Otto lo miró con aire sombrío. Vera le preguntó al comandante si podría proporcionarles algo de comida y él respondió que vería qué se podía hacer, aunque cuando Axel le dio las gracias añadió que no podía garantizarle nada. En sus ojos vio una sombra de reproche o acusación, y Axel recordó las macabras noticias de la noche anterior. Alguien tan sensible como el comandante no podía evitar comparar aquellos recintos destrozados con los *Lager* que había descrito con tan abominables detalles.

Dejaron atrás el recinto de los roedores, destruido antes de que empezara el fuego de artillería, y llegaron al lago de los Cuatro Bosques. Más allá del agua veteada por el sol se extendía un panorama de ruinas. Axel percibió que Vera lo estaba observando, valorando su reacción. Al mirarla descubrió algunas hebras grises en su cabello y eso lo confortó de alguna manera, como si la joven con la que se había casado no hubiese sido hasta entonces una mujer completa.

Con un gesto de determinación, Axel hizo avanzar al grupo siguiendo la orilla del lago hasta llegar al recinto de los bóvidos, donde descubrieron que tres yaks domésticos seguían vivos. Junto al abrevadero encontró varios cubos, y Vera y él cogieron un par cada uno y bajaron hacia el lago. En el terraplén de la margen, Flavia se tendió al sol e invitó al comandante a acompañarla. Axel hizo un gesto de asentimiento. A él también le hubiera apetecido acompañarlos.

Dejando a Flavia y al comandante tumbados al sol, Vera y él fueron cargados con agua hasta el recinto de los primates: una acción de pertinaz optimismo, ya que no tenían ni idea de lo que se encontrarían allí. Dejaron los cubos en el destrozado atrio y entraron en el ala sur. No había señales de vida. Un obús de artillería había destruido la cubierta, por la que ahora penetraba la luz incidiendo sobre una maraña naval de vigas y sogas colgantes. Durante varios segundos se quedaron inmóviles, mirando, hasta que Vera dio un grito y señaló algo. Al principio Axel no vio nada, pero de pronto vislumbró movimiento y vio a los gibones, la hembra más joven colgando de un dedo. Su piel se había aclarado hasta alcanzar un tono crema. Sus ojos no eran ni amistosos ni hostiles.

Vera fue a buscar un cubo y Axel se quedó echando un vistazo entre las ruinas. Tendrían que despejar todo aquello. Al final iban a disponer de espacio: no más ladrillos y barrotes, solo recintos abiertos lo más parecidos al entorno natural como fuera posible. Porque no sería naturaleza —no se hacía ilusiones al respecto—, pero tampoco tenía por qué ser un *Lager* para animales. Seguramente era posible hacer distinciones entre ambas cosas. La intención contaba, y el corazón también. Tenía que creer que podrían crear allí algo bueno, algo armónico que, en conjunto, valiera la pena.

Vera regresó y se adentró entre los escombros buscando algún lugar donde dejar el cubo. Intentó apartar una barra de hierro pero ni siquiera consiguió moverla, y Axel se acercó a ayudarla agarrando el trozo de metal por el otro lado. Axel contó hasta tres y entonces tiraron los dos a la vez, hasta que el extremo atrapado quedó libre y la barra cayó ruidosamente al suelo. Al instante los gibones empezaron a moverse a través de la maraña de sogas y franjas de luz, un entramado de brazos y piernas que tal vez pudiera conciliarse con las leyes del movimiento, pero cuyo profundo encanto solo podía sentirse por medio de la emoción.

13

Sucedió en las horas tranquilas de media mañana, un momento sagrado del día que le recordaba a cuando de niña yacía convaleciente en un sofá, mientras oía a su madre atareada en la cocina. Axel estaba sentado en el sillón, que había convertido en un improvisado escritorio, escribiendo una carta en la que abogaba por los intereses del zoo y que iba dirigida al gobernador militar soviético. Vera estaba sentada ante la ventana sin cristal, zurciendo un par de calcetines. Anudó una hebra y dejó la labor sobre sus rodillas. Cerró los ojos y escuchó el susurro del edificio, el rasgueo de la pluma de Axel y los crujidos de su asiento, y fuera, el trinar de los pájaros en los tejados. El sol y el aire primaverales entraban por la ventana y se entrelazaban en su cabello, unas sensaciones que se intensificaban mutuamente. No tenía que esconderse en el altillo hasta dentro de una hora.

Se escuchó la risa de un hombre en el patio y Vera asomó la cabeza por la ventana a tiempo de ver a un soldado entrando en el edificio. Axel captó su mirada y debió de percibir alarma en sus ojos, porque de inmediato fue a abrir la puerta y le hizo gestos acuciantes para que saliera al rellano. Vera oyó pisadas de botas y vaciló indecisa, y Axel la apremió a subir al piso de arriba. No había más elección que correr, aunque su huida precipitada desencadenó al momento gritos de júbilo y un redoblar del estrépito de botas en la escalera. Los ruidos eran pesados, arrítmicos, causados por más de un hombre. La furia tiñó de rojo el terror de Vera, que se hubiera plantado en el rellano de arriba para ofrecer resistencia de no ser porque Axel la empujó hacia el piso abandonado y le señaló el altillo. Enlazando sus manos para que Vera se apoyara en ellas, la impulsó a través de la trampilla abierta, haciendo que se golpeara en el hombro contra la parte de arriba. Ignorando el dolor, Vera se arrastró dentro, cerró la trampilla y trató de quedarse lo más quieta posible, luchando contra la agitación de su pecho.

En el rellano oyó ruido de ladrillos y cascotes bajo las botas, y después se produjo una larga pausa durante la cual contuvo la respiración, aumentando la deuda que ya tenía con sus pulmones. Se imaginó a los soldados haciendo inventario de la habitación: escombros, basura, un hombre de mediana edad, una cama de hierro y un armario alto arrimado a la pared. Se había comportado como una estúpida, tan estúpida como para haber concebido esperanzas, y ahora se preguntaba si, en lo más profundo de su ser, no había sabido desde siempre que las cosas acabarían así.

—*Tovarishchi!* ¡Camaradas!

La voz de Axel era cordial. Vera respiró profundamente y escuchó con asombro cómo Axel desgranaba varias frases en ruso: expresiones coloquiales, a juzgar por su entonación, recogidas de labios del mayor o de los soldados en la calle. Siguió otro silencio, y después una respuesta consistente en una única palabra: *Frauen*... mitad pregunta, mitad exigencia. La voz era hostil, trabada por la bebida, y ella levantó sus zapatos para impedir que golpearan en la madera. ¿Cuántos hombres serían? ¿Dos? ¿Tres? No sería el fin del mundo, quizá, pero si Axel intentaba quedarse y presenciarlo, ella le amenazaría con quitarse la vida.

—¿Mujeres? —repitió Axel. Su tono era afligido, casi procaz—. ¡Oh, poder echarle mano a una mujer...! —Dijo que no y se rió con un retintín de connivencia masculina, y aunque Vera sabía que estaba actuando, sintió un hormigueo en las axilas. Axel suspiró, y esta vez fue también de lo más elocuente—: No, es una lástima, pero no hay mujeres aquí.

De pronto pareció animarse y propuso que tomaran vodka... esta vez en tono taimado, como revelando un secreto. Corría el riesgo de que lo tomaran por un ladrón.

Siguió un apresurado intercambio de frases en ruso, que confirmó la presencia de otro hombre. La voz de este último era más aguda que la del anterior, y también daba la impresión de corresponder a un hombre joven. Ambas voces sonaban enturbiadas por el alcohol.

Dejaron de hablar y los hombres comenzaron a moverse de nuevo, haciendo que los músculos de Vera se volvieran rígidos como madera. Al principio, el ajetreo que percibía abajo no parecía tener sentido, pero luego no podía dar crédito a lo que estaba oyendo: pasos, incluyendo los de Axel, que volvían al rellano, y ruido de risas que se fueron desvaneciendo escaleras abajo. La habitación había quedado en silencio, de eso estaba segura. Trató de respirar pausadamente, sin atreverse a esperar nada. Todavía no. No podía creer que se hubiera librado.

Axel hizo un esfuerzo consciente para tranquilizar su corazón. De un pelo, la cosa había ido de un pelo. Si sus visitantes hubieran estado sobrios, se habrían dado cuenta fácilmente. Incluso era posible que, de alguna confusa manera, supieran que estaban siendo embaucados pero preferían seguir bebiendo.

Abrió la puerta del piso e invitó a los soldados a entrar, cruzó la habitación y se agachó para abrir la vitrina de las bebidas, haciendo que uno de ellos gritara y le apuntara con su fusil. Bien, nada de movimientos bruscos. Con suavidad, hizo un gesto tranquilizador antes de inclinarse de nuevo y colocar el vodka sobre la mesa. *Kommunist*, explicó, señalando la botella y después a él mismo, lo cual provocó unas risitas en el más joven. No eran más que dos críos. Axel mencionó el nombre del comandante, pero ellos no se mostraron interesados, más pendientes de la botella que de su procedencia. Mucho mejor así. Colocó dos vasitos sobre la mesa, vaciló, y luego añadió un tercero y los llenó. El vodka se agitó con tres rápidas sacudidas en la botella. Tendió sus vasos a los soviéticos y alzó el tercero en el aire.

—*Na zdorovye!*

Sus invitados le devolvieron el brindis y después olisquearon sus bebidas antes de apurarlas de un trago. Una segunda ronda siguió rápidamente a la primera. En un par de ocasiones, los chicos miraron furtivamente de soslayo para calibrar o valorar el efecto del vodka en su compañero, y, cuando por casualidad sus ojos se cruzaban, se echaban a reír. Tan heroica forma de beber estaba estrictamente reservada a los jóvenes, y su demostración tenía un conmovedor aire de inocencia, haciendo que la amenaza que habían representado para Vera pareciese algo alarmista. Lo que ahora inquietaba a Axel era la forma descuidada con que manejaban sus fusiles: sería ignominioso morir por un accidente después de haber superado una segunda guerra.

Sin armas, esos muchachos habrían resultado bastante inofensivos. Uno de ellos era regordete, pero con el aspecto enfermizo de alguien sobrealimentado a base de patatas. Una sombra de patillas en las mejillas. Una cabeza de pelo negro ondulado. El segundo no solo era más delgado, sino también más bajo, y muy probablemente debía de pesar menos que Vera. Voz chillona y atiplada. Pelirrojo, con acné. Axel sonreía, tratando de transmitirles una actitud agradable, fraternal... el amable camarero de una *Kneipe* local.

El muchacho moreno se guardó su vaso en un bolsillo de los pantalones y luego empezó a husmear por la habitación. Descolgó el receptor del teléfono desconectado, dijo «¿Hola?» y empezó a hablar a un imaginario interlocutor, haciendo que su amigo se desternillara de risa. Aparte de unas pocas preposiciones y conjunciones, la única palabra que Axel pudo identificar fue «mamá». De repente, el bromista simuló un ataque burlón de furia, golpeó con el auricular contra la pared y arrojó el aparato a un lado. Con una mirada de soslayo, se dirigió a la cocina, donde trasteó con los platos y los cubiertos para reaparecer luego con un bol para mezclas —un vestigio burgués de la villa del zoo—, que sostuvo en alto. El pelirrojo soltó un chillido y, acto seguido, su amigo estrelló el bol contra el suelo, esparciendo añicos por toda la habitación. Alzó la vista y sonrió, como con cierta inseguridad. Al igual que un delincuente, buscaba que lo provocaran, y Axel estuvo tentado de reaccionar. Una palabra severa habría sido suficiente para hacerle entrar en razón, pero, con su rudimentario ruso, Axel no podía saber qué palabra elegir, por lo que sus únicas formas de protesta se reducían a expresarse por gestos o a una embestida furiosa como la de Schiefer.

Axel se encogió de hombros, optando por perseverar con el buen humor. El soldado moreno sonrió y empezó a deambular, lanzando una mirada furtiva al pasar junto a la ventana. Había algo familiar en todo aquello que Axel no era capaz de ubicar, como una actitud, un eco, una reminiscencia de tedio. Mientras el soldado moreno parecía estar buscando algo más que romper, el rostro del pelirrojo lo seguía, presa de una curiosidad jocosa. En la puerta del dormitorio, el soldado moreno se apoyó contra la jamba, y en su desgarbada pose de cruel superioridad Axel encontró la respuesta: el patio del colegio y sus pequeñas vejaciones. Las armas que manejaban le hicieron retroceder en el tiempo y, a pesar de los años transcurridos, recordaba aún las reglas: mantener la calma, no mostrar miedo y plantarte en tu sitio. De niño casi siempre le había ido bien, esquivando la persecución sin tener que unirse a los matones, y en la adolescencia se las había arreglado en ocasiones para hacer que los fuertes dejaran de abusar de los débiles.

El soldado moreno entró en el dormitorio, cuya única decoración consistía en un grabado de un bote de remos boca abajo en una playa. En contraste con su uniforme marrón mostaza, el edredón parecía descarnadamente blanco. Se fijó en el arcón en el que Vera guardaba las pocas ropas que le quedaban, levantó la tapa y empezó a revolver entre su contenido, demorándose en especial con la ropa íntima. El pelirrojo dejó escapar un aullido lascivo, interminable. Tras haber tocado las prendas una por una, el intruso las fue doblando con suma delicadeza. Después se acercó al umbral, señaló y llamó.

—*Frau, kommen!*

El pelirrojo estalló en risotadas y, para demostrar que sabía apreciar una gracia, Axel se echó también a reír, pero entonces el muchacho moreno alzó su arma y Axel sintió que su sonrisa dejaba paso a una gélida furia en su interior. En esta ocasión el impulso de responder a la baladronada del muchacho fue mucho más fuerte, pero aun así siguió dudando: armas y alcohol componían una mezcla explosiva. En conjunto, resultaba más seguro no manifestar ira ni miedo, sino mostrarse paciente y alerta.

El chico moreno hizo un movimiento con el fusil para que entrara en el dormitorio y, por seguirle la corriente, pero también por mantener vigilada el arma, Axel hizo lo que le pedía, confiando en parte que, por la lógica de la bebida, le hiciera salir enseguida de allí. Pero no, ahora le pidió que permaneciera allí plantado. El pelirrojo se reunió con su camarada ante la puerta, sonriendo bobaliconamente, y entonces el chico moreno hizo más gestos con su fusil, como si tratara de escribir a dos manos con un azadón. Desconcertado ahora, y furioso, Axel contempló el cañón del arma, convencido de que aquella caligrafía carecía de sentido, hasta que de repente, con una súbita conmoción de sus nervios y su sangre, entendió que le ordenaba que se desnudara.

Miró primero a uno, luego al otro. La expresión de sus rostros no se alteró: una era vacua; la otra, sardónicamente divertida. ¿Tenían intención de matarlo? Lo dudaba, por muy extraña que resultara su petición. No había nada criminal en sus ojos, solo arrogancia juvenil, y si acaso tenían algo en mente —lo cual parecía dudoso en el caso del pelirrojo—, lo más probable era que se tratase de alguna broma estudiantil: robarle la ropa, o atarlo en ropa interior a una farola. El régimen anterior les había hecho cosas peores a los judíos, incluso años antes de que hubieran empezado las deportaciones. En retrospectiva, era inexcusable que se hubieran pasado por alto las señales, aunque le resultaba inconcebible que alguien hubiese podido predecir lo que vendría después. En cualquier caso, su embarazosa situación de ahora era una penitencia trivial. Sus agresores no estaban en condiciones de acometer algo muy elaborado y, en el peor de los casos, se vería obligado a pedirle a Schiefer que le prestara unos pantalones.

El soldado moreno hacía movimientos cada vez más bruscos con su fusil, y su camarada empezó a jalear socarronamente. Axel entornó los ojos de forma exagerada y después, con una sonrisa desdeñosa, meneó la cabeza y comenzó a desabrocharse despacio los botones de la camisa. Al momento el pelirrojo soltó un grito, un sonido que se le clavó en lo más profundo del cerebro. Axel se despojó de la camisa y la camiseta, y como el fusil seguía agitándose, se quitó los zapatos y los pantalones. Confiaba en que aquella humillación fuera suficiente y puso cara de fatigada resignación, pero al ver que el muchacho moreno permanecía inmutable, se encogió de hombros y se quitó la ropa interior. El pelirrojo chilló y se tapó los ojos, como si se sintiera realmente violento, mientras que el otro bajó su fusil y siguió mirándolo con el mismo aire de divertida indiferencia. Con frecuencia, en la escuela y en el ejército, Axel había estado desnudo rodeado de hombres, aunque por lo general los otros también habían estado desnudos, y solo haciendo un esfuerzo de voluntad se resistió ahora a taparse los genitales y permaneció plantado con las manos en las caderas, en una actitud menos desafiante que francamente impaciente. A pesar de la luz que llegaba del exterior hacía frío en el piso, y enseguida notó que se le ponía la carne de gallina. Se le ocurrió demasiado tarde que, al no haberse quitado los calcetines, su imagen resultaba grotesca. El pelirrojo lo señalaba con el dedo y se reía estruendosamente de su pene, encogido por la rabia y el frío.

De nuevo el muchacho moreno levantó su fusil, esta vez para indicarle que se diera la vuelta. Un momento de caída libre, un zumbido tan fuerte en sus oídos que incluso borró de su mente cualquier posible recuerdo de en qué idioma le había hablado. Buscó minuciosamente en el rollizo rostro del muchacho alguna señal de haberlo malinterpretado. Comprendió que así era como la gente se encaminaba mansamente a su muerte, aferrándose a sus cada vez menores posibilidades de misericordia hasta que llegaba el momento en que, tiritando y desnudos, se encontraban mirando la boca de un arma de fuego. Obcecadamente repitió el nombre del comandante, y como ninguno de los dos soldados reaccionó, abrió una mano, se señaló a sí mismo con la otra y afirmó de nuevo que era comunista. Esta vez los dos chicos se rieron. El pelirrojo se acercó a él y lo empujó por el hombro, obligándolo a apoyarse con una mano en la cama para no perder el equilibrio. Incluso entonces le pareció una locura rebelarse, aun sabiendo que estaba condenado si se daba la vuelta. Tuvo una premonición en la que veía a Vera encontrando su cuerpo y, sin apartar los ojos del fusil, comenzó a quitarse el primero de sus calcetines. Se disponía a despojarse del otro cuando el menor de los chicos le dio un empellón, y luego Axel ya no pudo ver más que la culata de un fusil impactando contra su cráneo.

Siguió un largo período de oscuridad, un tiempo de aletargada inacción, hasta que despertó sintiendo la opresión de una rodilla clavada en su espalda. Le dolía la cabeza y tenía ganas de vomitar, pero entonces, recordando el edredón, reprimió conscientemente la náusea tensando algún músculo en sus entrañas. Intentó incorporarse, sintió dolor en un hombro y se dio cuenta de que tenía el brazo inmovilizado a la espalda. Al abrir los ojos solo vio blanco, el edredón, y más allá el cielo blanco sucio de la pared. El grabado del bote de remos se deslizaba fuera de su campo de visión, y, cuando intentó fijar la mirada en un único punto, le pareció que su cuerpo giraba como si diera vueltas en un espetón.

Percibió movimiento a su espalda y una gorjeante exclamación de júbilo. El sonido le resultó familiar, aunque no estaba seguro de por qué. La voz, el doloroso martilleo de su cabeza, su hombro retorcido... eran elementos aislados e incongruentes de lo que parecía ser un puzzle más grande. Trató de volverse para atisbar qué era lo que lo retenía inmovilizado, pero le resultó imposible: estiró el cuello y sobre su hombro doblado atisbó unos bombachos arrugados por debajo de sus dos rodillas. Era una imagen desconcertante, pero antes de que pudiera encontrarle algún sentido alguien lo agarró por el pelo y embutió una almohada por debajo de su garganta y su mentón, acciones en las que Axel percibió una inteligencia rectora y una práctica experta, y por primera vez desde que despertó sintió miedo.

El borde metálico del armazón de la cama presionaba contra sus muslos, privándole de un punto de apoyo cuando intentaba debatirse. Había otro peso que desfiguraba la cama. Percibió un ruido de gargajo, la impresión de unos dedos rezumantes de flema, y luego un pánico revelador. Trató de retroceder, pero la rodilla clavada en su columna lo mantenía sujeto y sentía que tiraban con más fuerza de la parte superior de su brazo. El cepo de la almohada inmovilizaba su cuello, y ahora fue la habitación la que comenzó a moverse, girando sobre el eje de su cuerpo. De nuevo la acción de los dedos, y su piel contrayéndose. Por debajo de esta, los músculos se tensaron. No podía dar crédito a aquello... cada instante, cada sensación, hacían que se estremeciera y lo volvía todo borroso. Se le ocurrió que podría vaciar sus intestinos, pero la vergüenza de explicárselo a Vera le resultaba inconcebible, y en cualquier caso no tenía nada que evacuar. En lugar de ello, exclamó *Bitte!* «¡Por favor!», indignado, negándose a suplicar, solo para oír cómo sus palabras eran repetidas con énfasis burlón, haciendo que decidiera no decir nada más.

Los dedos se retiraron, pero solo para ser remplazados por una penetración contundente que, en su abominable atrocidad, lo convenció de la imposibilidad de aquel acto. Sus ojos y los músculos de su cara estaban agarrotados, sus dientes se trababan entre sí. Oyó imprecaciones, gruñidos de concentración, y después notó un golpe en la cabeza que le pareció una señal esperanzadora. Su agresor procedía ahora a trompicones, mascullaba y se retiraba, dejando entrar un aire purificador, pero entonces retornaba el dolor, más agudo y fuerte que antes, asistido por una mano pringosa. A cada acometida, el desgarro resultaba abrasivo, brutal. Sentía arcadas. El colchón se hundía. Podía oler el sudor del otro, junto con el hedor a caballo, a vodka y cigarrillos, y apretaba los dientes para luchar contra la náusea. Unos círculos rojos se hinchaban bajo sus párpados cerrados, y los muelles del somier graznaban como cuervos. Una agonía errática e irregular brotaba a medida que disminuía el dolor, y de forma consciente trató de encajar las embestidas, esperando otro momento... esperando que acabara aquello. Por encima del chirrido de los muelles oyó palabras y risas burlonas —sin duda algún chiste—, y en contra de su voluntad las palabras cobraron significado. Papá. Lo estaban llamando papá.

Se dejó ir, buscando refugio en la quietud. Se decía que una criatura, al ser devorada, entraba en un estado de trance. En algún lugar debía haber un santuario para él, y se esforzó en alcanzarlo, convertirse solo en espíritu. El mundo exterior se desmoronaba, pero algo aparte del dolor empezaba a hormiguear en su interior, y de pronto se dio cuenta de que procedía de su bajo vientre. Con angustiosa incredulidad exploró sus sentidos en busca de alguna señal de placer, pero no encontró ninguna, estaba seguro de ello: solo una obediencia hidráulica, cruel y ciega.

Se abandonó a la vergüenza como un cadáver arrastrado por las olas, hasta que entre gritos y gruñidos todo terminó, o eso parecía: una impresión de fría evacuación, y luego una abyecta y vaga sensación de calor. La opresión que sentía en su hombro se aflojó, su brazo quedó libre y desapareció el contacto de la carne. Pero, aunque por fin liberado, no tenía ningún deseo de moverse, temeroso de exponer su ser ultrajado. Podían matarlo, no le importaba: lo que ocurriera ahora sería irrelevante. Durante años había aceptado la posibilidad de una muerte violenta, pero jamás semejante abominación. Esto había sido lo último, lo más remoto que pudiera concebir su mente.

La habitación quedó en silencio: solo unas botas arrastrándose, alguien esforzándose por recuperar el aliento, un clic metálico que podría ser de la hebilla de un cinturón. Giró la cabeza y la apoyó de lado sobre la almohada, como si se preparara para dormir. Oyó entonces una frase en ruso, pronunciada en voz queda, y por el tono y el arrastrar sugerente de las sílabas comprendió que aludían a su cuerpo como una ofrenda. Al instante lo acometió un nuevo impulso de ofrecer resistencia, aunque sus ojos seguían cerrados y no podría oponer ninguna fuerza sin saber contra qué dirigirla. Oyó una exclamación de repugnancia y más risas. Después sintió una palmada en las nalgas y se preparó para arremeter, pero entonces un aliento fétido le hizo abrir los ojos y vio ante sí un rostro ovalado, pálido y levemente ruborizado. Una barba de varios días comenzaba a ensortijarse sobre la piel. Sus ojos castaños estaban humedecidos. De su boca salían unas palabras que Axel no era capaz de descifrar, aunque el tono era tierno, y en la melaza de sus pensamientos se mezclaban la autocompasión y la repugnancia. Apartó la vista de aquellos ojos de cervatillo y miró hacia la puerta, y entonces un objeto, un paquetito, cayó sobre la almohada. *Nougat*, turrón suizo. Una mano le frotó el bíceps, provocándole un estremecimiento de rechazo, y después el rostro volvió a aparecer ante su vista, diciendo:

—*Stalin gut, ja? Ruskies gut!*

La sonrisa era afable, exenta de ironía. Una mano le apretó suavemente el omóplato, el rostro desapareció, y durante un instante dos figuras bloquearon la luz que entraba por la puerta. Ya en la sala, los intrusos se volvieron y el menor de ellos agitó la mano, y luego ambos salieron tranquilamente del piso. El ruido de sus botas se perdió en las escaleras.

Axel se incorporó apoyándose sobre un codo y paseó la vista por la habitación. La sangre que bombeaba su corazón martilleaba dolorosamente en un lado de su cabeza. Se sentía como un despojo. Notó algo resbaladizo entre sus muslos, percibió el hedor alcalino a semen y se arrastró fuera de la cama. El suelo parecía oscilar bajo sus pies. Se dirigió hasta la sala tambaleándose, cerró la puerta de la entrada y atrancó una silla bajo el pomo. Necesitaba desesperadamente lavarse. En la cocina llenó la palangana de agua, cogió una esponja y se restregó entre las piernas para eliminar toda la suciedad, haciendo una mueca de dolor con cada roce. Suponía que tenía daño en esa zona, pero solo quería estar limpio, y cuando hubo hecho cuanto pudo en su entrepierna, siguió por el torso, empleando agua sin manchar del cubo. Se restregó delicadamente los brazos y la cara, y después levantó el cubo en alto y se aclaró, derramando agua en el suelo. Aún llevaba puesto un calcetín, pero estaba empapado y se lo quitó. Se sentía terriblemente mareado. Se dirigió tambaleante hacia el dormitorio, ensuciándose las plantas de los pies, se secó con una toalla y se puso su ropa. Olía a rancio, pero no había manera de remediar eso. Tampoco pudo encontrar otro par de calcetines, así que se puso los zapatos sobre los pies desnudos. Lo que haría después no estaba claro. Tenía una vaga sensación de que debía hacer algo, pero no sabía por qué, ni cómo reaccionar.

Sobre la almohada vio la barrita de *nougat*, que procedía de ellos, pero que era algo inocente, inanimado. La lógica resultaba vital... ahora más que nunca. Tomó el paquete, le quitó el envoltorio, mordió el turrón y saboreó su dulzor, un gusto que prácticamente había olvidado. Su lengua paladeó la pegajosa pasta, extrayendo el azúcar de ella, pero no conseguía tragar el bocado, que se le adhería a los dientes, y eso hizo que retornaran las náuseas. Tomó un vaso de agua que estaba junto a la cama y bebió, deshaciendo el bocado en pedacitos de almendra, pero luego todo volvió a subir a su garganta y, tapándose la boca con la mano, se dirigió a trompicones hacia la cocina, donde resbaló y cayó. Una vez, dos veces, sus entrañas regurgitaron, arrojando al suelo líquido y pulpa. Aturdido y sin aliento, contempló el revoltijo. Al otro lado de la sala, el pomo empezó a girar.

Se aferró a la encimera en busca de apoyo, se esforzó para incorporarse y miró cómo la puerta presionaba contra la cerradura. Hubo una pausa, luego el tintineo de unas llaves y más confusión. La silla que estaba encajada bajo el pomo se sacudió. Oyó que Vera lo llamaba por su nombre, Axel avanzó un paso y entonces se detuvo. Había olvidado que ella estaba allí. Vera le preguntó si se encontraba solo, él respondió que sí, se acercó a la puerta y retiró la silla.

En Rudow, al sur a las afueras de Berlín, Krypic encontró un puesto de control soviético y, maldiciendo para sus adentros, se unió a una cola de refugiados que varios soldados conducían a lo largo de la margen embarrada y herbosa de la carretera, asegurándose de que dejaran espacio para los camiones que pasaban en procesión. Aunque impaciente, no estaba especialmente alarmado: esa mañana había pasado ya por otros dos puestos de control semejantes, y su paso había sido facilitado por la placa que llevaba cosida en su camisa y por la tarjeta que lo acreditaba como trabajador extranjero.

La gente que iba delante de él había dejado sus bolsas y bultos en el suelo, y él siguió su ejemplo, se soltó las asas de su mochila y desabrochó las correas de la cintura, poniendo cuidado en no ensuciar de barro su abrigo, que llevaba sujeto en la parte superior a modo de saco de dormir. Levantó el faldón de la mochila y sacó una cantimplora; bebió un trago de agua y miró a su alrededor. El puesto estaba controlado por unos diez soldados, una mitad situados en la parte derecha de la carretera y la otra en la izquierda, donde una cola igualmente larga de gente esperaba permiso para entrar en Berlín. «Desplazado» era el término que había oído aplicar a los miles de personas que, como él, querían abandonar la ciudad, y ahora se imaginó al continente entero en movimiento, como si Europa fuera un estanque convulsionado por unos hipopótamos en tromba que hubieran espantado a los pececillos en todas direcciones. No entendía qué podía forzar a la gente a dirigirse hacia Berlín, y hasta consideró la posibilidad de advertir a los que venían hacia allí, en especial a las mujeres, de que se dieran la vuelta. Pero la compasión flaqueaba ante una aflicción de tan vasto alcance.

Volvió a meter la cantimplora en la mochila, en la cual guardaba también una camisa limpia, un par de calcetines y una muda, patatas y una hogaza de pan. Llevaba también tres paquetes de cigarrillos para cambiarlos por comida: no le alcanzaría para cubrir todo el camino hasta Praga, pero aun así se sentía confiado. La carretera proveería. Jamás se había sentido tan fuerte, tan libre y, a pesar de la mochila, tan ligero de equipaje. Los soviéticos habían ubicado su puesto de control en una loma, y más allá de los almacenes y las fábricas bombardeadas, de las señales del ferrocarril y de los tendidos eléctricos caídos, pudo ver la carretera que se extendía hacia campo abierto, y se imaginó que entre los gases de los camiones podría oler la fragancia de la hierba fresca, y que una vez en esa carretera podría seguir su camino totalmente despejado hasta Praga, manteniéndose si fuera preciso con solo el calor del sol sobre su rostro. Encontraría a su madre y buscaría a sus amigos, conseguiría un trabajo provechoso y se consagraría, día y noche, a reconstruir la cultura de su patria.

Advirtió que los soviéticos obligaban a algunos a darse la vuelta, aunque no tenía claro qué criterio seguían. Antes de abandonar los barracones había pensado en falsear su identidad, completando la información del documento expendido por los nazis con datos falsos sobre su vida en Checoslovaquia. Lo que le había hecho desistir, aparte del riesgo de llevar papeles falsos, fue la intuición de que si falsificaba ahora algún documento jamás podría recobrar del todo el hábito de la honestidad. Estaba cansado de tanto engaño, y para evitar cualquier tentación había arrojado por el agujero de una letrina las herramientas de su antiguo oficio. De ahí en adelante sería él mismo, sin complicaciones. No había ninguna razón para avergonzarse. Si ahora lo echaban para atrás, no intentaría escapar al amparo de la noche como un criminal, sino que volvería a intentarlo al día siguiente o probaría en un puesto de control diferente hasta que le fuera reconocido su derecho a salir del país.

Al acercarse a los soldados que estaban al frente de la cola, vio que, junto al oficial al mando, había una intérprete, también de uniforme. Era joven y esbelta, y sorprendentemente rubia, lo cual resaltaba todavía más en contraste con el color anodino de su guerrera. Llevaba el cabello recogido en un moño, aunque algunos mechones habían escapado para caer sobre la nuca de su cuello rafaelita, mientras que la gorra ligeramente ladeada le daba un aire de alta costura. Su conocimiento del ruso era limitado y se basaba sobre todo en su afinidad con el checo, así que supuso que dentro de unos minutos estaría conversando con aquella extraordinaria criatura. Pensó que parecía ante todo muy humana. Cuando los refugiados le hablaban, su expresión era atenta, aunque también notó que traducía sus respuestas con cierta frialdad, como si existiera alguna tensión entre ella y el interrogador, un teniente de rostro rubicundo unos diez años mayor que la intérprete. Por lo que Krypic pudo discernir, el hombre se negaba a permitir el paso a todo hombre en edad militar. Más allá del puesto de control, la carretera se estrechaba y ascendía hacia una colina lejana, y por ella circulaba traqueteante una interminable hilera de camiones, flanqueada por dos columnas de refugiados.

Krypic llegó a donde se hallaban los soldados y presentó su tarjeta de identidad, refrenando su ansia de mirar a la intérprete. Tenía muy claro que era al oficial a quien debía impresionar. El teniente tomó el documento entre sus gruesos dedos, frunció el ceño al observar la escritura en alemán y se lo pasó a su encantadora camarada, quien recitó su contenido en un ruso melodioso. El teniente lo observaba con franca animadversión, y cuando la intérprete acabó de leer el oficial formuló una pregunta cuya finalidad, según dedujo Krypic, era confirmar su nacionalidad. Él se apresuró a responder, interrumpiendo a la joven, y después se le escapó una sonrisa a modo de disculpa, encogiéndose de hombros para demostrar que no tenía grandes pretensiones acerca de su dominio del ruso, pero que tampoco era ningún lego en materia lingüística.

La siguiente pregunta del teniente lo desconcertó, aunque oyó la palabra «alemán» y se volvió hacia la intérprete, quien ahora sonrió para sí con cierto aire jocoso, como si encontrara divertido su apuro. Sus ojos eran de un azul celeste. Le explicó en alemán:

—Pregunta por qué piensa que puede hacerse pasar por checo.

—Yo soy checo.

Ella tradujo su respuesta palabra por palabra en un tono tan deliberadamente inexpresivo que provocó una risita en un camarada que se hallaba allí cerca. El teniente la observó fijamente y ella le respondió con un aleteo de sus largas pestañas. Sus facciones eran arias, pero su acento inequívocamente ruso.

El teniente volvió a hablar y, abandonando cualquier pretensión de entender el ruso, Krypic miró de nuevo a la intérprete.

—Quiere ver sus documentos checos —dijo ella—. Dice que cualquiera podría conseguir una tarjeta de trabajador extranjero. Cualquiera podría robar una camisa con una placa.

—Los alemanes me quitaron mis papeles. Él debería saberlo. Me lo quitaron todo.

—Piensa que puede ser usted un alemán. Un peligroso criminal de guerra alemán.

Enarcó una de sus rubias cejas y lo miró con expresión desconfiada, y Krypic no tuvo ninguna duda de que lo estaba invitando a unirse a ella para burlarse del teniente. Al mismo tiempo, su actitud le ponía nervioso: no tenía ni idea de si existían límites a la autoridad de los oficiales soviéticos sobre los civiles.

—Dígale tan solo que soy checo —dijo Krypic, simulando estar algo cansado de aquel divertimento—. Fueron los alemanes quienes me robaron a mí.

Ella tradujo sus palabras y el teniente hizo una nueva pregunta.

—Quiere saber de qué parte de Checoslovaquia es usted.

—De Praga —respondió Krypic, dirigiéndose directamente al teniente—. Soy de Praga.

El teniente soltó un resoplido burlón, y su réplica dio a entender que cualquiera podía decir que era de Praga.

—Nosotros acabamos de estar allí —dijo la intérprete—. Una ciudad maravillosa, con sus encantadores puentes...

—¿Ha habido muchos daños? —preguntó Krypic.

—Solo unos pocos en la periferia. El casco antiguo está intacto.

Levantó la palma de la mano como para aplacar al teniente, que bufaba de impaciencia.

—Me encantaron sobre todo sus estatuas —dijo—. La del ángel sobre el reloj. Esos enormes caballos a las puertas del castillo.

Krypic la miró fijamente.

—No hay ningún caballo. No, que yo recuerde.

Ella sonrió.

—Lo siento. Pensé que tenía que asegurarme. —Señaló con un gesto al teniente—. Su imaginación no es el único lugar donde los criminales de guerra campan a sus anchas.

Habló con el teniente y empezaron a discutir, y Krypic comprendió que ella estaba defendiendo su caso, oponiendo a la desagradable reticencia del teniente una argumentación serena. Sus probabilidades de éxito no estaban claras, pero lo conmovió pensar que aquella mujer se había sobrepuesto a todas aquellas escenas de indigencia masiva para interceder por él, y entonces recordó la bondad de Vera Frey luchando por arrancarlo de las garras de la muerte. Su relación afectiva con Vera había ido creciendo de forma gradual, pero desde el momento en que cruzó su mirada con la intérprete había tenido la sensación de que surgía un entendimiento entre ambos, un estremecimiento de complicidad, y ahora Krypic se encontraba por completo en sus manos.

Y qué manos: finas y elegantes, con unas uñas de un rosa pálido perfectamente recortadas y meticulosamente limpias. Con aire distraído, se pasó una mano por un lado de su melena en un vano intento de atusarse los mechones rebeldes. Krypic no sabía nada de ella, ni su nombre, ni de dónde era, ni cómo había aprendido alemán... qué pensaba hacer ahora que la guerra había acabado. La imaginó como traductora en alguna conferencia internacional, en una nueva Sociedad de Naciones encargada de hacer un mundo mejor.

El teniente dejó de discutir y le ordenó que se apartara de su mochila mientras un soldado revolvía en su contenido. La intérprete escrutaba el rostro de Krypic como si después de todo desconfiara de él, o tal vez —un pensamiento más optimista— haciendo especulaciones acerca de él como él las había hecho respecto a ella. Aún estaba tratando de decidirse por una de esas hipótesis cuando el soldado se incorporó e indicó que no había nada comprometedor en la mochila, aunque no sin antes, observó Krypic, hacer desaparecer los tres paquetes de cigarrillos en los bolsillos de sus pantalones.

El teniente ya se había girado hacia la siguiente persona en la cola, y, algo confuso, Krypic tardó varios segundos en comprender que era libre para marcharse. También la intérprete se ocupaba ya del siguiente refugiado, pero cuando Krypic estaba recogiendo su mochila ella miró hacia atrás una vez más y le dedicó una sonrisa franca y conmovedora. Pensó en preguntarle cómo se llamaba, pedirle una dirección a la que poder escribirle, algún hilo que le condujera de nuevo a ella. Pero no, el teniente reclamaba ya su atención, y en cualquier caso aquella luminosa sonrisa debería bastar: pedir más solo habría estropeado tanta perfección. Habría otras oportunidades de encontrar el amor. Levantó una mano en señal de despedida y echó a caminar bajo el sol, alzando la vista, por encima de los camiones y la gente que avanzaba penosamente, para fijar la mirada en el punto donde confluían la carretera y el horizonte.

Vera titubeó.

—¿Se han ido?

Axel asintió. Tenía el cabello mojado. Ella le preguntó qué había ocurrido.

—Estoy bien —le dijo.

Vera percibió el olor del vómito, miró dentro de la cocina y vio un rastro pringoso en el suelo.

—¿Has tenido náuseas?

En tono pesaroso, Axel dijo:

—No llevo calcetines.

Junto con el vómito, había agua en el suelo de la cocina. Un calcetín yacía empapado y arrugado sobre el entarimado.

—¿Te encuentras mal?

—Me golpearon. Con un fusil. Creo que tengo una conmoción.

Instintivamente, ella lo aferró por los hombros para ayudarlo a sostenerse.

—Deberías sentarte.

—No quiero sentarme.

—Pero debes hacerlo.

Empezó a conducirlo hacia el sillón, pero él la rechazó con cierta brusquedad, y después, a modo de disculpa, inclinó la cabeza a un lado para que ella la examinara.

—Es por aquí —dijo Axel, señalando vagamente.

Vera hurgó entre sus cabellos y Axel hizo una mueca de dolor, y entonces volvió a intentarlo con la mayor suavidad posible, en una imagen que recordaba a las hembras de hamadryas explorando el pelaje de Otto.

El cuero cabelludo estaba hinchado y presentaba un feo rasguño.

—Al menos no sangra. Pero deberías echarte en la cama.

Axel miró hacia el dormitorio.

—Ya estoy bien.

—Axel, tienes que acostarte.

Vera lo cogió por la muñeca e intentó hacerle entrar en el dormitorio, pero con un súbito grito él se soltó de su brazo. El ruido la asustó, pero también le demostró que Axel estaba aturdido y comprendió que tenía que hacerse cargo de la situación.

Axel pareció avergonzado.

—Estoy mejor, ya lo ves. Es el agua.

Se dio media vuelta, entró en la cocina y estaba cogiendo un cubo vacío cuando Vera vio una mancha de sangre húmeda en sus pantalones. Su grito ahogado obligó a Axel a volverse.

—¿Es que no ves que estoy limpiando?

—¿Estás herido?

—Ya te he dicho que me encuentro mejor.

Vera señaló sus pantalones.

—Tienes sangre. ¿Estás herido?

Axel miró a su espalda.

—Estoy bien, ya te lo he dicho.

—Pero la sangre... ¿es tuya?

Axel se pasó la mano por la parte de atrás de sus pantalones.

—No estoy seguro. Creo que no.

—Quizá debería comprobarlo.

—No es nada.

—¿Y si intentáramos buscar a un médico?

—¡Nada de médicos!

Vera respiró profundamente para tranquilizarse.

—Por favor, Axel, dime qué ha ocurrido. Subimos al piso de arriba. Yo me escondí en el altillo. Llegaron los soldados, pero tú conseguiste que se fueran. Estuviste extraordinario.

Él dio la impresión de no haberla oído.

—¿Axel?

Una sensación de enorme cansancio pareció recorrer el rostro y los miembros de Axel.

—¿Es que no lo ves?

Vera esperó a que siguiera, cada vez más aterrada.

—¿Es que tengo que explicártelo? Lo que tenían pensado hacer contigo... lo que querían hacerte a ti... uno de ellos me lo hizo a mí.

Ella lo miró fijamente. Parecía incapaz de comprender.

—¿Te encuentras bien? —preguntó, y al instante se dio cuenta de la terrible torpeza de su pregunta.

Él hizo una mueca.

—¿Qué quieres que te diga?

Vera apenas podía pensar, mucho menos responder. En cada recodo de su mente parecía alzarse un muro.

—Por favor, déjame —le pidió Axel.

Ella parpadeó, como si la hubiera abofeteado.

—Vete —dijo Axel—. Vete abajo.

Ella alargó una mano, pero él la agarró por la muñeca.

—No harás más que empeorar las cosas.

—No me iré —dijo Vera, evitando que el dolor aflorara a su rostro.

—Déjame. Quiero estar solo.

Vera retrocedió unos pasos, vaciló, y después entró en la cocina. Axel había vaciado uno de los cubos, pero quedaba otro lleno. Encontró una taza y la hundió bajo la superficie, sintió cómo se llenaba hasta el borde y luego la sacó, chorreando pequeñas gotas sobre el agua. Pararse e imaginar lo que estaría sintiendo Axel sería el final para ella: fuera cual fuese el mundo al que había ido a parar, la única manera de salir adelante era actuar. Volvió a la sala y le tendió la taza a Axel, y él la cogió antes de dejarse caer en el sillón. De nuevo le sugirió que se tumbara, si no en la cama al menos en el suelo, y como vio que no contestaba fue a buscar el edredón y se lo echó sobre los hombros. Axel no había bebido nada del agua, así que ella le empujó suavemente el brazo para acercar la taza a sus labios.

Por el momento, aquello bastaría. Él ya no le pedía que se marchara. Vera cogió una silla y se sentó a un lado del sillón, dispuesta a esperar hasta que él pudiera tolerar más cuidados. Era como si aún no pudiera contemplar de frente aquella mancha de sangre.

Fuera lo que fuese por lo que había tenido que pasar Axel, lo había hecho por ella. Él había ocupado su lugar, y la injusticia de aquello la abrumaba.

Transcurrieron varios minutos. Axel acabó de beberse el agua, extendió el brazo a un lado y cogió la tabla de madera que empleaba como escritorio, junto con su pluma y el papel de carta. Miró hacia donde estaba Vera, alisó las hojas y, como si solo hubieran pasado unos segundos desde que interrumpió su tarea, reanudó su alegato pidiendo ayuda para el zoo. La pluma vaciló, pero luego empezó a deslizarse con soltura por la hoja. Vera sintió que una ligera parte de la tensión abandonaba sus miembros.

Desde donde estaba sentada podía mirar a través de la ventana. La luz del sol bañaba la jardinera y, a pesar del débil cabeceo de los narcisos del Blockleiter, apenas corría la brisa.

En el sillón, Axel tosió. El impulso de acercarse a él fue muy fuerte, pero Vera intuyó que era más prudente esperar. Hacía muy poco que había pasado el mediodía... pero, si era preciso, esperaría horas hasta que Axel cediera. Por encima del patio los gorriones surcaban el aire, gorjeando estridentemente y lanzándose en picado, y a lo lejos podía oír el runruneo de los camiones cuya carga anunciaba el futuro. Se sintió extrañamente segura, inmune a sufrir más daño, aunque sabía que era tan solo una ilusión. Esto era lo que llamaban paz. Miró por encima de los tejados y en su mente se imaginó Berlín, la llanura al norte y, más allá, un mar en el que peces, aves y mamíferos cazaban sus presas, y por encima de las aguas, un cielo vacío de color azul pálido.

AGRADECIMIENTOS

A siete pasos de la primavera está inspirada en varios libros sobre animales y zoológicos: *Beasts and Men* (1909) de Carl Hagenbeck, *Animals are My Life* (1956) de Lorenz Hagenbeck, *Animals and Architecture* (1971) de David Hancocks, *Zoo Culture* (1987) de Bob Mullen y Garry Marvin, *Zoos and Animal Rights: the Ethics of Keeping Animals* (1993) de Stephen St. C. Bostock, *The Zoo Story* (1995) de Catherine de Courcey, y la historia del zoo de Berlín de H.-G. Klos, *Von der Menagerie zum Tierparadies* (1969).

Una serie de libros sobre el Tercer Reich también han contribuido a la elaboración de esta novela. Entre ellos, *A Social History of the Third Reich* (1971) de Richard Grunberger [publicada en castellano con el título de *Historia social del Tercer Reich* (1976)], *The Fall of Berlin* (1992) de Anthony Read y David Fisher, *While Berlin Burns* (1964) de Hans-Georg von Studnitz, *Diary of a Nightmare* (1965) de Ursula von Kardorff, *The Berlin Diaries 1940-45* (1987) de Marie Vassiltchikov [publicado en castellano en 2004 con el título *Los diarios de Berlín (1940-1945)*], *Outwitting Hitler* (2002) de Marian Pretzel, el escrito anónimo *A Woman of Berlin* (1955) [*Una mujer en Berlín: anotaciones de diario escritas entre el 20 de abril y el 22 de junio de 1945*] y *Frauen* (1993) de Alison Owings. Especialmente útiles han sido las memorias de tres mujeres anglófonas casadas con alemanes y que vivieron la guerra en Alemania: *The Past is Myself* (1984) de Christabel Bielenberg [*El pasado soy yo* (1989)], *The Alien Years* (1963) de Sarah Mabel Collins, y *Thy People, My People* (1950) de Elizabeth Hoemberg. Un episodio descrito por Sarah Mabel Collins inspiró la escena que se inicia en la página 169 [de ese manuscrito], y las palabras que pronuncia el conductor del tranvía en la misma página han sido recogidas literalmente. La visita de Axel al cuartel general de la Gestapo está basada en una experiencia descrita por Christabel Bielenberg.

En las primeras fases de la redacción de la novela conté con el apoyo económico del Arts Victoria en forma de beca para el fomento de las artes. Me gustaría dar las gracias al Victorian Writers' Center, cuyo programa de orientación atrajo la mirada crítica de Andrea Goldsmith hacia mi manuscrito.

Asimismo estoy en deuda con otras personas que leyeron y aportaron sus comentarios sobre los diferentes borradores de la novela: Emma Farley, Anita Harris, Kate Manton y Sari Smith. Susan Gray, en especial, fue una concienzuda lectora del manuscrito desde sus albores hasta el final. En la Universidad de Melbourne fui el afortunado receptor de los consejos y la amistad de Kevin Brophy, así como del mecenazgo en forma de beca de posgrado.